Romantik Hotels und Restaurants

Norge – Sverige – Danmark
Holland – Deutschland
Schweiz – Austria – Italia
Great Britain – USA

Herzlichst überreicht durch:
With compliments from:
Avec les compliments de:
Hjärtliga Hälsningar fran:

Titelbild: Romantik Hotel »Almtalhof«, Grünau/Österreich

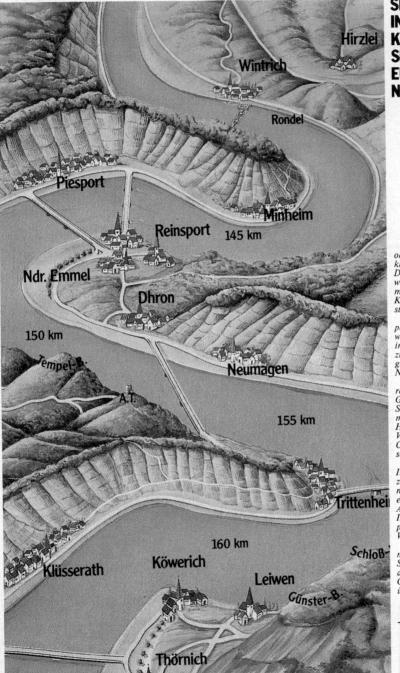

Inhaltsverzeichnis/Contents/Sommaire

Inhaltsverzeichnis / Contents / Sommaire

"Undoubtedly a great name in airlines."

This is an authentic passenger statement.

 Lufthansa
German Airlines

Inhaltsverzeichnis/Contents/Sommaire

Wir empfehlen unseren Gästen zur Abrundung eines guten Essens Jacobs Kaffee ...wunderbar.

JACOBS

Kaffee ...wunderbar.

Krone der Gastlichkeit

Kaffeegenuß wie zu Hause.

Inhaltsverzeichnis/Contents/Sommaire

DIE BAHN FÄHRT SIE IN DEN ZWEITEN FRÜHLING.

Verlieben Sie sich mal wieder so richtig. Zum Beispiel in die romantischsten Landschaften Deutschlands auf einer Fahrt im TEE „Rheingold". Mit dem Senioren-Paß sparen Sie die Hälfte des normalen Fahrpreises. Vielleicht verbringen Sie auch Ihre zweiten Flitterwochen in Venedig. Oder in Paris. Denn wer fürs Ausland schwärmt, kann die Zusatzkarte „Rail Europ S" bekommen. Und damit bis zu 50% Ermäßigung. Und wenn Sie lieber in Kur fahren: Auch hier blühen Ihnen mit der Bahn die schönsten Reiseerlebnisse.

Die schönste Verbindung von Mensch zu Mensch.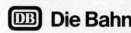

Keitum
Tinnum
Flensburg
Quickborn
HAMBURG
Bad Zwischenahn
Salzhausen
Monnickendam
AMSTERDAM
Markelo
BERLIN
HANNOVER
NL
Schuddebeurs
Münster-Handorf
Bad Oeynhausen
Hildesheim
Rheda-Wiedenbrück
Braunlage
Uslar
Hamminkeln
Dormagen
Essen
Dortmund
Romantik Hotels
Romantik Restaurants
Slenaken
KÖLN
Willingen
Stolberg
Hamm
Bad Hersfeld
Walporzheim
Fulda
FRANKFURT
Dudeldorf
Volkach
Oestrich
Aschaffenburg
Wirsberg
Iphofen
Zweibrücken
Bamberg
Deidesheim
Buchen
Auerbach
Heidelberg
Rothenburg
Nürnberg
Feuchtwangen
Weißenburg
STUTTGART
Rastatt
Oberkirch
Kernen
Bierhütte
Nagold
Gutach-Bleibach
Römmingen
Triberg
MÜNCHEN
Landshut
Münstertal
Insel
Überlingen
Badenweiler
Reichenau
Titisee
Ravensburg
A
Wangen
Garmisch-
Partenkirchen
Bayrischzell
SALZBURG
Grünau
Dietikon
Gottlieben
Anif
St. Wolfgang
Kriegstetten
Appenzell
Imst
Kitzbühel
Schladming
ZÜRICH
Lech/Arlberg
Innsbruck
Wald
Badgastein
BERN
Luzern
Worb
GENF
Mauls/Südtirol
Lienz
Klagenfurt
Amsteg
Chur
Klosters
Villach
Satigny
Zermatt
Lugano
Bad Scuol
Völs/Südtirol
I
CH
Meran/Südtirol

11

Schweiz/Österreich/Italien · Switzerland/Austria/Italy · Suisse/Autriche/Italie

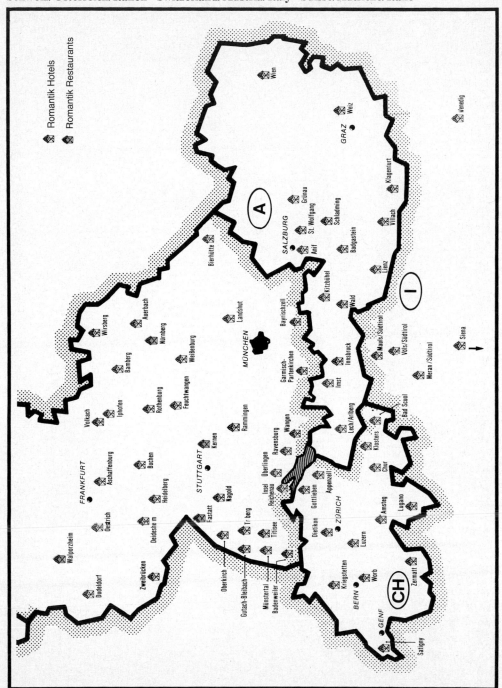

Großbritannien · Great Britain · Grande Bretagne

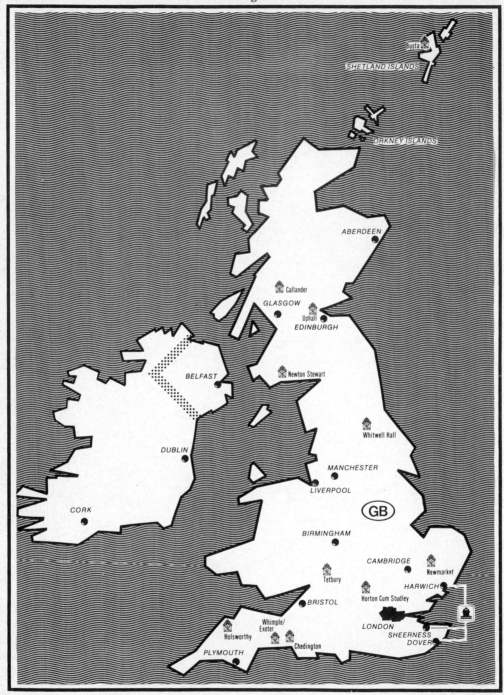

Busta
SHETLAND ISLANDS
ORKNEY ISLANDS
ABERDEEN
Callander
GLASGOW
Uphall
EDINBURGH
Newton Stewart
BELFAST
Whitwell Hall
DUBLIN
MANCHESTER
LIVERPOOL
GB
CORK
BIRMINGHAM
CAMBRIDGE
Newmarket
Tetbury
HARWICH
BRISTOL
Horton Cum Studley
Whimple/
Exeter
LONDON
Holsworthy
SHEERNESS
Chedington
DOVER
PLYMOUTH

USA · Skandinavien · Scandinavia · Scandinavie

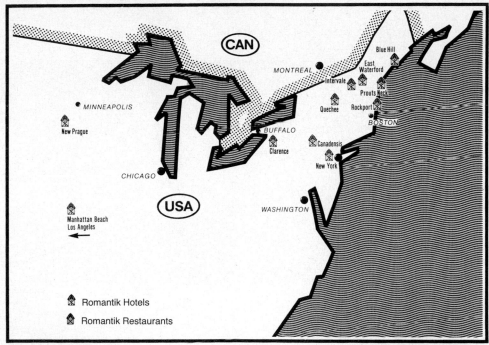

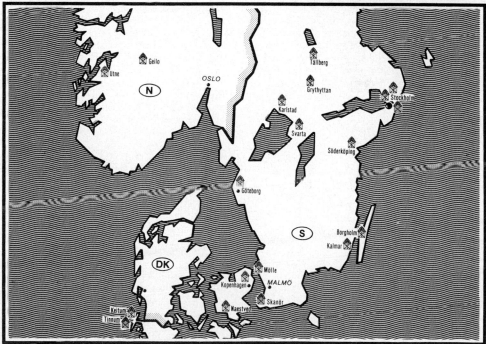

„Auf meinen vielen Reisen ist die Diners Club-Karte wie ein Freund."

Der Typ:

Birgit Larsen, Mode-Directrice. Hobbys: Antiquitäten und Skifahren. Sie geht in ausgesuchte Restaurants. Reist geschäftlich viel und übernachtet gern in Romantik-Hotels. Sie schätzt eine entspannte Atmosphäre. Oft hängt sie ein Hotel-Wochenende dran, um zu erholen und zu genießen. Privat bevorzugt sie gute Bücher und klassische Musik. Sie ist selbständig. Sie ist Diners Club-Mitglied.

Der Club:

Die Diners Club-Karte betont Ihre Selbständigkeit. Denn sie macht unabhängiger von Bargeld und lästigen Devisen. Wohin Sie auch reisen, als Diners Club-Mitglied genießen Sie den umfangreichen VIP-Service mit Leistungen wie Sicherheits-Paß, Geschenk-Service, Kultur-Service, Mietwagen- und Limousinen-Service sowie den Vorzug, VIP-Lounges auf Messen, Flughäfen und in Stadtzentren nutzen zu können. Und vieles mehr. Diners Club-Mitglieder reisen bequemer und sicherer.

Diners Club. Die Karte, die Ihre Meinung über Karten ändert.

Werden auch Sie Mitglied im Diners Club.
Rufen Sie uns an: In Deutschland (0611/15 39-1), in Österreich (02 22/68 89 65),
in der Schweiz (01/833 03 37)

Romantik Hotels & Restaurants

Wer eines kennt, möchte alle kennenlernen.

Romantik Hotels und Restaurants sind durch den freiwilligen Zusammenschluß sehr sorgfältig ausgesuchter historischer Hotels und Restaurants entstanden, um durch diesen Verbund ein Markenzeichen und einen Qualitätsbegriff zu schaffen, der dem reisenden Gast die sichere Gewähr dafür gibt, ein sehr gut geführtes Hotel oder Restaurant in einem historischen Gebäude vorzufinden.
Alle Häuser, die das Romantik-Emblem am Hause führen, müssen über folgende Merkmale verfügen:

- historisches Gebäude
- persönlich geführt
- sehr gute Küche
- freundlicher Service
- gemütliche Atmosphäre

Die Romantik Hotels und Restaurants besitzen ein hohes gastronomisches Niveau, sollen jedoch keine Luxusbetriebe sein, damit sich der Gast als Mensch wohlfühlen kann und keiner besonderen Etikette unterworfen ist.

Sie haben durch ihre gewachsene Tradition und enge Verbundenheit mit der jeweiligen Region den Kontakt zum einheimischen Bürger bewahren können, so daß auch er sich nach wie vor im Romantik Hotel bzw. Romantik Restaurant wohlfühlt.

Wir wissen, daß man in einem Hotel das „Zuhause" nicht ersetzen kann, doch wir wollen versuchen, daß sich unsere Gäste wie bei Freunden zu Besuch fühlen. Dies ist zwar ein hohes Ziel, das nicht immer erreicht werden kann, doch es ist ein Ziel, das alle Romantik Hotels und Restaurants anstreben.

Wir möchten daher Gäste bei uns beherbergen und bewirten, die gerne als Gast kommen und die wir entsprechend betreuen können. Zusammen mit unseren Mitarbeitern, die wir als unsere „stellvertretenden Gastgeber" betrachten, wollen wir uns bemühen, unsere Gäste zufriedenzustellen, damit sie gerne wiederkommen mögen.

Herzlich willkommen!
Ihre ROMANTIK HOTELS UND RESTAURANTS

If you know one, you want to know them all.

Romantik Hotels and Restaurants came into being through the voluntary linking up of very carefully chosen historic hotels and restaurants, so that through this association a hallmark and standard of quality should be set which gives the guest an absolute guarantee of finding a very well-run hotel or restaurant in an historic building.
All houses bearing the Romantik sign must meet the following standards:

- be an historic building
- under personal management of the owner
- first-class cuisine
- friendly service
- pleasant, comfortable atmosphere

The Romantik Hotels and Restaurants maintain high gastronomic standards, although they do not have to be luxury establishments, so that the guest may feel like a person and not a mere cipher.

Romantik Hotels & Restaurants

Through their growing tradition and contact with their own specific regions, they have been able to keep in close touch with the local people, so that they too feel at home in the Romantik hotel or restaurant, as hitherto.

We know that one cannot replace "home" by an hotel, but we like to try to make our guests feel as though they are visiting friends. That is a high aim which cannot always be achieved, but it is an aim for which all Romantik Hotels and Restaurants strive.

We want to accommodate and entertain those who come gladly as guests and whom we can look after accordingly. Together with our colleagues, whom we regard as "deputy hosts", we endeavour to please our guests, so that they will happily come again.

Welcome!
Your ROMANTIK HOTELS & RESTAURANTS

Les Hôtels et Restaurants Romantik sont nés d'une association volontaire d'hôtels et restaurants historiques soigneusement sélectionnés. Notre but était de créer par cette union une marque distinctive synonyme de qualité pour des maisons historiques, afin que l'hôte ait la garantie de toujours pouvoir trouver sous l'emblème Romantik des hôtels ou restaurants très bien gérés. Nous espèrons y être parvenus dans les dernières années.

Toutes les entreprises qui portent l'emblème Romantik doivent répondre aux caractéristiques suivantes:

- bâtiment historique
- gestion très personnelle
- cuisine de première qualité
- service amical
- ambiance agréable

Les Hôtels et Restaurants Romantik peuvent s'enorgueillir, sans être non plus des entreprises luxueuses, de posséder un niveau élevé au point de vue gastronomique, où l'hôte puisse se sentir à son aise sans être contraint par une étiquette particulière.

Grâce à leur respect de la tradition et aux liens étroits avec la région dans laquelle ils se trouvent, ils ont pu conserver le contact avec les citoyens locaux qui, eux aussi, se sentent toujours bien dans leur Hôtel ou Restaurant Romantik habituel.

Nous savons bien qu'un hôtel ne peut pas remplacer le «chez-soi» mais nous voulons essayer de faire en sorte que nos hôtes se sentent aussi bien que s'ils étaient en visite chez des amis. C'est un but ambitieux, qui ne peut pas toujours être atteint, mais c'est un but que tous les Hôtels et Restaurants Romantik s'efforcent d'atteindre.

C'est pourquoi nous aimons offrir logis et régal aux hôtes qui aiment revenir et que nous pouvons accueillir en conséquence. Nos collaborateurs, qui vous reçoivent en notre nom, et nous-mêmes voulons nous efforcer de donner satisfaction à nos hôtes pour qu'ils aient plaisir à revenir chez nous.

Nous vous souhaitons cordialement la bienvenue!

Toujours Vôtres,
les HOTELS ET RESTAURANTS ROMANTIK

„Romantik Hotels und Restaurants" is door de vrijwillige samenwerking van zeer zorgvuldig uitgezochte historische hotels en restaurants ontstaan, om door dit verbond een merkteken en een kwaliteitsbegrip te scheppen, die de reizende gast de zekere garantie geeft een goed hotel of restaurant aan te treffen in een historisch gebouw.

Romantik Hotels & Restaurants

Alle „huizen", die het Romantik-embleem op hun gevel bevestigd hebben moeten voldoen aan de volgende voorwaarden:

- een historisch gebouw
- persoonlijke bedrijfsvoering door de eigenaar
- eerste klas keuken
- vriendelijke bediening en service
- gemoedelijke atmosfeer

De Romantik Hotels en Restaurants hebben een keuken van hoog culinair niveau, maar zijn geen uitgesproken luxe bedrijven, zodat de gast zich als mens op zijn gemak kan voelen en zich niet onderworpen hoeft te voelen aan een speciale etiquette.

Zij hebben allen door hun lange traditie en innige verbondenheid met de directe omgeving het contact met de burgerij in hun plaats van vestiging bewaard, zodat ook die zich in de hotels en restaurants „thuis" is blijven voelen.

Wij weten, dat men in een hotel „thuis" niet vervangen kan, maar wij willen proberen te bereiken, dat onze gasten zich bij ons voelen „als bij vrienden op bezoek". Dat is een doel, dat niet altijd gemakkelijk te bereiken valt, maar het is een doel, dat alle Romantik hotels en restaurants nastreven.

Het liefst herbergen wij daarom gasten, die graag als gast komen en die wij als zodanig verzorgen en verwennen kunnen. Samen met onze medewerkers, die wij als onze „plaatsvervangende gastheren" beschouwen, willen wij ons moeite geven om onze gasten tevreden te stellen, zodat zij graag nog eens een keer terugkomen.

Van harte welkom!
Uw ROMANTIK HOTELS UND RESTAURANTS

Romantik Hotell och Restauranter är en frivillig sammanslutning av noggrant utvalda historiska hotell och restauranter. Vi har genom detta förbund, under Romantikemblemet, skapat ett varumärke och ett kvalitetsbegrepp som garanterar resenären ett mycket välskött hotell och restaurant i en historisk byggnad. Vi tror och hoppas att vi lyckats med detta.

Samtliga medlemmar av Romantikgruppen erbjuder följande:

- historisk byggnad
- personlig omsorg av innehavaren
- välrenommerat kök
- god service och trivsam miljö

Det är inga lyxanläggningar vi erbjuder utan små trivsamma hotell och restauranter där alla kan känna tillfredställelse, samt njuta av den goda maten och behagliga miljön.

Genom att ha bevarat sin tradition och nära samhöriget med trakten.

Vi vet att ett hotell inte kan ersätta det egna hemmet, men vi vill att våra gäster känner sig lika hemma hos oss som vid ett besök hos goda vänner. Detta är ett högt mål som inte alltid kan uppnås, men det är ett mål som alla Romantik Hotell och Restauranter strävar efter.

Det är på dessa grunder som vi tillsammans med våra medarbetare vilka vi ser som våra ställföreträdande gästgivare, vill ta hand om våra gäster och bemöda oss om att de trivs på ett sådant sätt att de gärna kommer tillbaka.

Hjärtligt välkommen!
Önskar ROMANTIK HOTELL e RESTAURANTER

Romantik Hotels & Restaurants

Quien conoce uno, desea conocerlos todos.

Los Hoteles y Restaurantes Romantik son una asociación que agrupa libremente a Hoteles y Restaurantes cuidadosamente seleccionados, y que a través de estagrupación han alcanzado una marca de calidad que le da la seguridad al viajero de encontrar un hotel o restaurante de alta calidad en un edificio histórico. Todos los establecimientos que ostenten el símbolo de Romantik, deben cumplir los siguientes requisitos:

- edificio histórico
- dirección por el mismo propietario
- muy buena cocina
- servicio amable
- ambiente acogedor

Los Hoteles y Restaurantes Romantik deben tener un alto nivel de gastronomía, pero sin ser establecimientos de lujo para que el huésped se sienta a gusto y sin necesidad de una etiqueta especial.

Saben cuidar su larga tradición y su compenetración con la región correspondiente y sus habitantes, para que tambien ellos se sientan a gusto en los Hoteles y Restaurantes Romantik.

Sabemos que un hotel no puede sustituir el propio hogar, pero a pesar de esto intentamos que nuestros huéspedes se sientan como de visita en casa de unos amigos. Esto ya es una meta dificil de alcanzar y que no siempre puede lograrse, pero es una meta a la que aspiran los Hoteles y Restaurantes Romantik.

Por ello deseamos tener y atender a personas a quienes gusta ser huésped y a quienes podemos servir como tales. Junto con nuestros colaboradores, que se consideran nuestros representantes, deseamos complacer a nuestros huespedes para que ellos vuelvan con gusto.

Les damos una cordial bienvenida!
HOTELS Y RESTAURANTES ROMANTIK

ぜひ一度お試し下さい。

ロマンティック・ホテル＆レストランとは慎重に選びぬかれた歴史的ホテルとレストランが任意に集まって組織している団体で、お客様がご利用される場合、この歴史的建造物にあるホテルおよびレストランでは確実なサービスが受けられる、という品質保証のマークとなっております。ロマンティックと記したマークをつけたホテルやレストランは次の条件を満たしております。

- 歴史的建造物であること
- オーナー自ら経営していること
- 料理が一流であること
- 温かい接客サービスを行っていること
- よい雰囲気があること

ホテルおよびレストランの料理は最高の水準を誇っておりますが、デラックスというわけではなく、お客様が気持よくすごし、単なるブランド志向ではなく内容に重点を置いております。どの店も独自の伝統を有し、その土地と密に結びついておりますので、お客様には土地の人々とのふれあいが可能になります。ですからどこでも素晴しい雰囲気にひたることができます。ホテル滞在はもちろん家庭に代えられるものではありませんが、友人訪問ぐらいの雰囲気を提供できるよう努めております。いつも達成できるとはかぎらない高い目標ではありますが、加盟店はすべてこの目標に向って最大限の努力をしております。

ぜひ一度、ロマンティック・ホテルにお泊りいただきレストランでお食事を楽しんでいただきたくお待ち申しあげております。私共は従業員ともども必ずや再びお越しいただけるような満足ゆくサービスを提供いたします。

Die goldene Partnerschaft für mehr Gastlichkeit

GOLDENE TASSE HAG GF GASTRONOMIE SERVICE
und Romantik Hotels und Restaurants

kaffee ♥HAG *Voll und reich in Aroma und Geschmack*

Qualitäts-Kaffee speziell für die Gastronomie

GOLDENE TASSE
HAG GF GASTRONOMIE SERVICE

HAG GF VERTRIEBS GMBH & CO OHG, POSTFACH, 2800 BREMEN

Erläuterungen der Symbole
Key to Symbols

Explications des Symboles
Symbol for kläring

 Ruhetag
Rest day
Jour de Fermeture
Stägningsdag

 Betriebsferien
Closed for holidays
Fermeture annuelle
Helgstängt

 Anzahl der Betten
Number of beds
Nombre de lits
Antal Bäddar

 Zimmer mit Dusche/Bad
Room with shower/bath
Chambre avec douche/bain
Rum med Dusch/Bad

 Zimmer ohne Dusche/Bad
Room without shower/bath
Chambre sans douche/bain
Rum utan Dusch/Bad

 Preis für Einzelzimmer
incl. Frühstück in Landeswährung
Price for single room
in national currency
Prix par chambre à un lit
en monnaie nationale
Pris för Enkelrum
i inhemsk Valuta

 Preis für Doppelzimmer
incl. Frühstück in Landeswährung
Price for double room
in national currency
Prix par chambre à deux lits
en monnaie nationale
Pris för Dubbelrum
i inhemsk Valuta

 Zentrale Lage
Centrally situated
Emplacement central
Centralt Läge

 Ruhige Lage
Quiet Location
Site tranquille
Lungt Läge

 Konferenzen
Conferences
Conférences
Konferenser

 Für Körperbehinderte geeignet
Suitable for disabled
Accessible aux handicapés physiques
Handikappvänligt

 Keine Hunde
No dogs allowed
Accès interdit aux chiens
Inga Hundar

 Eigene Garage
Own garages
Avec garage
Privat Garage

 Eigene Parkplätze
Own parking places
Avec parking
Privat Parkeringsplats

 Eigener Garten
Garden
Avec jardin
Egen Trädgård

 Terrasse
Terrace
Terrasse
Terrass

 Fahrstuhl
Lift
Ascenseur
Hiss

 Schwimmbad
Outdoor swimming-pool
Piscine en plein air
Utomhuspool

 Hallenbad
Indoor swimming-pool
Piscine couverte
Inomhuspool

 Sauna
Bastu

 Reitplatz am Ort
Riding facilities nearby
Terrain d'equitation dans la localité
Ridmöjligheter på området

 Tennis

 Kegelbahn
Bowling
Jeu de quilles
Bowling

 Trimm-Dich-Raum
Keep-fit-room
Salle de Sport
Träningsrum

23

Wintersport
Wintersports
Sports d'hiver
Vintersport

 Golf

 Eurocard
 Diners
 Amexco

Beachten Sie bitte, daß unsere Restaurants normalerweise von 12.00 bis 14.00/14.30 Uhr und 18.00 bis 21.00/21.30 Uhr geöffnet sind.

Please note that our restaurants are normally opened from 12.00 to 2.00/2.30 p.m. and from 6.00 till 9.00/9.30 p.m.

Veuillez noter que nos restaurants sont ouverts normalement de 12.00 à 14.00/14.30 et de 18.00 à 21.00/21.30.

Vaenligen beakta att restauranterna som regel aer oeppna enligt foeljande, 12.00 – 14.00/14.30 samt 18.00 – 21.00/21.30

1 Montag
Monday
Lundi
Maandag

2 Dienstag
Tuesday
Mardi
Tisdag

3 Mittwoch
Wednesday
Mercredi
Onsdag

4 Donnerstag
Thursday
Jeudi
Torsdag

5 Freitag
Friday
Vendredi
Fredag

6 Samstag
Saturday
Samedi
Loerdag

7 Sonntag
Sunday
Dimanche
Soendag

Telefonvorwahl/Telephone Codes

Norge	Danmark	09545
Norge	Deutschland	09549
Norge	Nederland	09531
Norge	Österreich	09543
Norge	Sverige	09546
Norge	Schweiz	09541
Norge	Italia	09539
Norge	Great Britain	09544
Norge	USA	0951
Sverige	Danmark	00945
Sverige	Deutschland	00949
Sverige	Nederland	00931
Sverige	Norge	00947
Sverige	Österreich	00943
Sverige	Schweiz	00941
Sverige	Italia	00939
Sverige	Great Britain	00944
Sverige	USA	0091
Danmark	Deutschland	00949
Danmark	Nederland	00945
Danmark	Norge	00947
Danmark	Österreich	00943
Danmark	Sverige	00946
Danmark	Schweiz	00941
Danmark	Italia	00939
Danmark	USA	0091
Nederland	Danmark	0945
Nederland	Deutschland	0949
Nederland	Norge	0947
Nederland	Österreich	0043
Nederland	Sverige	0946
Nederland	Schweiz	0941
Nederland	Italia	0939
Nederland	Great Britain	0944
Nederland	USA	091
Deutschland	Danmark	0045
Deutschland	Nederland	0031
Deutschland	Norge	0047
Deutschland	Österreich	0043
Deutschland	Sverige	0046
Deutschland	Schweiz	0041
Deutschland	Italia	0039
Deutschland	Great Britain	0044
Deutschland	USA	001
Schweiz	Danmark	0045
Schweiz	Deutschland	0049
Schweiz	Nederland	0031
Schweiz	Norge	0047

Schweiz	Österreich	0043
Schweiz	Sverige	0046
Schweiz	Italia	0039
Schweiz	USA	001
Österreich	Danmark	0045
Österreich	Deutschland	060
Österreich	Nederland	0031
Österreich	Norge	0047
Österreich	Sverige	0046
Österreich	Schweiz	050
Österreich	Italia	040
Österreich	USA	001
Italia	Deutschland	0049
Italia	Nederland	0031
Italia	Österreich	0043
Italia	Sverige	0046
Italia	Schweiz	0041
Italia	USA	001
Great Britain	Danmark	01045
Great Britain	Deutschland	01049
Great Britain	Nederland	01031
Great Britain	Norge	01047
Great Britain	Österreich	01043
Great Britain	Sverige	01046
Great Britain	Schweiz	01041
Great Britain	Italia	01039
Great Britain	USA	0101
USA	Deutschland	01149
USA	Danmark	01145
USA	Nederland	01131
USA	Norge	01147
USA	Österreich	01143
USA	Sverige	01146
USA	Schweiz	01141
USA	Italia	01133
USA	Great Britain	01144

© Romantik Hotels and Restaurants
Beratungs- und Betreuungs KG
5. Auflage 1985

Produktion:
D. Meininger Verlag und Druckerei GmbH
Neustadt an der Weinstraße

Printed in Germany

Distributed in North America
by Berkshire Traveller Press

Romantik
Hotels & Restaurants

FEINSCHMECKER
REISE-PASS
GOURMET
PASSPORT

This GOURMET-PASSPORT

should be your travelling companion on all your trips for a good welcome in all Romantik Hotels and Restaurants. Present your Romantik-Passport to the owner so that he will know that you are a friend of the Romantik Hotels and Restaurants. He will give you a stamp in the passport and when you have ten, please send it back to the central office of the Romantik Hotels and Restaurants at D-8757 Karlstein, Box 1144. We then will send you a small "Thank-you" for your visits.
In the USA please return to Romantik Hotels Reservation: INGRID MEYER, 12334, Northup Way, Suite C, 98005 Bellevue WA.

CE PASSEPORT DU GOURMET

doit toujours vous accomopagner pendant vos voyages. Grâce à lui, vous serez, même dans un hôtel inconnu, accueilli et reçu comme un client ami de la maison. Au repas, déposez votre passeport sur la table et votre hôtelier signera et y apposera son cachet (un bon conseil faites le en début de séjour). Lorsque votre passeport est plein de cachets et signatures, envoyez-nous le donc à l'adresse suivante: Romantik Zentrale, Seestrasse 5, D-8757 Karlstein a. Main, afin que nous puissions vous faire parvenir un petit remerciement pour vos visites.

Dit »FIJNPROEVERS-PASPOORT«

zou steeds Uw begeleider op Uw reizen moeten zijn, opdat U ook in voor U onbekende »Romantik«-hotels en »Romantik«-restaurants als vriend begroet en bediend kunt worden. Legt U daarom steeds bij Uw bezoeken deze pas op Uw tafel, zodat wij een stempel in de pas kunnen zetten. Als Uw pas vol is met de vereiste stempels, dan verzoeken wij U Uw pas op te sturen naar de »ROMANTIK-CENTRALE«, Postfach 1144, D-8757 Karlstein a. Main, opdat wij U in verband met Uw bezoeken een eenvoudig »Dankeschön« kunnen toezenden.

GOURMET-PASSET

borde alltid tagas med på Era resor så att Ni även, vid andra Romatikhotel och restauranger, kan hälsas välkomna som husets vän.
Lägg alltid passet på bordet så att det kan stämplas. När passet är fullt, lämna det till servisen, hovmästaren eller ägaren så att företaget kan överlämna en överraskning och ett hjärtligt tack för besöken.

Dieser FEINSCHMECKER-PASS

sollte stets Ihr Begleiter auf Ihren Reisen sein, damit Sie auch in Ihnen unbekannten Romantik Hotels und Romantik Restaurants als Freund des Hauses begrüßt und bewirtet werden können. Legen Sie diesen Paß daher bei Ihren Besuchen stets auf Ihren Tisch, damit wir Ihnen einen Stempel für Ihren Besuch eindrücken können (am besten natürlich zu Beginn Ihres Besuches).
Wenn der Paß voll ist, senden Sie ihn bitte an die Romantik-Zentrale, Postfach 1144, D-8757 Karlstein a. Main, damit wir Ihnen für Ihre Besuche ein kleines »Dankeschön« übersenden können.

Romantik Gästekreis

Romantik Gästekreis

Unser »Romantik-Feinschmecker-Reise-Paß« hat gezeigt, daß es viele Gäste gibt, die gerne und oft Romantik Hotels und Romantik Restaurants besuchen. Darüber hinaus hat jeder Romantik-Betrieb »seine« Stammgäste. Beide Gästekreise verbindet eines:
Sie fühlen sich in den Romantik Hotels und Restaurants wohl!
Auf Wunsch zahlreicher Stammgäste ist ein »Romantik Gästekreis« gegründet worden, um den Kontakt untereinander stärker zu fördern.
Dies soll durch gemeinsame kulinarische Wochenenden und Kurzreisen – verbunden mit kulturellen Ausflügen – geschehen, durch die Zusendung regelmäßiger Informationen über Neuigkeiten innerhalb der Romantik-Gruppe und nicht zuletzt durch die Teilnahme an Treffen aller Romantik-Wirtinnen und -Wirte. Außerdem erhält das »Romantik-Gast-Mitglied« ein Jahresabonnement der Gourmet-Zeitschrift »Der Feinschmecker«.
Mitglied dieses »Romantik Gästekreises« können nur Personen werden, die bereits Stammgast eines Romantik Hotels oder eines Romantik Restaurants oder bereits im Besitz eines vollen »Romantik-Feinschmecker-Passes« sind.
Der Jahresbeitrag beträgt 100 DM bzw. 150 DM für Ehepaare. Wir würden uns freuen, wenn auch Sie Mitglied unseres »Romantik Gästekreises« werden.

Romantik Guest-Club

Our Romantik Gourmet Passport has shown that there are many guests who gladly frequent Romantik hotels and restaurants. It follows that, furthermore, every Romantik hotel and restaurant has its own regulars. Both circles have one thing in common – they feel at home in Romantik hotels and restaurants.
At the wish of a number of regulars, the "Romantik Gästekreis" has been founded in order to increase the contacts between them. This is achieved through culinary weekends and short trips, incorporating cultural visits, as well as by regular communications with news about events within the Romantik Group and, not least, by the participation of all the Romantik hoteliers at the gatherings.
In addition, all Romantik members receive an annual subscription to the gourmet magazine "Der Feinschmecker".
Membership of the "Romantik Gästekreis" is only open to people who are regular guests of a Romantik hotel or restaurant or are in possession of a full Romantik gourmet passport.
The annual subscription is DM 100 for single members and DM 150 for a married couple. It would give us pleasure to welcome you too as a member of our Romantik Guest Circle.

Romantik
Gästekreis e.V.
Postfach 1144
D-8757 Karlstein a. Main

Romantik
Gästekreis e.V.
Postfach 1144
D-8757 Karlstein a. Main

Romantik Geschenk-Teller

Für die Freunde von schönen Sammeltellern haben wir erstmals einen Romantik Geschenkteller hergestellt. Mit einem Motiv von Astrid Störzer und durchbrochenem Rand dürfte er unter den Sammeltellern etwas Besonderes sein. Inkl. Geschenkkarton kostet er 48,– DM.

Romantik Bordeaux-Gläser

Wenn Sie ein Freund sehr schöner Weingläser sind oder anderen damit eine Freude machen wollen, dann können wir Ihnen nur unsere Romantik-Gläser empfehlen. Sie sind jeweils in einem 2er Karton verpackt und kosten inkl. Versandkosten nur 20,– DM pro Karton. (mit Abbildung)

Romantik Reisekarte
zur Förderung des Denkmalschutzes

Auf einer neuen Landkarte sind alle mitteleuropäischen Romantik Hotels und Restaurants in Deutschland, Holland, Österreich und der Schweiz markiert und somit leicht zu finden. Die Landkarte enthält außerdem die Anschriften und Telefon-Nummern aller Romantik Hotels weltweit. Inkl. Versandkosten 7,50 DM, davon wird 1,– DM dem Denkmalschutz zugeführt.

Bestell-Anschrift: Romantik Hotels und Restaurants, Postfach 1144, D 8757 Karlstein am Main
Telefon (0 61 88) 50 20

Romantik Hochzeitsscheck

ROMANTIK HOCHZEITSSCHECK

Unser Romantik Hochzeitsscheck ist ein ideales Geschenk zur Hochzeit oder zu einem Hochzeitsjubiläum – und warum nicht auch am Hochzeitstag?

Der Hochzeitsscheck beinhaltet zwei Übernachtungen in sehr schönen »Hochzeitszimmern«, eine Flasche Sekt zur Begrüßung, reichhaltiges Frühstück und ein Romantik Menü zu zweit bei Kerzenschein.

Der Hochzeitsscheck ist in allen europäischen Ländern außer England einlösbar und kostet 500,– DM für zwei Personen.

ROMANTIK WEDDING VOUCHER

Our Romantik Wedding Voucher is an ideal wedding present for an anniversary – or why not for a wedding day?

The Wedding Voucher includes 2 nights in a special, beautiful bridal suite, a bottle of Sekt as a welcome, an extensive breakfast and a Romantik menu for two by candlelight.

The Wedding Voucher is valid in all European countries except England and costs 500,– DM for two people.

COUPON MARIAGE ROMANTIK

Notre coupon mariage Romantik est le cadeau de mariage ou de noces d'or idéal – et pourquoi pas, d'anniversaire de mariage?

Le coupon mariage comprend 2 nuitées dans la très belle «chambre des mariages», une bouteille de Champagne de bienvenue, un petit déjeuner copieux et un repas aux chandelles spécial Romantik en tête à tête.

Le coupon mariage peut être utilisé dans tous les pays européens à l'exception de l'Angleterre et peut être acheté au prix de 500,– DM pour 2 personnes.

Goldene Zeiten für Romantiker

Kommen Sie dann, wenn wir mehr Zeit für Sie haben!

Es ist erstaunlich aber wahr:
90 Prozent aller Urlauber verreisen in drei Sommer- und zwei Wintermonaten. In diesen Monaten nehmen sie in Kauf:

● überfüllte Straßen
● überfüllte Orte und Einrichtungen
● überfüllte Lokale und Hotels
● hektische Bedienungen
● Wartezeiten beim Essen usw., usw.

Warum genießen Sie Ihren Urlaub oder Kurzurlaub nicht in der übrigen Zeit des Jahres. Viele werden es sicherlich wegen der Schulferien ihrer Kinder nicht so einrichten können. Doch wenn Sie an diese Zeiten nicht gebunden sind, warum nicht? In dieser Zeit möchten wir Ihr Gastgeber sein, denn dann haben wir mehr Zeit für Sie und können uns Ihnen widmen.
Nahezu alle Romantik Hotels haben ein Programm für einen Kurzurlaub ausgearbeitet, der zum Beispiel wie folgt aussehen könnte:
Sie kommen im Romantik Hotel an und auf dem Zimmer steht für Sie eine Flasche Wein zur Begrüßung bereit. An einem Abend nehmen Sie Ihr mehrgängiges Romantik Menü mit den Romantik-Wirtsleuten ein, an einem anderen Abend zelebriert Ihnen das Haus eine Weinprobe oder Sie

nehmen an einer Feuerzangenbowle-Gesprächsrunde teil. Tagsüber zeigt Ihnen ein Einheimischer die speziellen Sehenswürdigkeiten des Ortes, die kein »normaler« Fremdenführer jemals zeigen würde, oder Sie können einmal einen besonders interessanten Betrieb oder eine Künstlerwerkstatt besuchen.
Es gibt viele Möglichkeiten und jedes Romantik Hotel hat sich da wirklich interessante Dinge überlegt.
Der Urlaub wird mit Sicherheit nicht langweilig, doch Anstrengung wird er ebenfalls nicht kennen. Es kostet in der Regel 395,– DM und beinhaltet vier Übernachtungen, vier Abendessen, davon ein Romantik Menü mit Aperitif, eine Flasche Wein zur Begrüßung, eine Weinprobe sowie die vielen kleinen Extras, die Ihnen das Romantik Hotel während dieser vier Tage bietet.
Und ein kleines »Zuckerl« soll natürlich auch dabei sein: Wenn Sie länger bleiben wollen, erhalten Sie auf die Verlängerungsnächte einen 20 Prozent günstigeren Übernachtungspreis.
Kommen Sie, wenn wir mehr Zeit für Sie haben und Sie sparen noch Geld dabei!

Ihre
ROMANTIK HOTELS UND RESTAURANTS

Romantik Gutscheine

Romantik Schlemmergutschein

Viele unserer Gäste möchten in Romantik Hotels einmal ein schönes romantisches Wochenende verbringen, mit gutem Essen und romantischen Zimmern, schöner Umgebung und verkehrsgünstig zu erreichen.

Da dies in nahezu allen Romantik Hotels möglich ist, haben wir uns entschlossen, unsere Romantik Schlemmerwochenenden zu einem Pauschalpreis anzubieten, damit jeder Gast selbst entscheiden kann, wann und wo er ein solches Wochenende – ob zu zweit oder zusammen mit Freunden – genießen kann. Wir haben daher ein Spezialangebot ausgearbeitet, das für 2 Personen jeweils 1 Doppelzimmer mit Frühstück für eine Nacht, ein Romantik-Gourmet-Menü und einen Aperitif enthält. Dieses Angebot kostet 300,– DM für 2 Personen und ist in allen Romantik Hotels in Deutschland gültig.

Romantik Verwöhn-Gutschein

Dieser Gutschein beinhaltet folgende Leistungen: Ein Abendessen, zwei Übernachtungen im Doppelzimmer mit Bad oder Dusche und WC, inkl. Romantik Frühstück, ein Gourmet-Menü mit Aperitif und Wein sowie zwei Mittagessen. Der Preis für 2 Personen beträgt 650,– DM. Da wir spezielle Gutscheine hierfür gedruckt haben, können Sie diese Gutscheine auch an Freunde, Geschäftspartner oder zum Geburtstag oder einem Jubiläum verschenken.

Romantik Restaurant-Schecks

Restaurant-Schecks im Wert von 25,–, 50,– und 100,– DM, die in allen Romantik Hotels und Restaurants eingelöst werden können, eignen sich ebenfalls sehr gut als Geschenk. Auf diesen Gutscheinen ist der Wert aufgedruckt.

Romantik Dîner

Dieser Geschenk-Gutschein enthält einen Aperitif, ein Vier-Gang-Menü mit korrespondierendem Wein sowie Kaffee oder Tee nach dem Essen für jeweils 2 Personen. Er eignet sich gut für Verkaufsförderungswettbewerbe Ihrer Mitarbeiter oder Kunden.

Das »Romantik Dîner zu Zweit« kostet 175,– DM, wobei wir den Preis nicht auf dem Gutschein aufgedruckt haben. Er kann in allen Romantik Hotels und Restaurants in Europa eingelöst werden.

Bestelladresse:
Romantik Zentrale, Postfach 1144, D–8757 Karlstein/Main, Tel. (06188) 5020.

Sein Erfolg ist der Geschmack

In der Tiefe des
Gerolsteiner Vulkangesteins gelingt der
Natur diese einzigartige Verbindung
von Mineralreichtum und Reinheit des
Geschmacks.

Gerolsteiner Stern

Romantik Tagungshotels

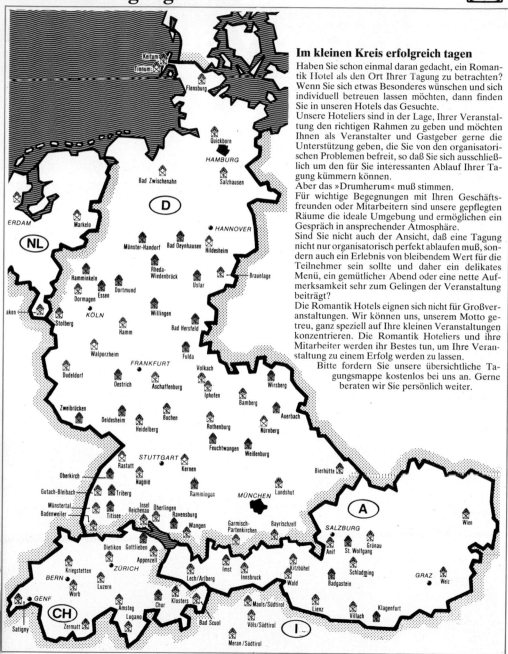

Im kleinen Kreis erfolgreich tagen

Haben Sie schon einmal daran gedacht, ein Romantik Hotel als den Ort Ihrer Tagung zu betrachten? Wenn Sie sich etwas Besonderes wünschen und sich individuell betreuen lassen möchten, dann finden Sie in unseren Hotels das Gesuchte.

Unsere Hoteliers sind in der Lage, Ihrer Veranstaltung den richtigen Rahmen zu geben und möchten Ihnen als Veranstalter und Gastgeber gerne die Unterstützung geben, die Sie von den organisatorischen Problemen befreit, so daß Sie sich ausschließlich um den für Sie interessanten Ablauf Ihrer Tagung kümmern können.

Aber das »Drumherum« muß stimmen.

Für wichtige Begegnungen mit Ihren Geschäftsfreunden oder Mitarbeitern sind unsere gepflegten Räume die ideale Umgebung und ermöglichen ein Gespräch in ansprechender Atmosphäre.

Sind Sie nicht auch der Ansicht, daß eine Tagung nicht nur organisatorisch perfekt ablaufen muß, sondern auch ein Erlebnis von bleibendem Wert für die Teilnehmer sein sollte und daher ein delikates Menü, ein gemütlicher Abend oder eine nette Aufmerksamkeit sehr zum Gelingen der Veranstaltung beiträgt?

Die Romantik Hotels eignen sich nicht für Großveranstaltungen. Wir können uns, unserem Motto getreu, ganz speziell auf Ihre kleinen Veranstaltungen konzentrieren. Die Romantik Hoteliers und ihre Mitarbeiter werden ihr Bestes tun, um Ihre Veranstaltung zu einem Erfolg werden zu lassen.

Bitte fordern Sie unsere übersichtliche Tagungsmappe kostenlos bei uns an. Gerne beraten wir Sie persönlich weiter.

angesehene Visitenkarte.

NOT TRANSFERABLE/NICHT ÜBERTRAGBAR   SEE REVERSE SIDE/SIEHE RÜCKSEITE

AMERICAN EXPRESS®

Romantik „Golf-Hotels"

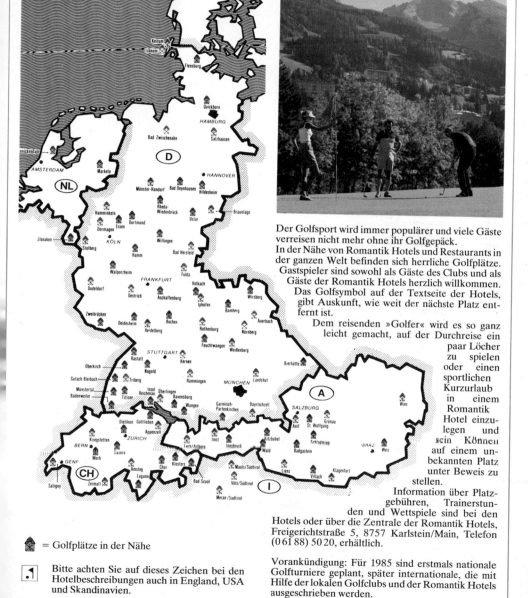

Der Golfsport wird immer populärer und viele Gäste verreisen nicht mehr ohne ihr Golfgepäck.

In der Nähe von Romantik Hotels und Restaurants in der ganzen Welt befinden sich herrliche Golfplätze. Gastspieler sind sowohl als Gäste des Clubs und als Gäste der Romantik Hotels herzlich willkommen.

Das Golfsymbol auf der Textseite der Hotels, gibt Auskunft, wie weit der nächste Platz entfernt ist.

Dem reisenden »Golfer« wird es so ganz leicht gemacht, auf der Durchreise ein paar Löcher zu spielen oder einen sportlichen Kurzurlaub in einem Romantik Hotel einzulegen und sein Können auf einem unbekannten Platz unter Beweis zu stellen.

Information über Platzgebühren, Trainerstunden und Wettspiele sind bei den Hotels oder über die Zentrale der Romantik Hotels, Freigerichtstraße 5, 8757 Karlstein/Main, Telefon (0 61 88) 50 20, erhältlich.

Vorankündigung: Für 1985 sind erstmals nationale Golfturniere geplant, später internationale, die mit Hilfe der lokalen Golfclubs und der Romantik Hotels ausgeschrieben werden.

= Golfplätze in der Nähe

Bitte achten Sie auf dieses Zeichen bei den Hotelbeschreibungen auch in England, USA und Skandinavien.

Romantik Becher

Berühmt für gutes Eis.

Romantik Kochkurse

Teilnehmer an den Koch- und Weinseminaren im Romantik Hotel »Adler Post«, Titisee-Neustadt

Wer möchte nicht gerne einmal »hinter die Kulissen« eines guten Restaurants blicken und Meistern kulinarischer Genüsse einige Rezepte entlocken?

Wir können dies für Sie arrangieren!

Wenn Sie mit einigen Freunden (5 bis 10 Personen) einmal ein Wochenende oder 2 bis 3 Tage einen Kochkurs in einem Romantik Hotel machen möchten, so lassen Sie uns dies bitte wissen.

Folgende Romantik Hotels haben bereits mit Erfolg Kochkurse durchgeführt:

»Adler-Post«, Titisee-Neustadt,
»Wehrle«, Triberg,
»Rose« in Weißenburg,
»Weinhaus Messerschmitt« in Bamberg,
»Stollen« in Gutach/Bleibach und
»Adler« in Rammingen bei Ulm.
Die Kosten liegen zwischen 425,– und 1000,– D-Mark je nach Dauer des Kochkurses.
Wenn Sie mit Ihren Freunden einen Kochkurs machen möchten, rufen Sie unsere Zentrale an oder setzen sich mit einem der genannten Romantik Hotels in Verbindung.
Romantik Hotels, Postfach 1144
D–8757 Karlstein/Main, Telefon (06188) 5020

Romantik-Reisen nach eigenem Plan
Individual holiday planning

Wir haben in diesem Buch einige Rundreisen zusammengestellt, doch sehr viele unserer Gäste möchten keine fest vorgeschriebene Route buchen, sondern haben ihre ganz persönlichen Reisewünsche. Sie möchten eine »Reise nach eigenem Plan« machen. Dabei wollen wir gerne behilflich sein, denn wir wissen, welche Mühe und Zeit es kostet, eine Reise mit z. B. 14 verschiedenen Übernachtungsstationen durch Briefe oder per Telefon zu reservieren, rückzubestätigen oder umzuändern, weil das eine oder andere Hotel bereits ausgebucht ist. Da wir alle Romantik Hotels und auch die Landschaft kennen, sind wir in der Lage, Reisevorschläge zu unterbreiten oder Empfehlungen auszusprechen, wie man reisen sollte. Grundsätzlich möchten wir vorschlagen, nach Möglichkeit nicht jede Nacht in einem anderen Hotel zu übernachten, denn dann hat man kaum Gelegenheit, die Gegend wirklich zu genießen, sondern man ist nur immer »auf Achse«. Als ideal haben sich 2 bis 3 Nächte pro Ort erwiesen, da man dann auch einmal Dinge und Sehenswürdigkeiten erleben kann, auf die man erst am Ort aufmerksam

geworden ist. Man muß auch einmal einen Tag ausspannen, was oftmals sehr schön ist, denn eine Romantik-Reise soll ja keine Strapaze werden. Soweit wir Länder- und Regionalprospekte beschaffen können, werden wir diese beilegen, so daß wir Ihnen komplette Reiseunterlagen zur Verfügung stellen.

––––––––

In this brochure we have collected together several round tours, but many of our guests do not want to book a definite route in advance, but have their own personal wishes. They want to make a "self-planned tour". We should like to assist them in this, because we know how much time and trouble it takes to book a trip of, say, 14 different overnight stops by letter or telephone, to confirm or change because one hotel or another is fully booked. Since

we know all the Romantik hotels and also the countryside, we are in a position to make suggestions or recommendations for such a tour. Basically we would suggest, if possible, not to spend each night in a different hotel, as then you hardly have the opportunity to enjoy the surroundings, since you are always on the road. Ideally it has proved best to spend two or three nights in each place, in order to enjoy things and sights which one only hears about on the spot. Also, one should relax for a day now and then, which can often be very pleasant, because a Romantik journey should not be a strain. Whenever we have prospectuses of the country or the region, we will enclose these, so that we can offer you comprehensive information.

Romantik im Winter

Es gibt bekannte Wintersportorte wie Lech oder Kitzbühel in Österreich oder Klosters in der Schweiz oder Garmisch-Partenkirchen in Deutschland, in denen es auch Romantik Hotels gibt. Doch wird es in diesen Orten stets schwierig sein, Zimmer zu bekommen, so daß man sich sehr früh um eine Unterkunft bemühen sollte.

Doch nicht jeder möchte in diese berühmten Orte reisen, um seinen Winterurlaub zu verbringen.

Daher haben einige Romantik Hotels interessante Angebote ausgearbeitet, die sicherlich manchen Gast begeistern könnten:

So zum Beispiel das Skiwandern ohne Gepäck von Triberg nach Titisee-Neustadt, was sicherlich einzigartig ist. Oder eine Winterwanderung im Westerwald und im Sauerland oder eine Kur in Badenweiler.

Wir möchten Ihnen auf den folgenden Seiten diese Angebote ausführlicher darstellen und würden uns freuen, wenn Sie dabei etwas für Sie Passendes finden.

Romantik im Winter

Erleben Sie den Westerwald im Winter

Ein gutes Stück abseits der Hektik liegt der »Westerwald« und die »Alte Vogtei«. Auch oder erst recht spürt man im Winter das Anheimelnde und Urwüchsige des alten Gasthauses aus dem Jahre 1648. Wenn der Schnee auch mal in dem 250 Meter hoch gelegenen Hamm fehlt, so liegt er oft auf den umliegenden Höhen oder auf dem etwa 1/2 Fahrstunde entfernten hohen Westerwald in Hachenburg, Kirburg, Bad Marienberg, Fuchskaute, Salzburger Kopf oder Höllkopf und dies ist meist nur dem Insider bekannt. Plätze, die Wintersportmöglichkeiten ohne Rummel bieten.

Fachkundige Beratung über alles, was mit Skisport zu tun hat, können Sie bei unserem Nachbarn erhalten, der eines der bestgeführten Skifachgeschäfte in der Region hat. Rufen Sie uns an und wir geben Ihnen den neuesten Wetterbericht mit Loipenzustand, laufenden Skikursen usw.

Immer wieder schön ist es, einen Spaziergang oder Wanderung durch den Westerwald mit seinem reichen Baumbestand zu machen. Unternehmen Sie einen Weg durch das winterliche Sieg- oder Nistertal, um den Enten und Fischen zuzuschauen, um den trägen Flug des Fischreihers zu verfolgen oder besuchen Sie die alte Zisterzienser-Abtei Marienstatt, verbunden mit einer Choralvesper oder einem Konzert in der alten Kirche.

Der Winter hat viele Möglichkeiten, entdecken Sie ihn neu im Westerwald und wäre es nur bei einem schönen Menü in der »Alten Vogtei«.

Übernachtung mit Romantik-Frühstück im Zimmer mit Dusche/Bad/WC, Telefon, Fernseher. Einzelzimmer 58 DM, Doppelzimmer 102 DM. Unser Sonderpreis vom 1. 11. 1984 bis 31. 4. 1985: Halbpension 55 DM pro Person im Doppelzimmer ab 6 Tagen.

Romantik Hotel »Alte Vogtei«
5249 Hamm a. d. Sieg · ☎ (0 26 82) 2 59 · s. S. 120

Ein Winterwochenende in Dortmund

Sie werden sich wundern, was wir Ihnen alles zu bieten haben: Museenbesuche – als zweitgrößte Bierstadt der Welt haben wir natürlich auch ein Brauereimuseum. Kulturelle Veranstaltungen wie Opern, Operetten oder Ballett. Sportveranstaltungen wie Radrennen, Reit- und Fußballturniere oder die weltberühmte Holiday on Ice-Revue in unserer Westfalenhalle. Ein Paradies für Fußgänger – der Osten- und der Westenhellweg in Deutschlands preisgünstigster Einkaufsstadt. Bei schönem Wetter bieten sich Touren ins nahe Münster- oder Sauerland an. Selbst mit Langlaufskiern können Sie anreisen (1/2 Stunde Fahrt ins 500 Meter hochgelegene Wiblingwerde).

Unser Programm: Anreise freitags im Romantik Hotel »Lennhof«. Begrüßungscocktail um 18.30 Uhr in der Pony-Bar. Danach erwartet Sie ein Schlemmermenü bei Kerzenschein – Kompositionen unserer Küchenchefs U. Manfraß und U. Bonkowski. Nach dem Frühstück am Samstag sollten Sie sich eine Burgenbesichtigung mit eigenem Pkw nicht entgehen lassen (Hohensyburg, Burg Altena – Dechenhöhle). Abends bietet sich eine Veranstaltung in der Westfalenhalle oder im Stadttheater an. Am Sonntagmorgen schließt dann Ihr Dortmunder Wochenende mit einem reichhaltigen Frühstücksbuffet.

Unser Preis pro Person: 2 Übernachtungen mit Frühstück, Begrüßungscocktail, Schlemmermenü 197,– DM.

Romantik Hotel »Lennhof«
4600 Dortmund · ☎ (02 31) 7 57 26 · s. Seite 109

7 Tage Winterurlaub im Sauerland

Hier möchten wir Ihnen vorstellen, was unser Haus im Winter zu bieten hat. Sie finden täglich frisch gespurte Langlaufloipen, die nahe dem Haus beginnen. Sie können unter Anleitung von qualifizierten Fachkräften das Skiwandern erlernen. Auch Skilifte sind bequem zu erreichen.

Möchten Sie den alpinen Skisport erlernen, so können wir Ihnen verschiedene Kurse anbieten. Auch für Ihre Kinder bestehen Möglichkeiten, das Skifahren spielend zu erlernen. Nachdem Sie Ihr Skiprogramm absolviert haben, treffen Sie sich entweder mit anderen Gästen an der Bar zu einem Après-Ski-Drink oder wärmen sich bei einem Grog an unserem Kamin auf. Da der Muskelkater nach den ersten Skiübungen kaum ausbleiben wird, empfehlen wir Ihnen zur Entspannung unseren Meerwasser-Wirbelpool (36°). Sollte dies nichts nützen, haben Sie die Möglichkeit, sich von unserem Masseur ordentlich durchkneten zu lassen. Und falls die Sonne Sie im Stich lassen sollte – was wir nicht hoffen – können Sie sich die gewünschte Bräune auf unserer Sonnenbank holen, Ansonsten bieten wir Ihnen einen Kegelabend, Tischtennis, Sauna, Süßwasserschwimmbad.

Samstag laden wir Sie zu einem Candle-Light-Dinner in unser gemütliches Restaurant ein, und wenn Sie Lust haben, können Sie an einem anschließenden Tanzabend teilnehmen.

6 Übernachtungen in Zimmern mit Dusche/WC/Balkon, inkl. Halbpension, Welcome-Drink, Skischule (5-Tage-Kurs), Kegelabend, 3 × Sauna, 4 × Sonnenbank, pro Person 830,– DM.

Romantik Hotel »Stryckhaus«
3542 Willingen/Sauerland · ☎ (0 56 32) 60 33
s. Seite 118

Romantik im Winter

Baden und Tennis in Badenweiler

Badenweiler gilt allgemein als »ein Stück Italien auf deutschem Boden«. Schon die Römer haben die heilsame Wirkung der Badenweiler Quellen kennen- und schätzengelernt, warum nicht auch Sie?

Die »BADENWEILER BADEPROBE« bietet Ihnen in der Zeit vom 28. 10. bis 10. 11. 84 und vom 9. 2. bis 30. 3. 85 7 Tage Vollpension im Doppelzimmer mit Bad oder Dusche und WC inkl. Kurtaxe und 4 Bäder im neuen Termal-Bewegungsbad für 710,– DM. Für das Einzelzimmer werden 70,– DM Zuschlag berechnet.

Die »BADENWEILER TENNISWOCHE« gilt für die gleiche Zeit und beinhaltet außer 7 Tagen Vollpension 6 Spielstunden in der neuen Halle des Badenweiler Tennisparks und kostet 750,– DM. Einzelzimmerzuschlag ebenfalls 70,– DM.

Nutzen Sie dies Angebot, damit Sie schlank und fit durch den Winter kommen.

Romantik Hotel »Sonne«
7847 Badenweiler · ☎ (0 76 32) 50 53 s. Seite 166

Winterurlaub zwischen Schwarzwald und Vogesen

Ob Sie gerne auf zauberhaften Loipen über die Höhen wandern, oder gern sportlich elegant über die Pisten wedeln, oder auch nur die beeindruckende Winterlandschaft genießen möchten, die »Obere Linde« in Oberkirch ist auf jeden Fall der geeignete Ausgangspunkt. In ca. 15 Minuten sind Sie auf der Schwarzwaldhochstraße in ca. 1000 Meter Höhe.

Am Abend treffen Sie sich dann in unseren gemütlichen Räumen mit Weinfreunden und Leuten, die die badische und elsässische Küche kennenlernen möchten. Die »Obere Linde« bietet Ihnen ein Wochenarrangement:

– Unterkunft im Doppelzimmer mit Bad/WC, Farbfernseher, Telefon, Halbpension,
– Brennereibesichtigung mit Kostprobe,
– »Dem Konditor über die Schulter geschaut« (anschließend Kaffeestunde mit Schwarzwälder Kirschtorte)
– Lustiges Kegeln auf unseren Bahnen (der Sieger erhält eine Trophäe)
– Kellereibesichtigung mit Weinprobe.

7 Tage Aufenthalt pro Person 585,– DM, Verlängerung pro Person 60,– DM.

Herzlich Willkommen in der »Goldenen Au«, dem Ferienland im Schwarzwald, um Schwarzwaldhochstraße und badische Weinstraße, nur wenige Minuten von der Europastadt Straßburg entfernt.

Romantik Hotel »Obere Linde«
7602 Oberkirch/Bd. · ☎ (0 78 02) 30 38 · s. S. 158

Winterurlaub im »Weißen Rössl«

Winterferien im Salzkammergut sind sicherlich ein ganz besonderes Erlebnis. Dazu hat sich Familie Peter etwas Neues ausgedacht:

Sie will alle jene Winterurlauber ansprechen, für die Skifahren nicht an erster Stelle steht. Der Schwerpunkt des Angebotes liegt in seiner Vielfalt. Landschaftlich reizvolle Wanderungen und Loipen am Seeufer oder auf dem zugefrorenen See, Eisstockschießen, Winterwandern oder Rodel- und Pferdeschlittenpartien erschließen die Winterfreuden rund um den verschneiten Wolfgangsee. Für Sportliche gibt's die Wintergolfschule, eine Reithalle und die St. Wolfganger Tennishalle mit Zimmergewehrschießständen. Der Skifahrer findet auf 3 naheliegenden Skigebieten neben 2 Seilbahnen, 2 Sessselliften und über 10 Schleppliften auch eine österreichische Skischule.

Das nebelfreie Klima des Luftkurortes St. Wolfgang bietet im Winter die Sonne, die uns sonst der »Salzkammergut-Schnürlregen« im Sommer oft verwehrt.

Die Festspielstadt Salzburg ist nur 40 Autominuten entfernt und im Jänner gibt's dort Mozartwochen.

Sauna, Massage, Sonnenbank im Hallenbad des »Weißen Rössl« ergänzen das Programm. Sind das nicht Aussichten zum Überwintern? Alpenluft statt Großstadtmief. Wir bieten die Halbpension im Doppelzimmer mit Bad und WC inkl. Frühstücksbuffet und viergängiges Abendessen für 4 Wochen pro Person um 12.000 AS / 1720 DM an. Vollwertkost und österreichische Naturküche inbegriffen.

Romantik Hotel »Im Weißen Rössl«
A–5360 St. Wolfgang
☎ von Deutschland: 00 43 (61 38) 23 06 · s. S. 190

Villach – der Geheimtip für einen wirklich genußvollen Winterurlaub!

Rund um Villach 38 Schilifte und Seilbahnen. Schneesichere Schipisten ohne lange Wartezeiten. 12 Langlaufloipen in jeder Höhenlage. Tourenschilauf, Rodeln, Eislaufen, Eisschießen.

Das Romantik Hotel »Post«, einst Treffpunkt von Prominenz und Adel, verbindet die Vorteile eines ruhig gelegenen Stadthotels mit der Möglichkeit, alle Schipisten schnell und leicht zu erreichen. Behagliche und ruhig gelegene Zimmer mit Bad, Dusche, WC, Lift, Zimmertelefon, gemütliche Gaststuben, Fernsehraum und Halle mit Kamin lassen keinen Komfort missen.

Neben herkömmlich guter Küche, haben wir auch leichte Naturküche.

Neben dem Sport bieten die nahe gelegenen Thermalquellen »Warmbad Villach« auch im Winter Schwimmöglichkeiten im Freien und in der Halle. Unser besonders preiswertes Winterangebot vom 2. 1. bis 30. 3. 1985.

Wochenpauschale im Zimmer mit Bad / Dusche / WC / TV / Minibar

7 Tage (6 Nächte) Halbpension mit großem Romantik-Frühstücksbuffet AS 2700,–, Einbettzimmerzuschlag pro Woche AS 540,–, Schipaß für 1 Woche ca. AS 800,–. Tageweise Verlängerung zum gleichen Tarif ist möglich!

Romantik Hotel »Post«
A–9500 Villach/Kärnten
☎ von Deutschland: 0043 (04242) 2 61 01
s. Seite 192

Winterfreuden im Hochschwarzwald

Urlaub in Titisee-Neustadt ist abwechslungs- und erlebnisreich. Die Skifahrer und Langläufer finden im Umkreis von 20 km die schneesichersten Pisten und Loipen des Hochschwarzwaldes. Skischulen stehen zur Verfügung und Ausrüstungen können gemietet werden. Auch Gäste, die keinen Skisport betreiben, finden Erholung und Freude, bei Wanderungen und Schlittenfahrten. Ausflugmöglichkeiten und ein buntes Veranstaltungsprogramm sorgen für reiche Abwechslung.

»A la carte-Pension – zum Schlemmen«

gültig in der Zeit vom 5. 1. bis 9. 2. 1985 und vom 23. 2. bis 4. 4. 1985.

In unserem bekannten Grill-Restaurant, der »Rôtisserie zum Postillion«, essen Sie täglich nach der Karte und können sich aus mehreren kleinen Gängen ein Feinschmeckermenü zusammenstellen. Sie buchen Halb- oder Vollpension, können jedoch nach Ihren Wünschen Ihr Essen bestimmen.

»Fastnachts«-Pauschale vom 14. 2. bis 21. 2. 1985 (Mindestaufenthalt 7 Tage)

Vom »schmutzigen Dunschdig« bis Aschermittwoch eingeschlossen können Sie die »Allemannische Fastnacht« an Ort und Stelle erleben. Sie haben die Möglichkeit, das lustige Treiben mit etwas Wintersport zu verbinden. An den Fastnachtsbällen, die im Hause stattfinden, können Sie gerne teilnehmen. Um die närrische Woche ausklingen zu lassen, erwartet Sie am Aschermittwoch ein umfangreiches »Fisch-Buffet«.

Bitte fordern Sie detaillierte Angebote und Prospekte bei uns an.

Romantik Hotel »Adler-Post«
7820 Titisee-Neustadt
☎ (07651) 5066 · s. Seite 163

Skiwandern ohne Gepäck siehe Seite 161

Skandinavien

Scandinavia – Scandinavie

Skandinavien ist zweifelsohne eines der zauberhaftesten Länder in Europa und man könnte sagen, ein Urlaubsland für Kenner. Seine endlosen Wälder, verträumten Seen, die besonders in Schweden den Reisenden erfreuen, die gewaltigen Naturschönheiten in Norwegen und die liebliche Landschaft in Dänemark locken sicherlich keine Massen an, doch sind sie ein Traum für den Kenner. Wer Skandinavien kennt, der weiß, daß das Frühjahr und der Spätsommer die wohl schönsten Zeiten sind. Die Kirschblüten am Fjord und meterhohe Schneewände im Gebirge in Norwegen oder die Blumen und das helle Laub der Birken in Schweden, oder im Herbst das goldene Laub der Wälder – vermischt mit dem dunklen Grün der Tannen – das zu erleben, versetzt den Reisenden in eine Hochstimmung besonderer Art. Man möchte nicht mehr aufhören, diese Schönheit zu bewundern.

Dies mag alles übertrieben klingen, doch machen Sie selbst diese Erfahrung und Sie werden uns zustimmen.

1. Tag: Fahren Sie über die »Vogelfluglinie« auf die Insel Seeland in Dänemark und machen Ihre erste Station im Romantik Hotel **»Menstrup Kro«** bei **Naestved.**

2. Tag: Dieser Tag sollte der schönen Stadt **Kopenhagen** vorbehalten sein, wo man den »Tivoli« und die »Royal Kobenhavn« Porzellanfabrik besucht haben sollte. Übernachten werden Sie im Romantik Hotel **»71 Nyhavn«.**

3. Tag: Entlang der »Dänischen Riviera« fahren Sie zunächst zum Königsschloß nach Fredensborg und dann ins Schloß nach Hälsingör, in dem Hamlet gelebt hat. Die Fähre bringt Sie über den Öresund nach Schweden. Nur wenige Kilometer nördlich von Helsingborg finden Sie auf einer schönen Halbinsel **Mölle,** wo Sie im Romantik Hotel **»Kullagardens Wärdshus«** übernachten werden.

4. Tag: Entlang der schwedischen Westküste fahren Sie in die alte Handelsstadt **Göteborg** mit dem Freizeitpark »Liseberg«. Ihr Romantik Hotel ist das **»Tidbloms«,** ein ehemaliges Patrizierhaus.

5. Tag: Durch Västergotland mit seinen alten Kirchen, Herrenhäusern und vorgeschichtlichen Baudenkmälern fahren Sie nach **Svarta** ins Romantik Hotel **»Svarta Herrgard«,** unmittelbar an einem eigenen See gelegen.

6. Tag: Heute können Sie einen Ruhetag einlegen, denn Sie bleiben in Svarta.

7. Tag: Entlang des größten Sees Schwedens, dem Vänern, kommen Sie nach **Karlstad,** wo Sie im Vorort Alstern das Romantik Restaurant **»Värdshuset Alstern«** zum Mittagessen aufsuchen sollten. Danach fahren Sie über Filipstad, dem Ort, in dem die Streichhölzer erfunden wurden, bei **Grythyttan** ins Romantik Hotel **»Gästgivaregarden«.**

8. Tag: Heute fahren Sie durch eine traumhaft schöne Waldlandschaft mit Birken und Seen nach **Tällberg** ins dortige Romantik Hotel **»Tällbergsgarden«.**

9. Tag: Tällberg ist so schön, daß man hier einen Tag Pause einlegen sollte.

10. Tag: Die Hauptstadt **Stockholm** ist Ihr heutiges Etappenziel, wo Sie unbedingt das Schloß besichtigen sollten, das unmittelbar neben dem Romantik Hotel **»Lady Hamilton«** und dem Romantik Restaurant **»Stortorgskällaren«** liegt.

11. Tag: Etwa 50 km westlich von Stockholm finden Sie das Schloß Gripsholm, das einen Umweg

Romantik Reise Skandinavien

lohnt, bevor Sie von dort nach **Söderköping** ins Romantik Hotel »**Söderköpingsbrunn**« fahren.

12. Tag: Heute sollten Sie eine kleine Rundreise machen, die auch einen Teil des Götakanals einschließt. Entsprechende Vorschläge hat das Romantik Hotel für Sie bereit.

13. Tag: Durch das seenreiche Östergotland fahren Sie nach Smaland, das Land, das durch die Bücher von Astrid Lindgren weltweit bekanntgemacht worden war. In Orrefors sollten Sie die Glaswerke nicht versäumen, bevor Sie nach **Kalmar** ins Romantik Hotel »**Slotshotellet**« fahren.

14. Tag: Heute sollten Sie einen Ausflug auf die Insel **Öland** machen, die berühmt durch die einzigartige Fauna und als Vogelinsel bekannt ist. Hier finden Sie auch das Romantik Hotel »**Halltorps Gastgiveri**«, das eine der besten Küchen Schwedens bietet. Abends sind Sie dann wieder in Kalmar.

15. Tag: Am letzten Tag Ihrer Reise durch Schweden kommen Sie durch Skansen und fahren bis an den äußersten Zipfel nach **Skanör**. Hier im Romantik Restaurant »**Skanör Gästgifvaregard**« sollten Sie Ihr Abschiedsmahl genießen, bevor Sie dann auf die Fähre nach Trelleborg fahren, die Sie wieder nach Deutschland bringt.

Preis pro Person im Doppelzimmer mit Bad / Dusche und WC, inkl. Romantik Frühstück, Reisekarte und Paß. 14 Übernachtungen Skr. 3945 (ca. 1370 DM). Einzelzimmer Skr. 5410 (ca. 1880 DM).

Diese Reise können Sie durch eine Norwegen-Reise ergänzen.

Ab dem **5. Tag** fahren Sie dann zunächst nach Moss, südlich von Oslo ins »Refsnes Gods«. Der **6. Tag** würde Sie dann über Oslo nach Heddal bringen, wo Sie die berühmte Holzkirche finden. Von dort dann weiter bis Odda und dann nach **Utne** ins Romantik Hotel »**Utne**«. Hier bleiben Sie den **7. Tag**, um die Fjordwelt zu genießen.

Am **8. Tag** fahren Sie dann mit der Fähre nach Kinsarvik, sehen sich den Vørigvoss an und fahren dann hoch nach **Geilo** ins Romantik Hotel »**Geilo**«. Der **9. Tag** würde Sie wieder zurück nach Oslo bringen, wo wir für Sie wieder eine Nacht im »Refsnes Gods« buchen würden, so daß Sie am **10. Tag** die Schwedenreise in **Svarta** fortsetzen könnten.

Preis pro Person im Doppelzimmer mit Bad / Dusche und WC, inkl. Romantik Frühstück, Reisekarte und Paß. 14 Übernachtungen 1330,– DM. Einzelzimmer 1875,– DM.

Romantik Hotel „71 Nyhavn" · Kopenhagen

71 Nyhavn Hotel er et 200 år gammelt pakhus, som i 1971 blev ombygget til et moderne hotel. De gamle fyrre-træsbjælker og de hvidkalkede mure medvirker til at bibeholde den ganske enestående atmosfære og charme, der kendetegner dette hus.
Hotellet ligger midt i hjertet af »det gamle København« ved Nyhavn kanal kun få minutter fra det kongelige slot Amalienborg og »Strøget«.
Vor velkendte gourmetrestaurant »Pakhuskælderen« har plads til 70 gæster og byder bl.a.hver dag på den impone-rende frokost-buffet såvel som indbydende retter på det spændende dansk/franske a la carte spisekort. Hyggelig bar med plads til 20 personer og mødefaciliteter fra 10—16 personer.

Das Romantik Hotel »71 Nyhavn« ist ein 200 Jahre altes Warenhaus, das 1971 in ein Hotel umgewandelt worden ist. Dabei sind die alten Balken erhalten geblieben, die einen sehr schönen Kontrast zu dem sonst modern ein-gerichteten Hotel bilden.
Unmittelbar am Hafen im Herzen von »Alt-Kopenhagen« gelegen ist es ideal für einen Kopenhagen-Besuch, sei dies nun geschäftlich oder privat.
Das Schloß Amalienborg und die berühmte Fußgänger-straße Strøget ist zu Fuß in wenigen Minuten zu erreichen und die Fähren nach Malmö und Oslo legen gegenüber dem Hotel an.
Das Restaurant »Pakhuskælderen« ist bekannt wegen seiner guten Küche und bietet 70 Sitzplätze. Täglich wird ein sehr umfangreiches »Dänisches Buffet« und eine à la carte Auswahl von dänischen und französischen Gerich-ten geboten. Eine kleine Bar und ein Tagungsraum für 16 Personen vervollständigen das Angebot des Hotels.
Das »71 Nyhavn Hotel« ist ein Musterbeispiel dafür ge-worden, wie man aus einem alten Lagerhaus ein schönes und angenehmes Hotel machen kann.

71 Nyhavn Hotel is a 200 year-old converted warehouse which was transformed into a modern hotel in 1971, yet retaining the old pime beams, creating the unique atmos-phere. Most of the rooms have a splendid view of the Copenhagen harbour.
Situated in the very heart of the "Old Copenhagen", close to the royal residence "Amalienborg" and the pedestrian street "Strøget". It is likewise a few minutes walk from the ferry to Oslo (Norway) and the hydrofoil to Malmø (Sweden).
The well-known restaurant "Pakhuskælderen" seat 70 persons. Every day impressive luncheon buffet as well as an exciting Danish/French à la carte menu.
Cozy bar seating 20 persons and conference-facilities for up to 16 persons.

L'Hôtel Romantik «71 Nyhavn» est un ancien comptoir de commerce transformé en hôtel en 1971. Les anciennes poutres ont été conservées et forment un contraste avec le reste de l'hôtel aménagé par ailleurs de façon moderne. Depuis la plupart des chambres, on y a une vue magnifique sur le port de Copenhague.
Situé directement en bordure du port et au cœur du «Vieux Copenhague», c'est un endroit idéal pour se rendre à Copenhague, qu'il s'agisse d'un déplacement d'affaires ou d'une visite privée.

Le «71 Nyhavn» se situe à quelques minutes à pied du château Amalienborg et de la célèbre rue piétonne Strø-get. Les bacs en direction de Malmö et Oslo font escale juste en face de l'Hôtel.
Le restaurant «Pakhuskælderen», connu pour sa bonne cuisine, dispose de 70 places et sert chaque jour un très copieux buffet danois et un choix à la carte de mets danois et français.
Un petit bar et une salle de réunion pour 16 personnes complètent encore l'offre de l'Hôtel.
Le «71 Nyhavn» prouve parfaitement qu'à partir d'un vieil entrepôt on peut faire un bel et agréable hôtel.

Bente Hjorth
Nyhavn 71
1051 Kopenhagen
☎ 01 / 11 85 85
Telex 27 558 nyhhot dk

24. 12. – 26. 12.	122	alle	578 – 748 kr.	718–868 dkr.

16

49

På den sydvestlige flig af øen Sjælland ligger den 200 år gamle „Menstrup Kro", en pension med hyggelige gæstelokaler, moderne hotelværelser og selskabslokaler. Den er næsten åben hele døgnet, d. v. s. et ideelt stop for rejsende, som ankommer om natten i den sydlige del af Danmark. Gastronom Christoffersen er medlem af „Chaîne des Rôtisseurs". Menukortet er fransk orienteret og byder dagligt på mere end 90 forskellige retter. I huset er der indrettet et mindested for Det danske Gardehusarregiment, der er stationeret i Næstved. Gæsten kan her studere fanernes- og våbeneshistorie.

Der 200 Jahre alte „Menstrup Kro" liegt am südwestlichen Zipfel von Seeland, 3 km von der Küste, ein Gasthof mit gemütlichen Gaststuben, modernen Zimmern und Gesellschaftsräumen. Er ist fast rund um die Uhr geöffnet und ist ein idealer Stop für Reisende, die nachts im Süden von Dänemark ankommen. Chef Christoffersen ist Mitglied der „Chaîne des Rôtisseurs". Seine Speisekarte ist französisch orientiert und bietet täglich über 90 verschiedene Gerichte. In dem Hotel ist eine Gedenkstube für das dänische Gardehusarenregiment eingeräumt, das in Naestved untergebracht ist. Der Urlauber kann hier die Geschichte der Uniformen und Waffen studieren.

At the southwestern tip of the islands of Sealand is the 200-year-old "Menstrup Kro", an inn with cosy bars, modern guest rooms and lounges. It is open almost around the clock, an ideal stop for travellers who arrive at night in the South of Denmark. Chef Christoffersen is a member of the "Chaîne des Rôtisseurs". The menu is French space orientated and offers over 90 different dishes daily. In the hotel there is a memorial to the Danish Hussar Regiment of the Guards which is stationed in Naestved, where guests can study the history of its colours and arms here.

Sur la pointe sud-ouest de l'île Seeland est situé le «Menstrup Kro», vieux de 200 ans, une hôtellerie avec des pièces confortables, des chambres d'hôtel modernes et des locaux pour réunions mondaines. Elle est ouverte presque tout au long du jour et de la nuit, un endroit de halte idéal pour les voyageurs qui arrivent au sud du Danemark pendant la nuit. Le gastronome Christoffersen est membre de la «Chaîne des Rôtisseurs». La carte tient plutôt de la cuisine francaise et offre plus de 90 plats différents chaque jour. A l'intérieur se trouve un monument en souvenir du régiment des hussards de la garde danoise, qui se trouve à Naestved. L'hôte a la possibilité d'étudier l'histoire de ses drapeaux et de ses armes.

J. Christoffersen
Menstrup · 4700 Naestved
☎ 03/74 30 03   Telex: 27 558

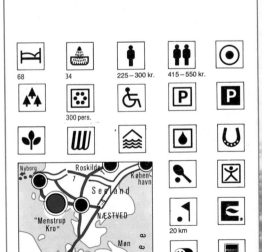

Romantik Hotel „Geilo Hotel" · Geilo

I 1876 ble det på Geilo bygget en skysstasjon for å kunne huse gjester. Omkring denne skysstasjonen er det i dag bygget et nytt hotell. – Harmonisk forent i gamle tradisjoner og ny stil, fjellnorsk, frisk og naturlig i sin utforming. Peisestue og tv-rom i den gamle laftetømmer-stilen, moderne spisesal hvor god mat virkelig smaker, rommelig dansesalong og en intim bar med alle rettigheter. Dans til orkester hver aften untatt søndag.
Geilo er et av Norges mest populære ferie- og vintersportssteder.

1876 wurde in Geilo eine Postkutschenstation gebaut, um Gäste unterzubringen. Heute wurde um diese Station ein neues Hotel gebaut, und sie wurde damit sozusagen „konserviert". Dies ist bestimmt eine Besonderheit. Dank Per Haaland, seiner Frau und ihrem erfahrenen Personal hat das neue Hotel die herzliche und kulinarische Tradition fortgesetzt, was es in eines von Norwegens bekanntesten Urlaubs- und Wintersportgebieten berühmt gemacht hat.

In 1876 a mail-coach station was built in Geilo to provide accommodation for guests. Today, a new hotel has been built around this station, thus preserving the old inn. Certainly a curiosity, but a pleasant one. Thanks to Per Haaland, his wife, and their experienced staff, the new hotel has continued the warmth and culinary tradition that made it famous in one of Norway's most popular vacation and winter sports regions.

En 1876, on construit à Geilo un relais de diligences pour héberger les passagers. Aujourd'hui, on a édifié tout autour de ce relais un hôtel moderne, de telle sorte que la vieille auberge a été «conservée». Une curiosité, certes, mais très attrayante, car le nouveau bâtiment a, lui aussi, repris la tradition culinaire et l'atmosphère intime de jadis, donnant un caractère typique à cet hôtel, situé dans l'un des plus beaux lieux de vacances et de sport d'hiver de Norvège. Un séjour agréable, sous la direction de Per Haaland et de son épouse avec une équipe riche d'une longue expérience.

Per Haaland
Postboks 113 · 3580 Geilo
☎ 0 67/8 55 11
Telex 16 558

145

73

 310 Nkr

510 Nkr

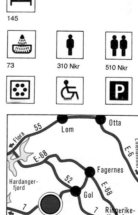

Romantik Hotel
„Utne" · Utne-Hardanger

Sentralt i Hardanger mellom fjell og fjord ligger Utne Hotel, Norges eldste hotelbedrift som har vært i kontinuerlig drift i samme hus siden 1722. Det er stadig bygget på, men hele tiden med piétet og følelse for den gamle stil og de gode tradisjoner, spesielt fradet forrige århundre da den legendariske »Mor Utne« satt ved roret.
Samtidig forbedrer vi hvert ar hotellets tilbud, slik at vi i 1985 kan presentere et hotel med alle værelser m/bad eller dusj og WC. Likevel har hvert rom sin personlige stil i utstyr og farger.
Spisesal og salonger har mobler fra det nittende arhundre eller før. De innbyr til hyggestunder i romantiske omgivelser for gjestene, uten forstyrrende musikk, radio eller TV. Gjestene setter pris på vårt norske kjøkken, og spesielt populær er vår søndagslunch da Hildegun Aga Blokhus i sin Hardanger-drakt presenterer norske spesialiteter.
Gammel kultur fra distriktet er tatt vare på i Hardanger Folkemuseum på Utne og Aga-tunet 18 km. herfra.
Glimrende sentrum for utflukter og oppmerkede spaserveier.

Vielleicht stellt man sich so ein Romantik Hotel in Norwegen vor: 1722 gebaut, in einem kleinen Ort an einem der schönsten Fjorde gelegen, Blick auf die schneebedeckten Berge und äußerst gemütlich eingerichtet.
Die Besitzerin, Frau Hildegun Aga Blokhus betreibt ihr Hotel wie einen großen Privathaushalt. Die Gäste haben auch nichts dagegen, abends gemeinsam ihr Menü einzunehmen, denn dadurch werden schöne Kontakte zu Menschen aus aller Welt geknüpft, die in Utne einige Tage Urlaub machen.
Da Utne in einem der schönsten Teile Norwegens liegt, sollte man hier schon einige Tage verweilen, um Ausflüge nach Bergen, der schönen alten Hansestadt, machen zu können, oder die älteste Ansammlung von Holzhäusern in Agagtunet zu besichtigen, mit dem Boot durch die Fjorde zu fahren oder die gewaltigen Wasserfälle zu bewundern. Wer im Mai zur Kirschblütenzeit nach Utne kommt, glaubt das Paradies auf Erden entdeckt zu haben. Das mag übertrieben klingen, doch der Eindruck entsteht sehr leicht. Es ist noch so, wie es vor 80 oder mehr Jahren gewesen sein könnte.

Just imagine a Romantik Hotel like this in Norway: built in 1722 in a small village lying on one of the most beautiful fjords overlooking the snowclad mountains and especially comfortably furnished.
The owner, Mrs. Hildegun Aga Blokhus, runs her hotel like a large private house. The guests do not mind having their evening meal all together, because in so doing they make contact with poeple from all over the world who are spending a few days holiday in Utne.
Since Utne is in one of the loveliest parts of Norway, one should spend a few days here to make trips to Bergen, the lovely old Hanseatic town, or to see the oldest collection of wooden houses in Agagtunet, to make a boat trip through the fjords or admire the immense waterfalls. Whoever comes to Utne in cherry blossom time, believes he has discovered heaven on earth. That might sound exaggerated, but the impression is easily gained. It remains as it was 80 or more years ago.

N'est-ce-pas ainsi qu'on imagine un Hôtel Romantik norvégien: construit en 1722, aménagé pour être agréable et

hospitalier, dans une petite localité sur les bords de l'un des plus beaux fjords, avec vue sur les montagnes enneigées.
La propriétaire, Mme Hildegun Aga Blokhus gère son hôtel comme une grande famille. Les hôtes prennent ensemble leur repas du soir et ne s'en plaignent pas, au contraire, car ils ont ainsi la possibilité de nouer des contacts plaisants avec des gens du monde entier venus passer quelques jours de vacances à Utne.
Comme Utne se trouve dans l'une des plus belles régions de la Norvège, un séjour de quelques jours au moins sera très gratifiant pour l'hôte qui pourra depuis là faire des excursions à Bergen, l'une des villes les plus intéressantes de la Hanse, aller visiter Agagtunet, qui regroupe le plus grand ensemble pittoresque et homogène de maisons en bois anciennes, remonter les fjords en bateau ou aller admirer les gigantesques cascades.

Hildegun Aga Blokhus
5797 Utne-Hardanger
☎ 054/669 83

 Weihnachten Ostern
44   2   250 – 350 Nkr.

390 – 490 Nkr.

Romantik Hotel „Tällbergsgården" · Tällberg

I landskapet Dalarna ligger Tällberg, en av de vackrast belägna byarna vid Siljan. Romantik Hotel Tällbergsgården ligger på sluttningen mot sjön med vidsträckt utsikt över de blånande bergen.
Hotellet består, enligt traktens sed, av ett flertal byggnader. Huvudbyggnaden tillkom på 1800-talet som skola i byn.
Värdparet Ulla o Brygt Bert Lindgren är, förutom ett charmerande par, starkt förankrade i bygdens traditioner och slår vakt om de sedvänjor och bruk vilka följer årets skiftningar. Svenskt smörgåsbord serveras dagligen till vilket man om söndagarna får njuta av spelmansmusik och de vackra sockendräkterna. Hotellet är ett populärt och välbekant familjehotell.
Förutom Tällbergsgårdens vackra läge är Tällbergs by och Siljansområdet en mycket intressant kulturbygd, vilken ger möjligheter till innehållsrika upplevelser året om.

In Mittelschweden, im Herzen von Dalarna liegt „Tällbergsgården" am Hang zum Siljans-See mit einer herrlichen Aussicht auf die blauen Berge. Wie jeder „gård" in Dalarna, der Heimat der berühmten „Dala-Pferde", besteht das Hotel aus mehreren rot-weißen Holzhäusern, die alle um das Hauptgebäude liegen. Die Zimmer sind mit allem Komfort ausgestattet.
Ulla und Brygt Bert Lindgren sind die charmantesten Gastgeber, die man sich wünschen kann. Sie haben es verstanden, die alten Traditionen lebendig zu erhalten. Wenn sie sonntags in ihren reizvollen Trachten zu Tisch bitten, ist das tägliche „Svenskt smörgåsbord" besonders reichhaltig. Dazu unterhalten „Spielmänner" die Gäste mit alten Volksweisen. Es ist wirklich ein Hotel mit familiärer Atmosphäre, in dem man sich sofort zu Hause fühlt.
„Tällbergsgården" liegt in einer Landschaft von unbeschreiblicher Schönheit, die noch dazu eine der interessantesten Kultur- und Touristengebiete Schwedens ist. Der Siljansee lädt zum Baden und Boot fahren ein, oder man kann z. B. auf eine Elch-Safari gehen. Im Winter ist die Region ein beliebtes Skigebiet und eine Fahrt mit dem Pferdeschlitten im Scheine der Fackeln ist sehr romantisch.

In the middle of Sweden and the lovely village of Tällberg lies a charming little hotel, the „Tälbergsgården". This old Swedish „gård" consists of several houses painted red, which are all gathered round the main house. But what would such a hotel be like without Ulla and Brygt Bert Lindgren! They are not only the most charming hosts you could desire, they know how to keep old traditions which will make your stay there interesting. Every day "Svenskt smörgåsbord" is served. On Sundays also fiddlers dressed in Dalecarlian costumes play for the guests. You will fall in love with such a cosy hotel and with its indescribably beautiful view. Lake Siljan offers swimming and angling. In winter-time the region is a popular skiing resort. To go by horsesleigh in the light of torches – that is romantic!

Dans le pays des célèbres petits chevaux de bois du Dalarna, au sein d'un merveilleux village suédois, se trouve un ravissant petit hôtel, le «Tällbergsgården». Comme toutes les fermes suédoises d'antan, il se compose de plusieurs bâtiments séparés mais tous groupés autour de la maison principale, tels les poussins autour de la mère-poule. Mais que serait un tel hôtel sans Ulla et Bert Lindgren, qui vous accueillent de la manière la plus charmante qu'on puisse se le souhaiter et qui ont su faire revivre les vieilles traditions bien souvent tombées dans l'oubli. C'est en costume traditionnel du Dalarna qu'eux-mêmes s'occupent de leurs hôtes, de même que les «ménestrels», dont le rôle était important dans la Suède de jadis, qui jouent ici pour leurs hôtes. Vraiment, un hôtel dont on puisse tomber amoureux, et ce, dans un paysage d'une beauté indescriptible. Le Lac Siljan invite à la baignade et à la pêche; l'hiver, c'est une région de ski appréciée.

Ulla und Brygt Bert Lindgren
S-79303 Tällberg
☎ 0247/5 00 26

 90

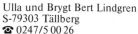
50   280 skr   460 skr

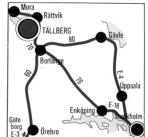

10 + 14 km

Lord Nelson med sina 31 rum, lobby och korridorer är smakfullt inredda i marin miljö, som bidrager till er trivsel. Rummen har namn efter de antika skeppsmodeller, som finns inbyggda i alla gästrum. Välinrett konferensrum och bastu med vilrum fines. Takterass med utsikt över Gamla Stans takåsar och Söders höjder för rofylld avkoppling. Hotellet ligger centralt. Nära till Flygbussar, Centralstation, Tunnelbana, Restauranger och Shopping.

Der Eindruck von früheren Seefahrerzeiten wird durch die antiken Schiffsmodelle, die in allen 31 Zimmern zu finden sind, verstärkt, die dem Haus auch seinen Namen gaben. Korridore und Aufenthaltsräume sind mit vielen maritimen Kostbarkeiten geschmückt.
Geeignete und gut ausgerüstete Konferenzräume, Sauna mit Ruheraum, eine kleine Dachterrasse, von der man einen schönen Blick über die Dächer der Altstadt und die „Südlichen Hügel" hat, bieten Ihnen einen erholsamen Aufenthalt.
Das Romantik Hotel „Lord Nelson" liegt sehr zentral in der Nähe des Arlanda Busterminals, dem Bahnhof, der Untergrundbahn und zahlreichen Restaurants und Geschäften.

Mrs. Bengtsson
Västerlanggatan 22
S 111 29 Stockholm/Sweden
☎ 08/23 23 90 · Telex 10434

The impression of ancient seafaring is accentuated by antique ship models, set up in each of the 31 rooms, accordingly named after their ships. Corridors and lobby are adorned with seascapes and similarly historical objects.
Suitably equipped conference room. Sauna with resting-room. A small flat roof, commanding the view over the roof ridges of the Old Town and The "Southern Hills", offer you a relaxing stay.
The „Lord Nelson" Hotel is central, near the Arlanda bus terminal, the Central Railwaystation, the Underground, restaurants and shopping facilities.

Descendre au «Lord Nelson», c'est un peu faire un voyage au temps des grands navigateurs d'antan, parmi les maquettes antiques de bateaux qui décorent les 31 chambres et qui ont donné son nom à l'hôtel. De nombreux objets maritimes précieux décorent corridors et salles de séjour.
Des salles de conférence bien équipées, un sauna avec salle de repos, une petite terrasse sur le toit offrant une belle vue sur les toits de la vieille ville et sur la "Colline Sud" font de votre séjour un séjour reposant.
L'hôtel Romantik Lord Nelson jouit d'une position centrale, à proximité de la station d'autobus Arlanda, de la gare, du métro et de nombreux restaurants et magasins.

40

31   500 SEK   650 SEK

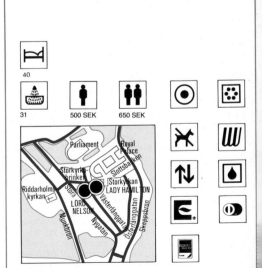

Romantik Hotel „Lady Hamilton" · Stockholm

Lady Hamilton Hotel har 35 rum inredda i genuin svensk allmogestil. I varje rum, som fått namn efter de svenska landskapsblommorna, finns ett antikt målat väggskåp och på rumsdörren en originalmålad blomma. I hotellentrén finns en samling föremål från den svunna segelfartygsepoken.
Trapphus, hallar är smakfullt inredda med allmogemöbler.
Hotellet har 4 fullt utrustade konferensrum för 8–18 personer.
I den medeltida källaren finns en bastu. Den nyupptäckta brunnen från 1400-talet användes som mini-pool.

Das Romantik Hotel „Lady Hamilton" hat 35 Zimmer in echtem schwedischen Landhausstil. Jedes Zimmer ist nach einer besonderen Landesblume benannt und der Name ist auf jede Tür handgemalt. Im Zimmer finden Sie antike Möbel.
Die Hotelhalle zeigt eine kleine Sammlung antiker Dinge, die an die Seefahrerzeiten erinnern.
Aufenthaltsräume und Foyers sind sehr geschmackvoll in ländlichem Stil eingerichtet. Das Hotel verfügt über 4 Konferenzräume, jeder für 8 bis 18 Personen.
Der mittelalterliche Keller wurde in eine Sauna umgebaut. Der wiederentdeckte Brunnen aus dem 15. Jahrhundert wurde in ein kleines Schwimmbad umgebaut.

Mrs. Bengtsson
Storkyrkobrinken 5
S 111 28 Stockholm / Sweden
☎ 08/23 46 80 · Telex 10434

The Lady Hamilton Hotel has 35 rooms, decorated in genuine Swedish country style. Each room is named after its particular county flower, hand-painted on the door. Inside you'll find an antique cupboard, equally traditional.
The hotel entrance contains a small display, reminiscent of ancient seafaring.
Landings and foyers are tastefully furnished in rural style. The hotel provides for conference parties, 4 rooms each fully equipped for 8 – 18 persons.
The mediaeval cellar has made room for a sauna. The rediscovered well from the 15th century has been converted into a mini-pool.

Le «Lady Hamilton» dispose de 35 chambres aménagées dans le style rural suédois. Chaque chambre porte le nom des fleurs des champs peintes à la main sur la porte. Des armoires anciennes peintes à la main se trouvent également dans le chambres.
Un choix d'objets rappelant les grands voyages d'antan décorent le hall de l'hôtel.
Les salles de séjour et foyers sont meublés avec goût en style rustique. L'hôtel dispose de 4 salles de conférence conçues chacune pour 8 à 18 personnes.
La cave médiévale a fait place à un sauna. La fontaine du XVème siècle redécouverte a été transformée en une petite piscine.

59	35	650 SEK	790 SEK	

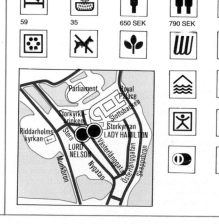

Restaurang Stortorgskällaren är belägen i hjärtat av Gamla Stan mitt i Stockholm stad. De medeltida källarvalven tillhör definitivt en av Stockholms äldsta restauranger. Så tidigt som på 1500-talet, säger legenden, att Kung Johan III »festat om« här med mat och dryck, liksom senare hans son Sigismund.

Stortorget var ju då Stockholms första viktiga handelsområde och fungerade som ett centrum för handeln mellan Mälaren och Östersjön. Ännu idag är Stortoget med börshuset och Svenska Akademin en knutpunkt för Stockholms handel och kulturliv.

Välkända restaurang Stortorgskällaren består numera av tre avdelningar: De medeltida källarvalven, med en av Stockholms vackraste matsalar, Fiskrestaurangen och den exklusiva pianobaren.

På varje enhet av restaurangen gör vi vårt yttersta för att ge våra gäster förstklassig service och en kombination av det traditionella svenska köket och det nya Franska. – och för strupen; ett utbud av det bästa av viner! Välkommna och Bon Appetit!

Man benötigt sicherlich einige Zeit, um diesen Namen fließend aussprechen zu können, wenn man der schwedischen Sprache nicht mächtig ist. Doch man braucht nicht lange, um sich in dieses Restaurant gegenüber der Börse nur ein paar Meter vom königlichen Schloß entfernt, zu verlieben. Die einzigartigen Gewölbe-Keller, die die beiden Restauranträume bilden und die »Pianobar« im Erdgeschoß sind sehr stimmungsvoll und gemütlich. Die Küche jedoch ist mehr als überzeugend. Raimo Tarkiainen, Küchenchef und Mitinhaber des »Stortorgskällaren« hat sich auf Fischspezialitäten konzentriert und das mit großem Erfolg. Den angenehmen Service, den man hier genießen kann, überwacht Stefan Kempinsky, ebenfalls Partner von Peter Marcus.

»Stortorgskällaren« ist sicherlich eines der ältesten Restaurants in Stockholm. Schon im 13. und 14. Jahrhundert war der »Stortorget«, der große Platz, Umschlagplatz für den Warenhandel zwischen der Ostsee und dem Mälaren-See. Es wird erzählt, daß König Johann III im 16. Jahrhundert hier getafelt haben soll und später auch sein Sohn an diese Tradition hielt. Ob heute König Carl-Gustav und Königin Sylvia hier auch hin und wieder dinieren, sollte jeder Gast beim Besuch des »Stortorgskällaren« selbst versuchen herauszufinden.

Stortorgskällaren is situated in the famous Old Town in the heart of Stockholm. The mediaeval vault is definitely one of Stockholm's oldest restaurants. As early as during the 16th century King Johan III is said to have feasted and quaffed a goblet of wine here and later his son Sigismund also stayed in the same house.

Stortorget was Stockholm's foremost trading area. In the 13th and 14th centuries the reloading between Lake Mälaren and the Baltic was carried on via Stortoget, which even today is a centre for trade and culture with the Stock Exchange and the Swedish Academy.

The venerable restaurant Stortorgskällaren has now become three; The Swinging Piano Bar, The Fish Restaurant, and The Mediaeval Cellar Vault, and in each part we try to combine present-day modern demands with ancient tradition, namely, to entertain our guests with "the finest delicacies and refresh them with the best of wines".

Celui qui ne parle pas couramment le suédois mettra sans doute quelque temps avant de pouvoir prononcer facilement le nom du Stortorgskällaren. Par contre, on a tout de suite le coup de foudre pour ce restaurant situé en face de la Bourse et à quelques mètres seulement du Chateau Royal. La cave aux voûtes typiques qui abrite les deux restaurants et le «Pianobar» au rez-de-chaussée baignent dans une atmosphère agréable et stylée. La cuisine est plus que convaincante. Raimo Tarkiainen, chef de cuisine et copropriétaire du Stortorgskällaren se consacre en particulier et avec beaucoup de succès aux spécialités de poissons. Stefan Kempinsky, également partenaire de Peter Marcus, veille à ce que le service soit avenant et plaisant. Le «Stortorgskällaren» compte sûrement parmi les plus anciens restaurants de Stockholm. Déjà au XIIIème et au XIVème siècle, le «Stortorget» était la grande place, le port commercial de transbordement des marchandises entre la Baltique et le lac Mallären. On raconte qu'au XVIème siècle le Roi Johann III y tenait table et que son fils maintint cette tradition. Quant à savoir si le Roi Carl-Gustav et la Reine Sylvia viennent aussi y diner de temps en temps, l'hôte du «Stortorgskällaren» pourra toujours essayer d'en avoir le cœur net au cours de sa prochaine visite.

Peter Marcus, Raimo Tarkiainen,
Stephan Kempinsky
Stortorget 7
111 29 Stockholm
☎ 08 / 10 55 33, 20 63 60, 20 66 82

Romantik Restaurant „Värdshuset Alstern" · Karlstad

Från värdshuset "Alstern" har man en fin utsikt över det värmländska landskapet med dess sjöar och björkskogar. Denna "Romantik Restaurants" goda rykte beror inte bara på den vackra utsikten utan även på dess utmärkta kök. Restaurangen tillhör Sveriges sex bästa. Fiskrätterna är vida kända och vid jultid likaså julbordet. Restaurangen är öppen for gäster middagstid, pa kvällarna enbart för beställningar.

Das »Värdshuset Alstern« gehört ohne Zweifel mit zu den besten Restaurants in Schweden. In zahlreichen Artikeln großer Zeitungen und Zeitschriften sind die erstklassigen Fischgerichte und Hausspezialitäten immer wieder gelobt worden. Nach dem Tod von Günter Riedel führt Christl Riedel zusammen mit dem Küchenchef und Mitbesitzer Günther Schlenk das Romantik Restaurant im gleichen Stil und in gleicher Qualität weiter.
Das sehr schöne typische Schwedenhaus mit den eher etwas modernen Räumen hoch über dem Alstern-See bieten eine herrliche Aussicht. Es hat in der Regel nur mittags geöffnet außer am Mittwoch. Es empfiehlt sich daher, vorher anzurufen und einen Tisch zu reservieren.

The "Värdshuset Alstern" is without doubt one of the best restaurants in Sweden. The first class fish dishes and specialities of the house are praised time and again in leading newspapers and magazines. Following the death of Günter Riedel, Christl Riedel has run the Romantik restaurant, together with the chef de cuisine and joint owner, Günther Schlenk, in the same way and to the same high standard. The beautiful typical Swedish house with the somewhat modern rooms, high above Lake, is normally only open midday except for Wednesday. It is therefore advisable to telephone beforehand to reserve a table.

Le «Värdshuset Alstern» compte certainement parmi les meilleurs restaurants de Suède. De nombreux articles publiés par les grands journaux et revues font et refont l'éloge des plats de poissons et spécialités de la maison tout à fait exceptionnels. Depuis le décès de Günter Riedel, Christl Riedel et le copropriétaire Günther Schlenk, chef de cuisine, gèrent le Restaurant Romantik dans le même style et toujours la même qualité. Depuis les salles plutôt modernes de cette très belle maison typiquement suédoise et située dans un site surplombant le lac Alstern, on jouit d'une vue splendide sur le lac. Comme le Restaurant n'ouvre

généralement qu'à midi, sauf le mercredi, il est préférable de téléphoner auparavant pour réserver une table.

Christl Riedel
Moronvägen 4 · 65590 Karlstad
☎ 0 54 / 13 49 00

Öffnungszeiten } 11.30 – 14.30
Opening hours
18 – 23.00 nur only 3
13 – 18.00 nur only 6

Hotellet grundades redan 1640 av drottning Kristina av Sverige. Carl Jan Granqvist, antikvitetsbeundrare, har i vår tid gjort det till ett hotell, som motsvarar moderna krav. Den gamla byn Grythyttan omges av det västmanländska insjölandskapet. Här kan man vandra, meta, äta gott och tillbringa en rofylld semester. Här håller firmor gärna sina konferenser eller seminarier, hotellet har passande rum. Gästgivaregården består av den historiska huvudbyggnaden och några sidobyggnader. Det svenska kungaparet övernattar här på sina resor.

Dieses Haus ließ Königin Kristina von Schweden bereits im Jahre 1640 errichten. Carl Jan Granqvist, ein Liebhaber von Antiquitäten, hat daraus ein sehr schönes Hotel gemacht, das allen Anforderungen an Komfort entspricht. Eingebettet in die Seenlandschaft Vestmanland, in dem alten Ort Grythyttan, findet man die Ruhe zum Wandern, Fischen und gut Essen. Geschäftsleute fühlen sich hier ebenfalls wohl, ist doch das Hotel für Konferenzen und Seminare bestens eingerichtet. Das Gästgivaregarden besteht aus dem historischen Haupthaus und verschiedenen kleinen Nebengebäuden. Auch das schwedische Königspaar hält hier auf seinen Reisen.

This house had already been established in 1640 by Queen Kristina of Sweden. Carl Jan Granqvist, a lover of antiques, has converted it in our time into an extremely beautiful hotel which also meets modern demands for comfort. The old village, Grythyttan, is surrounded by the lakes of Vestmanland, where you can vacation in peace, go hiking, fishing, and eat well. Companies like to have their conferences and training courses here, and the hotel is equipped with the appropriate rooms. The "Gästgivaregården" consists of the historic main building and several annexes. The Swedish Royal Couple also stops here on their journeys.

Cette maison fut fondée en 1640 par la reine Christine de Suède. Carl Jan Granqvist, un amateur d'antiquités, en a fait de nos jours un très bel hôtel, qui satisfait aux exigences d'un confort moderne. Le vieux village de Grythyttan est entouré des paysages de lacs de Vestmanland. On y passe des vacances reposantes, on peut y faire des excursions, aller à la pêche et bien manger. Entreprises et compagnies aiment y organiser des conférences et séminaires, car l'hôtel met à leur disposition les locaux nécessaires. Le «Gästgivaregarden» consiste en la maison principale historique et plusieurs bâtiments auxiliaires. Le couple royal de Suède y descend, lui aussi.

Carl Jan Granqvist
71060 Grythyttan
☎ 05 91/1 40 61 + 1 43 10

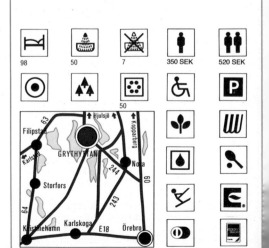

Romantik Hotel
„Svartå Herrgård" · Svarta

Omgiven av en stor parkliknande trädgard invid skog och sjö, ligger denna vackra herrgard byggd 1782.
Den gamla miljön är alltigenom välbevarad men motsvarár även dagens krav pa komfort.
Hotellet har 40 vackra individuellt inredda gästrum med dusch eller bad i huvudbyggnad och 2 flyglar, flera moderna konferensrum för 10 – 60 personer, manga vackra sällskapsrum samt matsalen där det stora smörgasbordet serveras varje dag. Vänlighet och personlig omtanke om gästerna är familjen Frantzéns motto, hotellets ägare sedan 1946.

Dieses Herrenhaus aus dem Jahre 1782 liegt in einem schönen Park direkt an einem der herrlichen Seen in Mittelschweden. Der Charakter des Herrenhauses ist sehr gut gewahrt geblieben und man fühlt sich eher als Gast in einem Privathaus als in einem Hotel. Angenehme Aufenthaltsräume und komfortable Zimmer, alle mit Dusche oder Bad, sowie eine gute Küche runden das Bild eines großen Privathauses ab, in dem Familie Frantzén, Besitzer von Svarta Herrgard, seine Gäste das ganze Jahr über liebevoll betreut.

This beautiful mannor house, built in 1782, is situated close to a forest and a lake and surrounded by a big garden.
The old atmosphere is well protected but meets also modern demands for comfort. The hotel has 40 tastefully decorated rooms with shower or bath in the main building and the 2 wings, several modern conferencerooms for 10 – 60 persons, many beautiful lounges and the diningroom where the big "smörgasbord" is served every day. Kindness and personal care of the guests is the rule of the family Frantzén, owner of Svarta Herrgard since 1946.

Ce manoir, construit en 1782, est entouré par un joli parc et est directement baigné par un des merveilleux lacs de la Suède centrale. Ce manoir a conservé sa personnalité et le visiteur s'y sent plus chez des amis que dans un hôtel. Des salons agréables, des chambres confortables ayant toutes douche ou bain, et une excellente cuisine complètent l'image d'une grande maison privée où M. et Mme Frantzén, propriétaires de Svarta Herrgard, choient toujours leurs hôtes.

Nils och Marianne Frantzén
71011 Svartå
☎ 05 85/5 00 03, 5 00 63

Romantik Hotel „Tidbloms" · Göteborg

I Sveriges andra stad Göteborg »Porten mot väster« som är en internationell mötesplats ligger Tidbloms Hotel och Restaurang. Hotellet har centralt läge men ändå lugnt och med närhet till attraktioner såsom Liseberg Skandinaviens största och vackraste nöjespark samt köpcentra.
Tidbloms Hotel och Restaurang inryms i ett sekelskifteshus med tinnar och torn. Alltihop pietetessfullt renoverat – den röda tegelfasaden är gammal och gedigen, men inuti blommar nutiden med den miljö man har rätt att kräva av ett förstaklass hotel. Hotellet där bekvämlighet och service är litet extra och där inget rum är det andra likt. Samtliga rum är exklusivt och personligt inredda. Hotellet erbjuder även konferensmöjligheter från 10–40 personer.
Gourmetrestaurangen med cocktailbaren inryms i de historiska källarvalven och den kupolformade glasverandan. Här serveras många spännande läckerheter.

In Göteborg, Schwedens zweitgrößter Stadt und zugleich »Tor gen Westen« – inmitten dieses Treffpunktes internationaler Begegnungen liegt Tidbloms Hotel und Restaurant. Die Lage des Hotels ist zentral, aber dennoch ruhig und unweit von so manchen Attraktionen wie Liseberg, Skandinaviens weitläufigstem und schönstem Vergnügungspark, und großen Einkaufszentren.
Tidbloms Hotel und Restaurant beherbergt ein mit Zinnen und Türmen geschmücktes Haus aus der Jahrhundertwende. Durchweg pietätsvoll renoviert – die rote Ziegelfassade zeugt von gediegenem Handwerk; innen aber präsentiert sich die neue Zeit mit einem Milieu, das man von einem erstklassigen Hotel erwarten darf. Ein Hotel, wo Komfort und Service Vorrang haben und kein Zimmer dem anderen gleicht. Sämtliche Räume sind exklusiv mit persönlicher Atmosphäre ausgestattet.
Das Gourmetrestaurant mit seiner Cocktailbar befindet sich in den historischen Kellergewölben und der kuppelförmigen Glasveranda.

In Sweden's second largest city, Gothenburg, the country's "Gateway to the West" and a major international meeting point stands Tidbloms Hotel. It is centrally but quietly situated, near such attractions as Liseberg, the largest and most attractive funfair in Scandinavia, and the shopping centre.
Tidbloms Hotel and Restaurant is housed in a turn-of-the-century building, complete with pinnacles and tower, all meticulously renovated. The red brick facade is the original one, but inside the present day flourishes and the setting is all that one can ask of a first-class hotel. This is a hotel that offers just that little extra comfort and service. No room is like any other; they are all exclusively and personally furnished.
The gourmet Restaurant and cocktail bar, housed in the historic vaulted cellars and domed glass verandah, serve a wide range of interesting delicacies.

A Göteborg, «porte donnant sur l'ouest», lieu de rencontre international, se trouve l'Hôtel Tidblom. L'hôtel est situé en pleine ville, dans un quartier pourtant calme, proche de centres commerciaux et d'attractions telles que Liseberg, le plus grand et le plus beau parc d'attractions de Scandinavie.
C'est une maison datant de 1900, munie de tours et de créneaux, qui abrite l'Hôtel Tidblom. L'ensemble a été scrupuleusement rénové, la façade en briques rouges est ancienne et authentique; à l'intérieur, le passé laisse place au présent et à ambiance que l'on est en droit d'exiger d'un hôtel de première classe.
C'est un hôtel où le confort et le service sont de premier ordre et où toutes les chambres, aménagées de façon exclusive et personnelle, ont leur cachet. Le restaurant pour gourmets et son bar sont situés dans des caves voûtées historiques et dans une véranda en forme de coupole. De nombreux mets délicieux et passionnants y sont servis.

Hans und Sonja Tidblom
Olskroksgatan 23
416 66 Göteborg
☎ 031 / 19 20 70
Telex 27 369

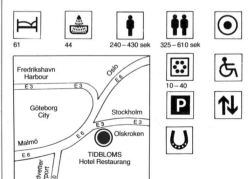

Romantik Hotel
„Söderköpings Brunn" · Söderköping

Söderköpings Brunn ligger i landskapet Östergötland inte långt ifrån kusten och S:t Annas skärgård. Brunnen erhöll kungliga previlegier år 1774. Idag e:t mo dernt rekreations- och konferenshotell med gamla tradi tioner.
Gästrummen har hög internationell standard. I anslutning till receptions finns den gamla brunnskällan, där man fortfarande kan ta ett glas av "det hälsobringande vattnet". Bastu och motionsutrymmen ger möjlighet till avkoppling.
Det allra viktigaste är trots allt den personliga omsorg och service man möter på Söderköpings Brunn som inte minst är känt för "ett duktigt kök".

In der Landschaft Östergötland nicht weit von der Küste und den Schären von S:t Anna liegt Söderköpings Brunn. Das Kurhaus erhielt im Jahre 1774 königliche Privilegien. Heute ein modernes Rekreations- und Konferenzhotel mit alten Traditionen.
Die Gästezimmer haben hohen internationalen Standard. Im Anschluß an die Rezeption liegt die alte Heilquelle, wo man nach wie vor ein Glas des „gesundheitsspendenden Wassers" trinken kann. Die Sauna und die Trimm-Dich-Räume bieten Möglichkeiten zur Entspannung.
Das allerwichtigste ist aber trotz allem die persönliche Fürsorglichkeit und Bedienung, die man in Söderköpings Brunn findet, das auch nicht zuletzt für seine gute Küche bekannt ist.

Söderköpings Brunn lies in the countryside of Östergötland, not far from the coast and the rocks of St. Anna. The pumproom received a royal warrant in 1774 and today is a modern holiday and conference hotel in the old tradition.
The guest rooms are of a high international standard. Adjacent to the Réception is the old spring, where one can still take the "healthgiving waters". The sauna and fitness rooms offer opportunities for relaxation.
Nevertheless, the most important feature is the personal attention and service which one finds in Söderköpings Brunn, which is renowned not least for its good cooking.

Au cœur du paysage de l'Östergötland, peu loin de la côte pittoresque de St Anna avec ses milliers d'écueils si originaux, se trouve le Söderköpings Brunn. Le casino obtint en 1774 des privilèges royaux. Aujourd'hui, c'est un hôtel thermal et de conférences moderne qui cultive les traditions anciennes.
Le standing des chambres d'hôtes est d'un niveau international élevé. La réception donne sur la vieille source médicinale où on peut boire un verre de cette eau qui possède aujourd'hui encore les mêmes vertus bienfaisantes. Des salles de fitness et saunas offrent de bonnes possibilités de détente.
Et malgré tous ces avantages qu'offre le Söderköpings Brunn, connu en plus pour sa bonne cuisine, le plus important reste l'accueil et le service personnel et avenant qu'on y reçoit.

Stig Ekblad
Skönbergagatan 36–40
61400 Söderköping
☎ 01 21/109 00
Telex: 6 4262

202

107

300 – 385 Skr

410 – 460 Skr

Solarium

9 km

På 1600-talet var Halltorp en kungsladugård, som lydde under Borgholms Kungsgård. Idag är den gamla huvud-byggnaden förvandlad till ett modernt gästgiveri av högsta internationella klass. Rummen är inredda efter gammalt manér, men med högsta komfort. Restaurangen har alltid några kulinariska specialiteter på förslag, utöver den vanliga menyn.

Gästgiveriet, med utsikt över Kalmarsund, ligger 9 km söder om Borgholm vid vägen mot Solliden. Öland självt med sin underbara natur och kulturhistoriska bak-grund har blivit ett omtyckt semesterparadis.

Von Halltorp sagt man, daß es früher einmal eine Wikingersiedlung war, aber heute ist dieses alte Herren-haus ein kleines Hotel, entzückend hergerichtet mit einem erstklassigen Restaurant und gemütlichen Zim-mern. 9 km südlich von Borgholm in schöner Lage mit prächtigem Ausblick auf den Kalmarsund gelegen, ist es sowohl für Urlauber als auch für Geschäftsreisende eine stets gute Adresse. Öland kann man sehr leicht über die Brücke zum Festland erreichen. Diese Insel hat eine große geschichtliche Vergangenheit und die rei-zende Landschaft ist ein beliebtes Urlaubsparadies.

Josef Weichl, Olle Lindberg
38700 Borgholm/Öland
☎ 04 85/5 52 50

"Halltorp" is said to have been a Viking settlement in very early times, but today this old manor is a small hotel furnished with particular care and with an excellent restaurant and comfortable rooms. Situated 9 km south of Borgholm in a beautiful location with a marvellous view of the Kalmarsund, it is always a good address for holidaymakers and businessmen alike. Öland can now be reached easily via the bridge to the mainland, and this island with its charming cultural history and landscape is a popular holiday paradise.

«Halltorp» était, dit-on, il y a très longtemps, une colo-nie de Vikings, mais aujourd'hui, cette vieille maison domaniale est un petit hôtel, particulièrement confor-table et intime, avec un excellent restaurant et de jolies chambres. «Halltorp» est toujours une bonne adresse, pour vacanciers tout comme pour hommes d'affaires, au sud de Borgholm, avec ses environs charmants et sa vue panoramique sur le Kalmarsund. Depuis la construc-tion du pont reliant l'île au continent, Öland est facile-ment accessible. Lieu de culture historique dans de beaux paysages, un paradis pour les vacances.

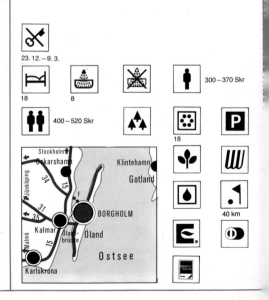

23.12. – 9.3.

18   8

400 – 520 Skr

300 – 370 Skr

18

40 km

Romantik Hotel „Slottshotellet" · Kalmar

Slottshotellet är byggt 1864 och är omgivet av bebyggelse från 1600 och 1700-talet. Hotellet består av huvudbyggnad, annex och en paviljong. Inget av de 29 rummen är det andra likt. De är individuellt inredda och har olika form och karaktär. Samtliga rum har egen dusch, toalett, TV, radio och telefon. På gården finns egen fri parkering. Slottshotellet är centralt beläget intill Slottet och Stadsparken – kalmarbornas oas –. Alldeles utanför dörren kan du börja din motionsrunda. Avsluta med att koppla av i hotellets bastu och solarium.
Strövområden och badplatser finns i närheten liksom bathåmn. Med ett par minuters promenad når du köpcentrum.

Das Slottshotellet in Kalmar wurde 1864 erbaut und ist umgeben von Häusern aus dem 17. und 18. Jahrhundert. Das Hotel besteht aus Haupt- und Nebengebäude sowie Pavillion und verfügt über 29 Zimmer, von denen keines dem anderen gleicht. Individuelle Einrichtung und verschiedene Raumformen verleihen jedem Zimmer den ganz persönlichen Charakter. Sämtliche Zimmer sind mit Dusche, Toilette, Radio und Telefon ausgestattet. Das Slottshotellet liegt zentral neben dem Schloß und dem Stadtpark – der Oase von Kalmar. Treten Sie Ihren Trimm-Dich-Lauf gleich vor der Haustüre an und beschließen Sie ihn in herrlicher Entspannung in der hoteleigenen Sauna mit Solarium. In nächster Nähe befinden sich herrliche Grünanlagen für Spaziergänge und zum Shopping-Center sind es nur wenige Gehminuten.

Slottshotellet (Castle Hotel) was built in 1864 and is surrounded by 17th and 18th century buildings. The hotel consists of a main building, an annexe, a pavilion and its own car park. None of the 29 rooms is identical. They are all individually furnished and have different styles and atmosphere. Slotthotellet is centrally located, just beside Stadsparken (City Park) – an oasis in Kalmar. Just outside the door you can start jogging, finishing off in the hotel's sauna; or you can relax in our solarium. Close by you will find walks and bathing beaches, as well as a harbour. It is only a couple of minutes walk to the shopping centre.

Le Slotthotellet, construit en 1864 entre des maisons du 17è et 18è siècle, comprend un bâtiment principal, des bâtiments annexes et un pavillon. Il dispose de 29 chambres, toutes différentes les unes des autres.
La forme différente des chambres et leur aménagement individuel confèrent à chacune d'elle un caractère particulier.
Le Slotthotellet se trouve à un endroit central bien placé, à côté du Château et du Parc municipal, l'oasis de Kalmar. Vous empruntez le sentier sportif qui commence à la porte et vous ramène à l'hôtel où vous retrouvez le plaisir de la détente dans le sauna-solarium de l'hôtel. A proximité de votre hôtel, des zones vertes splendides vous accueillent pour la promenade et le shopping-center se situe à seulement quelques minutes à pied de l'hôtel.

Karin und Brigitta Plantin
Slottsvägen 7
392 33 Kalmar
☎ 04 80 / 8 82 60

50   29   skr 350–400   skr 450–500

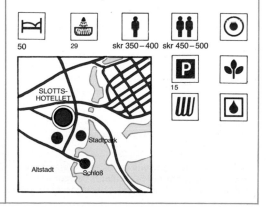

15

SLOTTS-HOTELLET
Stadtpark
Altstadt
Schloß

Romantik Restaurant
„Skanör Gästgifvaregard" · Skanör

Helmut Prössel, född i Tyskland, och hand hustru Birgitta, har med mycket kärlek och stor kunnighet skapat en träffpunkt för gourméer från många nationer. Skanörs Gästgifvaregård tillhör obetingat en av de bästa restaurangerna i Sverige.
Tyvärr kan man inte övernatta hos Prössels. Skanör med omnejd skulle passa utmärkt för ett par dagars avkoppling, antingen man vill ströva omkring på de långa stränderna, titta i den gamla fina stadskärnan eller spela golf på en av de tre närbelägna golfbanorna.
Att göra en avstickare på några extra mil från E6: an, är väl värda mil.
Ett besök i Skanör med höjdpunkten – Skanörs Gästgifvaregård – kan ni bara inte missa på er resa i det underbara Sverige.

Das «Skanör Gästgifvaregard» gehört zweifelsohne mit zu den besten Restaurants in Schweden. Helmut Prössel, gebürtiger Deutscher, und seine Frau Birgitt haben hier mit viel Liebe und Können einen Treffpunkt für Freunde genußvollen Essens und Trinkens geschaffen, der in ganz Schweden einen sehr guten Ruf genießt.
Schade nur, daß man bei den Prössels nicht übernachten kann, denn Skanör und Umgebung sind sehr geeignet, um einige Tage zu entspannen, Fahrrad zu fahren oder Wanderungen zu unternehmen.
Zu Beginn einer Reise – sofern sie in Trälleborg anfängt – und zum Ende einer Schwedenreise ist es ein »Muß« ins «Skanör Gästgifvaregard« einzukehren, um einen guten Beginn und eine angenehme Erinnerung an das schöne Schweden mitzunehmen.

There can be no doubt the "Skanör Gästis" is one of the best restaurants in Sweden. With a great deal of affection and skill Helmut Prössel, a German by birth, has together with his wife Birgitt created a meeting place for lovers of enjoyable food and drink which enjoys a very good reputation throughout Sweden.
It's only a pity that you can't spend the night with the Prössels, since Skanör and its surroundings are very suitable for a few days of relaxation, cycling or walking.
At the start of a journey, if it begins in Trälleborg, and the end of a trip to Sweden it's a "must" to visit the "Skanör Gästis", to make a good start and also to take away with you a pleasant memory of beautiful Sweden.

Il ne fait pas de doute que le «Skanör Gästgifvaregard» compte parmi les meilleurs restaurants de Suède. Helmut Prössel, né en Allemagne, et Birgitt

son épouse, ont su agencer avec beaucoup d'amour et de talent un rendez-vous pour les amis de la bonne cuisine et des vins qui jouit d'une très bonne réputation dans la Suède entière. Mais il est regrettable de ne pas pouvoir passer la nuit chez les Prössel car Skanör et ses environs se prètent à un séjour de quelques jours pour se détendre, faire de la bicyclette ou entreprendre des randonnées pédestres.
Si vous débutez votre voyage en arrivant à Trälleborg, et avant de repartir, il est «impératif» de passer par le «Skanör Gästgifvaregard» pour bien commencer votre voyage et garder avec vous un agréable souvenir de la Suède.

Birgitt und Helmut Prössel
Mellangatan 13
23010 Skanör
☎ 0 40/47 02 20

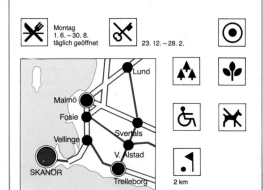

Romantik Hotel
„Kullagardens Wärdshus" · Mölle

Kullagårdens Wårdshus ligger uppe i naturreservatet Kullaberg en halvö c:a 30 km norr om Helsingborg. Kullagårdens historia är lång. På 1500-talet hette ägaren Tycho Brahe. Han fick gården i förläning för att sköta eldningen av fyren. 1742 gästar den inte mindre kände Carl von Linné Kullagården på sin Skånska resa. I slutet av 1700-talet delas Kullagården upp i två gårdar. Den gamla, som i dag kallas Ransgården, och den nya, dagens wärdshus. Festerna var legio. När Gustaf IV Adolf år 1801 besöker Kullen får man förmoda att han pustade ut vid Kullagården, lifligt uppassad av hov och gårdsfolk. 1852 blev det den danske kungen Frederik VII: es tur att gästa dåvarande ägaren, Gustaf Elfversson. 1907 besöken Kiesare Wilhelm II med Gemål Mölle och Kullagården.

Traditionen fortsätter i Kullagårdens Wärdshus. Stora matsalen i dagens Kullagården rymmer 80 sittande. Nog för ett bättre bröllop. Och bröllopssviten i mörkrött och vitt är i sanning romantisk. Och så blir det som det alltid har varit. Havets brus för själen, redig mat för kroppen, och dricka, vin eller bier för strupens törst. Välkommen till Kullagårdens Wärdshus!

Kullagardens Gasthaus liegt auf dem Bergrücken des Naturschutzparkes Kullaberg, einer Halbinsel zwischen Öresund und Kattegatt, etwa 30 km nördlich von Helsingborg. Der Kullagarden hat eine lange Vergangenheit. Im 16. Jahrhundert besaß Tycho Brahe das Gasthaus, dafür mußte er das Leuchtfeuer auf dem Kullen unterhalten.

„Kullagardens Wärdshus" verfügt über 80 Sitzplätze, ausreichend für eine größere Hochzeitsgesellschaft, wobei das Hochzeitsappartement, in Dunkelrot und Weiß gehalten, sicher die romantische Gefühle anregt.

Auch heute noch sind wir das, was wir immer waren: Ein offenes, gastfreundliches Haus für alle Besucher, mit einer Erholung für die Seele, mit gutem und gesundem Essen für den Körper und mit einem hervorragenden Bier und einem Wein bester Qualität für die Kehle.

Sie alle sind recht herzlich willkommen in Kullagardens Gasthaus auf dem Kullaberg.

Kullagardens Wärdshus is situated in the beautiful nature reserve, Kullaberg, a peninsula 30 km north of Helsingborg.

The history of Kullagarden is long. In the 16th century, Tycho Brahe, the scientist, had the house at his disposal, and in exchange he took care of Kullens lighthouse. In 1742 the famous writer and botanist.

The large dining-room in Kullagarden of today can receive 80 guests, suitable for conferences, weddings e.t.c.

Another facility is the wedding suite, decorated in burgundy and white it is truly romantic.

Beautiful surroundings, panorama view of the sea and the golf course, good foods and refreshments.

Welcome to Kullagardens Wärdshus.

Le restaurant Kullagarden se dresse sur la croupe du parc naturel de Kullaberg, cette péninsule entre le Sund et le Kattégat, à environ 30 au nord de Helsingborg.

Kullagarden a une longue histoire. Au XVIème siècle,

Tycho Brahé possédait l'hôtel mais devait en échange entretenir le fanal sur la colline. En 1742, Carl von Linné, le célèbre naturaliste, visita Kullagarden lors de son fameux «voyage en Scanie».

La grande salle à manger de Kullagarden dispose de 80 places assises ce qui suffit pour les convives à un mariage et la suite de la mariée, blanc et rouge cramoisi, invite aux sentiments romantiques.

Mais aujourd'hui nous restons ce que nous avons toujours été: une maison accueillante, ouverte à tous les hôtes, permettant le repos de l'esprit, proposant au corps une nourriture saine et délicieuse et au gosier une excellente bière et un vin de première qualité.

Vous êtes tous les bienvenus au restaurant Kullagarden sur le Kullaberg.

Irene und Jan Ake Hagman
26042 Mölle ☎ 042/471 48

  1 Oktober bis April

21   11   290 Skr   375 Skr   Naturreservat

65

Holland

Netherlands - Pays-Bas - Nederlande

Romantik Reise Holland

Holland hat wohl eines der besten Autobahnnetze Europas und daher kennen die meisten Besucher Holland nur von der Autobahn aus.

Doch was kann man da schon sehen? Genausowenig, wie auf allen anderen Autobahnen der Welt. Wenn man jedoch die Autobahnen verläßt, eröffnet sich dem Besucher eine Vielfalt, die man in diesem kleinen Land kaum vermuten würde. Windmühlen und schöne Brücken sind ja durch Bilder genügend bekannt, doch die alten Städte und Dörfer, die die Vergangenheit Hollands als alte Handelsnation widerspiegeln, sind von unerhörtem Reiz.

Wir haben eine Rundreise durch unsere vier Romantik Hotels in Holland zusammengestellt, die man als Ganzes oder in Etappen durchführen kann. Sie können die Reise dort antreten, wo Sie wollen, so daß Sie sich an unseren Vorschlag nicht unbedingt zu halten brauchen. Damit die Reise keine Strapaze wird, haben wir in allen Häusern jeweils zwei Übernachtungen vorgesehen.

Bei einer Anfahrt über Aachen ist die erste Station das Romantik Hotel »La Bonne Auberge« in **Slenaken,** kurz hinter der Grenze in der »Kleinen Schweiz Hollands«, wie man diese Gegend zwischen Aachen und Maastricht nennt, eine ganz reizvolle Gegend.

Von Slenaken aus können Sie die nähere Umgebung erforschen, wobei Ihnen das Hotel die interessantesten Punkte nennt, oder Maastricht oder Aachen besuchen.

Von Slenaken fahren Sie dann nach Eindhoven. Hier hat Philips ein hochinteressantes technisches Museum (EVOLUN). Über Tilburg, Breda und Bergen op Zoom kommen Sie dann nach **Schuddebeurs** bei Zierikzee ins Romantik Hotel »Hostellerie Schuddebeurs«.

Hier ist es geradezu ein Muß, sich den im Bau befindlichen Damm anzusehen, der die Oosterschelde von der Nordsee trennen wird. Man nennt es in Holland das 8. Weltwunder, was sicherlich nicht übertrieben ist, so gewaltig es ist.

Rotterdam, Delft, Den Haag, Haarlem und Amsterdam liegen auf der nächsten Etappe nach **Monnikendam** ins Romantik Hotel »**De Posthoorn«.** Alles Orte, für die man viel mehr Zeit haben sollte, um sie sich richtig anzusehen. Doch zumindest sollte man Amsterdam einen ganzen Tag gönnen, was sehr einfach ist, wenn man in Monnikendam wohnt. Dabei sollte auch ein Besuch in Edam nicht fehlen. Von Monnikendam geht die Reise dann nach Enkhuizen und von dort über den Damm durchs Ijssel-Meer, ein sicherlich einmaliges Erlebnis. In Appeldorn ist das Schloß »Het Loo«, letzter Wohnsitz von Königin Wilhelmina, was zu besichtigen ist. Von dort ist es nicht mehr weit nach **Markelo** ins Romantik Hotel »**Kopren Smorre«.**

In Markelo stehen Ihnen, wie sollte es anders sein in Holland, Fahrräder zur Verfügung, damit Sie die nahegelegenen Schlösser und Schloßgärten und alten Windmühlen besuchen können. Da wären z. B. die Gärten von Schloß »Weldam« in Goor oder »Warmelo«, dem früheren Wohnsitz der Prinzessin Armgaard, und natürlich das Schloß Verwolde in Laren. Wenn Sie Lust verspüren, können Sie auch eine Kutschfahrt in einer alten Kutsche von der »**Kopren Smorre«** aus machen.

Die achttägige Reise durch die »romantischen« Niederlande kostet pro Person inkl. Übernachtung im Doppelzimmer mit Bad oder Dusche und WC, Begrüßungstrunk in jedem Hotel und einem kleinen Abschiedspräsent 555,– Gulden.

Wenn Sie nur vier Tage Zeit haben, beträgt der Preis 286,– Gulden, wobei jeweils zwei Nächte in einem Hotel vorgesehen sind.

Romantik Hotel
„Hostellerie Schuddebeurs"

HOSTELLERIE SCHUDDEBEURS is een 300 jaar oude herberg/theetuin die in 1977 vollendig werd gerestuareerd en na uitbreiding nu beschikt over alle moderne comfort op hotelgebied.

In het oude gedeelte bevindt zich de gelagkamer met open haard en het romantische restaurant met een keur van regionale specialiteiten van veld en zee.

Schuddebeurs, een gehucht met 300 inwoners, is van oudsher het buiten van de historische havenstad Zierikzee. In de donkers bossen liggen enkele prachtige landgoederen als Heesterlust, Mon Plaisir en Zorgvlied.

Vanuit Schuddebeurs, het hart van Schouwen-Duiveland (Zeeland) kunt U vele interessante uitstapjes maken en zijn de brede stranden en het mooie duingebied op korte afstand. Ook een bezoek aan de afsluiting van de Oosterschelde, de grootste waterbouwkundige werken van deze eeuw, mag op het programma niet ontbreken.

HOSTELLERIE SCHUDDEBEURS ist eine 300 Jahre alte Herberge/Gartenwirtschaft, die 1977 völlig renoviert wurde und jetzt nach Erweiterung über allen Komfort im Hotelbereich verfügt.

Im alten Teil befindet sich die Schankstube mit offenem Herd und das romantische Restaurant mit einer reichen Auswahl von regionalen Spezialitäten von Flur und Meer.

Schuddebeurs, eine Ortschaft mit 300 Einwohnern, ist von jeher der Landsitz der historischen Hafenstadt Zierikzee. In den dunklen Wäldern liegen einige wunderschöne Landhäuser wie Heesterlust, Mon Plaisir und Zorgvlied.

Von Schuddebeurs aus, dem Herzen der Insel Schouwen-Duiveland (Zeeland) können Sie viele interessante Ausflüge machen: kulturhistorisch als sehenswerte Denkmäler, und was die Natur betrifft sind breite Strände und wunderschöne Naturgebiete, wie die Dünen, in der Nähe zu finden.

Auch ein Besuch an die Abschlußwerke der Oosterschelde, die größten wasserbaukundlichen Werke dieses Jahrhunderts, dürfte in Ihrem Programm nicht fehlen.

HOSTELLERIE SCHUDDEBEURS is a 300-years old inn-cum-garden restaurant which was completely renovated in 1977 and now, following the building of an extension, can offer every comfort as a hotel.

In the old part there is the "Schankstube" (tap room) with an open fire and the romantic restaurant with a wide range of regional specialities from land and sea.

Schuddebeurs, a village with 300 inhabitants, was originally the site of the historic harbour town Zierikzee. In the shady woods lie several wonderful country houses, such as Heesterlust, Mon Plaisir and Zorgvlied.

From Schuddebeurs, the heart of the Schouwen-Duiveland (Zeeland) island, you can make a number of interesting excursions: in the cultural and historic field there are noteworthy monuments and, on the nature side, there are wide beaches and beautiful nature reserves, like the dunes nearby.

You should also not fail to visit to the dyke of Oosterschelde, the largest hydraulic engineering works of this century.

L'HOSTELLERIE SCHUDDEBEURS, vieille auberge avec restaurant dans le jardin, restaurée complètement et agrandie en 1977, dispose maintenant de tout le confort dans la partie hôtel.

Dans la partie ancienne se trouvent le débit de boissons avec poêle-cheminée et le romantique restaurant avec son riche assortiment de spécialités régionales du terroir et de la mer.

Schuddebeurs, une petite localité comptant 300 habitants, sert depuis toujours de résidence secondaire pour les citadins de la ville portuaire historique de Zierikzee qui y possédaient leur maison de campagne. Au cœur de sombres forêts on découvre de magnifiques villas telles que Heesterlust, Mon Plaisir et Zorgvlied.

A partir de Schuddebeurs qui se situe au cœur de l'île de Schouwen-Duiveland (Zeeland), vous pouvez faire de belles excursions pour découvrir des monuments historiques intéressants au point de vue culturel et pour ce qui est de la nature, elle vous gâtera avec ses immenses plages de sable et ses merveilleuses réserves naturelles telles que les dunes des environs.

Une visite aux barrages sur l'Oosterschelde, travaux les plus gigantesques réalisés en ce siècle pour lutter contre la mer, ne doit pas non plus manquer à votre programme.

J. Arkenbout
Donkereweg 35
4317 NL Schuddebeurs/Zierikzee
☎ 0 11 10 / 56 51

 50   24   65-85 hfl.   75-115 hfl.   25

Romantik Restaurant „De Posthoorn" · Monnickendam

Romantik Restaurant „De Posthoorn" (Anno 1697) is in vroeger tijden een Postagentschap geweest en fungeerde als pleisterplaats niet alleen voor de mens, doch ook voor de paarden van de postkoetsen. In die ruimten wordt momenteel romantisch getafeld. Lang geleden kwamen hier kooplieden en koeriers tezamen en wellicht is hier wereldpolitiek gemaakt.

De huidige eigenaar Matthijs van Zanten heeft er voor gezorgd, dat „De Posthoorn" – alwaar zelfs Keizer Napoleon heeft overnacht – weer de plaats heeft ingenomen van een gebouw met een rijk verleden. De oude paardestallen zijn wel verdwenen maar de romantische sfeer is blijven hangen, terwijl ook nu het kaarslicht de kristallen glazen doet flonkeren en het idee geven alsof op ieder moment de Posthoorn zich weer zal laten horen! Gastheer Matthijs van Zanten en zijn Chefkok Francisco Bercelo Fernandez bereiden exclusieve gerechten, waarvoor alleen verse groenten en -vissoorten worden verwerkt. Specialiteit van het huis blijft de gebakken en gestoofde aal, die „De Posthoorn" als culinaire pleisterplaats beroemd heeft gemaakt.

Monnickendam ist eine ehemalige Poststation aus dem Jahre 1697, an der die Postkutschen anhielten, die Pferde gefüttert und gewechselt wurden.

Der heutige Eigentümer Matthijs van Zanten hat aus „De Posthoorn" eine besonders stilvolle Stätte der Einkehr und Entspannung gemacht.

Der alte Pferdestall ist verschwunden, doch leise Klaviermusik unterhält am Wochenende die Atmosphäre. Im Kerzenlicht erstrahlen die Gläser und es ist als ob jeden Augenblick die Postkutsche anhalte.

Van Zanten und sein Chefkoch Francisco Bercelo-Fernandez bereiten exklusive Gerichte. Es wird nur frisches Gemüse und fangfrischer Fisch verarbeitet. Spezialität des Hauses ist gebackener oder gedünsteter Aal, er hat das „De Posthoorn" als kulinarische Station berühmt gemacht.

Monnickendam is a former stage post dating from the year 1697, where the mail coaches halted and the horses were fed and changed. This is evident from the stabling which today has become the Romantik Restaurant. Important business people and politicians used to meet here and many important decisions were made here, perhaps even affecting world politics. The Emperor Napoleon slept in the „De Posthoorn" hotel when he was travelling through.

The present owner, Matthijs van Zanten, has made "De Posthoorn" a particularly elegant place to stay and relax. The old stable has disappeared, but soft piano music provides entertainment at weekends. The glasses shine in the candlelight and it seems as if the stage coach could call at any minute.

Van Zanten and his head chef, Francisco Bercelo-Fernandez, prepare exclusive dishes. Only fresh vegetables and freshly caught fish are served. The speciality of the house is baked or steamed eel, which has made "De Posthoorn" famous for its cuisine.

Monnickendam est un ancien relais de poste datant de l'année 1697 où s'arrêtaient les diligences, où on changeait les chevaux, où on leur donnait à manger. Dans les anciennes écuries qui témoignent de ce passé, le Restaurant Romantik dresse aujourd'hui les tables pour ses hôtes. Jadis, d'importants marchands et des hommes politiques y descendaient, y prirent maintes décisions de poids, peut-être même déterminantes pour la politique mondiale. L'Empereur Napoléon, de passage, s'arrêta aussi à l'Hôtel «De Posthoorn» pour y passer la nuit. Le propriétaire actuel, Matthijs van Zanten, a fait du «Posthoorn» une hôtellerie stylée où il fait bon descendre.

La vieille écurie n'héberge plus de chevaux mais le piano embellit encore d'une douce musique l'atmosphère du week-end. Les verres scintillent à la lueur intime des flambeaux, comme au temps des diligences qu'on ne serait pas surpris de voir arriver à tout instant. Van Zanten et son chef-cuisinier Francisco Bercelo-Fernandez préparent pour leurs hôtes des chefs-d'œuvre de la gastronomie, utilisant exclusivement des légumes et des poissons très frais. L'anguille au four ou à l'étuvée, spécialité de la Maison, a fait du «Posthoorn» une station gastronomique réputée.

Matthijs van Zanten
Noordeinde 39–47
1141 AG Monnickendam
☎ 0 29 95 / 14 71

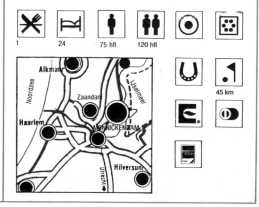

69

Dit restaurant bevindt zich in een eeuwenoude Saksische boerderij anno 1472. U vindt er nog antieke bruidskabinetten, keitjes vloeren en fraai gedecoreerde wandtegels, welke de sfeer geven van vroegere tijden. Op de menukaart prijken Franse en Hollandse specialiteiten, waarbij veelvuldig gebruik wordt gemaakt van de verse kruiden uit onze klassieke kruidentuin. Eén van deze specialiteiten is ons wild zwijn uit eigen bospercelen.
Het bedienend personeel, in klederdracht, zal U de koffie schenken uit oude koperen koffiekannetjes (Smorren).
Uw aperitief kunt U gebruiken rond een van onze open vuren.
Het dorp Markelo is landelijk gelegen, omringd door een prachtig natuurschoon, welke U steeds weer doen verlangen naar een volgend bezoek.

Dieses Restaurant befindet sich in einem historischen Gebäude und ist mit sehr schönen alten Möbeln im Stil eines Twenter Bauernhauses eingerichtet. Kaffee wird in alten Kupferkannen serviert und das Restaurant-Personal bedient in historischer Volkstracht. Die Speisekarte bietet typische regionale Gerichte und das Essen wird mit frischen Kräutern aus dem eigenen Garten gewürzt. Eine Spezialität des Hauses ist Wildschwein. Das Dorf Markelo hat seinen ländlichen Charakter bewahrt. Hier wachsen Wacholdersträucher, aus deren Beeren der beliebteste holländische Schnaps, der Genever, gemacht wird.

This restaurant is in a historic building and is furnished with very beautiful old furniture in the style of a Twenter farmhouse. The coffee is served from old copper pots and the waitresses wear pretty traditional costumes. The menu offers typical regional dishes. The food is spiced with fresh herbs from the restaurant's own garden. One of the specialities of the house is wild boar. The village of Markelo has preserved its rural character. Juniper grows here and the berries are used to make the most popular Dutch gin, Genever.

Ce restaurant a été installé dans une demeure historique. Il est décoré de très beaux et de très vieux meubles, dans le style d'une ferme de la Twente. Le café y est servi dans des cafetières de cuivre, les serveuses portent de jolis costumes. La carte offre des plats régionaux typiques. Les fines herbes du jardin privé relèvent fes mets. Le sanglier fait partie des spécialités de la maison. Le village de Markelo a conservé un caractère campagnard. Ici pousse le genèvrier, dont les baies servant à la fabrication du genièvre, l'eau-de-vie hollandaise la plus appréciée.

A. J. Lammertink
Holterweg 20 · 7475 AW Markelo
☎ 0 54 76/13 44

Onze specialiteiten:
Zuigkalf uit eigen fokkerij
Wild zwijn uit eigen bospercelen.

Unsere Spezialitäten:
Milch-Kalbfleisch und Wildschein
vom eigenen Bauernhof.

Our specialities:
Milk veal and wild boar
from own farm.

Les specialités de la maison:
Veau de lait et sanglier
de nôtre ferme.

7 + 1
(bis 16.00 Uhr)

15

5

4

hfl. 50 – 65

hfl. 75 – 110

25 km

Romantik Hotel „La Bonne Auberge" · Slenaken

Zelfs de weg heen en de weg terug naar huis zijn weergaloos mooi en uniek in Nederland. Het ligt in het mooiste gedeelte van het Zuidlimburgse heuvelland, het hotel/restaurant »La Bonne Auberge«, een geliefde en drukbezochte pleisterplaats in dit schilderachtige vakantieland, dat als Nederlands vooruit geschoven post een wig vormt tussen Duitse Eiffel en Belgische Ardennen. Dit hotel/restaurant biedt zijn gasten 20 2-persoons kamers, die alle voorzien zijn van bad of douche, van toilet, telefoon en radio. Een groot deel van deze kamers beschikt bovendien over een zithoek met daarin een kleuren-tv, een mini-bar alsmede over een balcon dat uitzicht biedt op het schilderachtige Mergelland. Alle kamers zijn per lift gemakkelijk bereikbaar. »La Bonne Auberge« beschikt over een à la carte-restaurant, dat zich – mede dank zij zijn regionale specialiteiten als vis, wild en asperges – mag verheugen in een groeiende belangstelling, ook van gasten die er graag een omweg voor over hebben, zelfs een omweg van enkele dagen of een weekend. Een dankbaar gebruik ook maken vele gasten van de aanwezigheid van een golfbaan in het nabijgelegen Wittem. Er is een petit-restaurant om even op krachten te komen, terwijl het in de lounge of op het gezellige terras goed toeven is.
Een dankbaar gebruik ook maken vele hotelgasten van de aanwezigheid van een golfbaan in het nabijgelegen Wittem. Het Hotel en Restaurant is het gehele jaar geopend!

Sogar Hin- und Rückweg gehören zu den unvergleichlich schönen und einmaligen Erlebnissen. Im wohl reizvollsten Teil des südlimburgischen Hügellandes gelegen, gilt das Hotel/Restaurant »La Bonne Auberge« als beliebte und vielbesuchte Einkehr in dieser malerischen Feriengegend, die als niederländischer Vorposten wie ein Keil zwischen der deutschen Eifel und den belgischen Ardennen liegt. »La Bonne Auberge« betreibt ein Restaurant »à la Carte«, das sich – auch dank seiner regionalen Spezialitäten wie Fisch, Wild und Spargel – wachsender Beliebtheit auch bei Gästen erfreut, die dafür gerne einen Umweg machen, sogar für mehrere Tage oder ein Wochenende. Gerne benutzen viele Gäste auch den Golfplatz im nahegelegenen Wittem. Vorhanden ist ein Kleinrestaurant, in dem man wieder zu Kräften kommen kann, während es sich im Foyer oder auf der gemütlichen Terrasse angenehm verweilen läßt.
Gerne benutzen viele Hotelgäste auch den Golfplatz im nahegelegenen Wittem.
Hotel und Restaurant sind das ganze Jahr geöffnet!

Even the outward trip and the trip home again are a matchless and unique experience in the Netherlands. Right in the most beautiful of the hilly country in the South Limburg area, this hotel/restaurant by the name of "La Bonne Auberge" is a favourite and much visited resting place in this picturesque holiday area wedged like a Dutch outpost between the German Eifel and the Belgian Ardennes.
"La Bonne Auberge" has an "à la carte" restaurant that enjoys growing popularity, partly because of delicious regional specialities such as fish, game and asparagus. Many guests gladly make a detour to spend a few days or a weekend here. A great number of guests use the nearby golf links in Wittem. There is a small restaurant facility available for recovering one's strength while a pleasant atmosphere can be enjoyed in the lounge or on the attractive terrace.

A great number of Hotelguests use the nearby golf links in Wittem.
The Hotel and Restaurant is open the whole year.

Même la route conduisant à cet hôtel ainsi que la route du retour sont d'une beauté incomparable et constituent un trajet unique aux Pays-Bas. Situé dans la plus belle partie du pays vallonné qui caractérise le Limbourg méridional, l'hôtel-restaurant «La Bonne Auberge» est une halte appréciée et très fréquentée dans cette pittoresque région de vacances, qui, en tant que territoire hollandais saillant, forme un coin entre l'Eifel allemand et les Ardennes belges.
«La Bonne Auberge» dispose d'un restaurant à la carte, qui – grâce à ses spécialités régionales telles que le poisson, le gibier et les asperges – jouit d'un intérêt croissant, manifesté même par des hôtes qui font volontiers le détour pour s'y rendre, détour de quelques jours ou d'un week-end. De nombreux hôtes apprécient aussi l'existence d'un terrain de golf situé dans la proche localité de Wittem. Il y a un petit restaurant où l'on peut reprendre des forces, tandis qu'il fait bon flâner dans le hall ou sur l'agréable terrasse.
De nombreux hôtes de l'hotel apprécient aussi l'existence d'un terrain de golf situé dans la proche localité de Wittem.
L'Hotel et Restaurant ouvert tout l'année.

Hr. en Mevr. J. Vallen
Waterstraat 7 · 6277 NH Slenaken
☎ 0 44 56/5 41

40   20

Hfl. 50   Hfl. 86-150

im à la carte Restaurant

4 km Entfern.

Antwerpen
E 39
Geul
Heerlen
Maastricht
N 278
Valkenburg
SLENAKEN
Gulpen
Köln
Noorbeek
Maas
Luik
Epen
Aachen

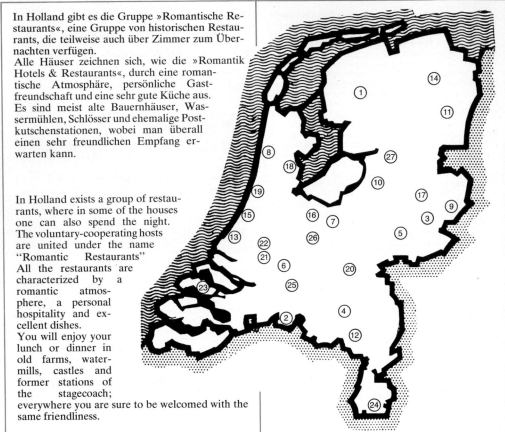

In Holland gibt es die Gruppe »Romantische Restaurants«, eine Gruppe von historischen Restaurants, die teilweise auch über Zimmer zum Übernachten verfügen.
Alle Häuser zeichnen sich, wie die »Romantik Hotels & Restaurants«, durch eine romantische Atmosphäre, persönliche Gastfreundschaft und eine sehr gute Küche aus. Es sind meist alte Bauernhäuser, Wassermühlen, Schlösser und ehemalige Postkutschenstationen, wobei man überall einen sehr freundlichen Empfang erwarten kann.

In Holland exists a group of restaurants, where in some of the houses one can also spend the night. The voluntary-cooperating hosts are united under the name "Romantic Restaurants" All the restaurants are characterized by a romantic atmosphere, a personal hospitality and excellent dishes. You will enjoy your lunch or dinner in old farms, watermills, castles and former stations of the stagecoach; everywhere you are sure to be welcomed with the same friendliness.

Aux Pays-Bas, il y a une groupe de restaurants, dont quelques uns ont la possibilité de vous loger. Les hôtes, qui coopèrent volontairement, appèlent leur groupe «Restaurants Romantiques». Tous les restaurants se distinguent par une atmosphère romantique, une hospitalité personelle et une cuisine excellente. Vous aurez votre déjeuner ou diner dans des vieilles fermes, des moulins à eau, des châteaux et des stations du diligence d'autrefois et partout vous serez sûr de même accueil chaleureux.

Vereniging Romantisch Tafelen
Postbus 5050
5201 GB 's-Hertogenbosch
☎ 073/13 50 50

In Holland bestaat een groep restaurants, waar men in enkele tevens logeren kan. De vrijwillig-samenwerkende gastheren hebben zich verenigd onder de naam »Romantische Restaurants«. Alle restaurants hebben gemeen een romantische sfeer, persoonlijke gastvrijheid en uitgelezen maaltijden. U zult kunnen genieten van Uw diner of lunch in oude boerderijen, watermolens, kastelen en voormalige postkoetsstations; en overal bent U verzekerd van een warme en persoonlijke ontvangst.

Romantische Restaurants

1 De Oude Schouw   Akkrum
»Seit jeher ein Ort der Ruhe im Friesischen Meerengebiet«
Oudeschouw 6   ☎ 05665/2125

2 Den Engel   Baarle Nassau
»Treffpunkt für Gourmets im Herzen des belgischen Territoriums«
Singel 3   ☎ 4257/9588

3 De Stenen Tafel   Borculo
»Am Tisch in der alten Wassermühle«
Het Eiland 1–3   ☎ 05457/2030

4 De Ceulse Kaar   Boxtel
»Alte Herberge in neuem Glanz«
Eindhovenseweg 41   ☎ 04116/76282

5 De Waag   Doesburg
»Das älteste Restaurant von Holland in der Hansestadt Doesburg«
Koepoortstraat 2–4   ☎ 08334/2462

6 Camelot   Dordrecht
»Speisen in fast geweihter Atmosphäre«
Singel 389   ☎ 078/144929

7 La Bonne Auberge   Driebergen
»Junges, dynamisches Restaurant im grünen Herzen von Holland«
Arnhemse Bovenweg 46 ☎ 0 34 38 / 1 68 58

8 Altenburg   Egmond aan Zee
»Fischrestaurant an der Nordsee«
Strandboulevard 7 ☎ 0 22 06 / 13 52 / 21 25

9 De Broeierd   Enschede
»Luxuriös und romantisch speisen in der alten Gartenwirtschaft«
Hengelosestraat 725 ☎ 0 53 / 35 98 82

10 'T Soerel   Epe
»Ein festliches Hausmenü im Grünen«
Soerelseweg 22 ☎ 0 57 80 / 8 82 76

11 De Wiemel   Gasselte
»Gemütlichkeit und Romantik im authentischen Bauernhaus«
Gieterweg 2 ☎ 0 59 99 / 47 25

12 De Garde   Gastel (Maarheeze)
»Das Ende der Welt? – der Anfang Ihrer Freuden«
De Dijk 8 ☎ 0 49 58 / 39 90

Romantische Restaurants

13 De Spaansche Vloot   s'-Gravenzande
»Kulinarischer Treffpunkt zur Spargelsaison«
Langestraat 137   ☎ 0 17 48 / 24 95 / 30 25

14 De Rietschans   Haren
»Erholsame Stunden am Paterswoldse Meer«
Meerweg 221   ☎ 0 59 07 / 13 65

15 In den Houtkamp   Leiderdorp
»Schmackhafte Gerichte in einem geschmackvoll eingerichteten Hof«
Van Diepeningenlaan 2   ☎ 071 / 89 12 88

16 De Prins te Paard   Maarssen
»Alle Fenster sehen zum Wasser hinaus«
Breedstraat 16   ☎ 03 4 65 / 6 37 47

17 In de Kop'ren Smorre   Markelo
»Genießen in einem Bauernhaus wie ein Museum«
Holterweg 20   ☎ 0 54 76 / 13 44

18 De Posthoorn   Monnickendam
»Die „Dutch Granny-style" ist typisch für dieses Restaurant in der Nähe von Amsterdam« Noordeinde 41–45 ☎ 0 29 95 / 14 71

19 Cleyburch Noordwijk
»Romantische Oase im Badeort an der Nordseeküste«
Herenweg 225 ☎ 0 17 19 / 1 29 66

20 De Amsteleindse Hoeve Oss
»Herrlich speisen in romantischem Bauern-haus«
Amsteleindstraat 15 ☎ 0 41 20 / 3 26 00

21 Het Kasteel van Rhoon Rhoon
»Stille und Ruhe in der Nähe der Weltstadt Rotterdam«
Dorpsdijk 63 ☎ 0 18 90 / 88 96

22 Le Coq d'Or Rotterdam
»Ein Begriff für verwöhnte Feinschmecker«
Van Vollenhovenstraat 25
☎ 0 10 / 36 64 05

23 Hostellerie Schuddebeurs (ZLD.)
»Hier kostet man Fisch im 300 Jahre alten Wirtshaus«
Donkereweg 35 ☎ 0 11 10 / 56 51

24 La Bonne Auberge Slenaken
»Renommierte Küche am kleinen Fluß „De Gulp"«
Waterstraat 7 ☎ 0 44 56 / 5 41

Romantische Restaurants

25 Boschlust   Teteringen
»Am Waldesrand – herrliche Wildspeziali-
täten«
Oosterhoutseweg 139   ☎ 76 / 81 33 83

26 Les Arcades   Ijsselstein
»Man glaubt sich im Mittelalter in diesem
alten Rathaus«
Weidstraat 1   ☎ 03408 / 83901

27 De Handschoen   Zwolle
»Es ist gut speisen in diesem schönen
Bauernhaus aus dem Jahre 1757«
Nieuw Deventerweg 103   ☎ 038 / 65 04 37

Deutschland
Germany – Allemagne

Romantik Reisen Deutschland

Romantik Norddeutschlandreise

1. Tag: Fahren Sie zunächst von Hamburg aus in das schöne Glückstadt. Von dort nach Brunsbüttel, besuchen die Kanal-Schleusen oder das Matthias-Boje-Haus, eines der schönsten Fachwerkhäuser in Schleswig-Holstein, um dann über Meldorf mit seinem bekannten Dom, dem schönen Friedrichsstadt und der Theodor-Storm-Stadt Husum nach Niebüll zu kommen. Hier lassen Sie Ihren Wagen am besten auf dem Parkplatz stehen und fahren mit der DB auf die Insel Sylt, steigen in **Keitum** aus, um kurz mit der Taxe ins Romantik Hotel **»Benen-Diken Hof«** zu fahren. Hier haben wir zwei Nächte für Sie vorgesehen, damit Sie die Insel und natürlich auch das Romantik Restaurant **»Landhaus Stricker«** kennenlernen können.

2. Tag: Verbleib auf Sylt.

3. Tag: Zurück aufs Festland fahren Sie nach Seebüll ins »Nolde-Museum« und dann nach Flensburg in die »Rum«-Stadt. Von hier aus ist es nicht mehr weit zur »Wiege der Königshäuser«, dem Schloß Glücksburg, das Sie unbedingt gesehen haben sollten. Abends werden Sie dann im Romantik-Hotel **»Historischer Krug«** in **Oeversee** erwartet.

4. Tag: Durch das schöne »Angeln« – auf Wegen, die man »Katenstraßen« nennen könnte, – fahren Sie in die alte Fischerstadt Kappeln; bekannt durch den einzigartigen »Heringszaun«. Von dort geht Ihre Reise nach Schleswig ins Schloß Gottorf, dem Landesmuseum, in dem Sie Wikingerschiffe und Moorleichen finden werden. Im Schleswiger Dom steht der berühmte Bordesholmer Altar von Brüggemann. Über Rendsburg kommen Sie dann nach Kiel, wo Sie sich unbedingt das Freilichtmuseum in Wolfsee ansehen sollten, bevor Sie dann über Neumünster nach **Quickborn** ins Romantik Hotel **»Jagdhaus Waldfrieden«** fahren.

5. Tag: Wer Hamburg schon kennt, sollte einen Ausflug über Bad Segeberg und Plön durch die »Holsteinische Schweiz«, der wohl reizvollsten Region Schleswig-Holsteins, nach Lübeck unternehmen. Diese alte Hansestadt strahlt noch heute die Pracht früherer Jahrhunderte aus und beherbergt viele schöne Gebäude. Über die »Alte Salzstraße« führt Ihre Route zur Till-Eulenspiegel-Stadt Mölln und weiter über Lauenburg nach Lüneburg, einer der schönsten Städte Norddeutschlands mit seinem sehenswerten Rathaus. Von hier sind es dann nur noch einige Minuten nach **Salzhausen** ins Romantik Hotel **»Josthof«**.

6. Tag: Diesen Tag sollten Sie zum Ausflug in die »Lüneburger Heide« verwenden, um dann am Herdfeuer im »Josthof« Ihren letzten Abend dieser Reise zu genießen.

Preis pro Person im Doppelzimmer und Bad/Dusche und WC, inkl. Romantik Frühstück, Reisekarte und Paß, 6 Übernachtungen 485 DM, Einzelzimmer 600 DM.

Romantik rund ums Ruhrgebiet

1. Tag: Als Ausgangspunkt wählen wir Köln, so bekannt, daß man es nicht lange zu beschreiben braucht. Über Bonn mit dem Geburtshaus Ludwig van Beethovens geht die Reise zunächst nach **Walporzheim** ins Romantik Restaurant »**St. Peter**«, zu einem genüßlichen Mahl. Das Kloster Maria Laach und der Nürburgring sind Stationen auf der Weiterfahrt durch die herrliche Eifel mit seinen berühmten »Maaren«. Bad Münstereifel hat nicht nur reizvolle Fachwerkhäuser, sondern auch eines der größten Radioteleskope der Welt zu bieten. Kommern mit ebenfalls schönen Fachwerkhäusern und einem Freilichtmuseum ist ebenso sehenswert wie Zülpich. Über die schöne Nordeifel kommen Sie dann nach **Stolberg** ins Romantik Hotel »**Burgkeller**«.

2. Tag: Aachen ist als alte Kaiserstadt eine besondere Sehenswürdigkeit für sich und sollte nicht versäumt werden. Kaiserdom und Rathaus beherbergen wertvolle Schätze Kaiser Karls des Großen und sind einen Besuch wert. Die Weiterfahrt führt Sie in den Naturpark Schwalm-Nette mit vielen Wildparks, alten Wassermühlen, netten Ortschaften. Auf keinen Fall versäumen darf man die alte Nibelungenstadt Xanten, bevor man über Wesel nach Marienthal bei Brünen-**Hamminkeln** ins Romantik Hotel »**Haus Elmer**« kommt.

3. Tag: Man sollte es nicht glauben, doch am Nordrand des Ruhrgebietes liegt der sehr schöne und sehr beliebte Naturpark Hohe Mark, mit einer sehenswerten Windmühle bei Groß Reken, den Teufelssteinen bei Heiden, dem Schloß Lembeck und vielen anderen Wasserschlössern und münsterländischen Bauernhäusern. In Recklinghausen gibt es ein berühmtes Ikonenmuseum und bei Datteln ist das Schiffshebewerk Henrichenburg sehenswert. Überhaupt wird das gesamte Gebiet nördlich des »Reviers« sehr oft unterschätzt und sollte daher auf dem Weg nach **Dortmund** ins Romantik Hotel »**Lennhof**« unbedingt besucht werden.

4. Tag: Auf dem Weg nach Süden merkt man sehr schnell, daß das Ruhrgebiet keineswegs ein reines Industriegebiet ist, sondern sehr bewaldet und sehr bergig, und dadurch sehr reizvoll, nicht zuletzt durch die vielen Tropfsteinhöhlen, wie z. B. die Dechenhöhle bei Letmathe oder die Heinrichshöhle bei Hemer, das auch durch sein »Felsenmeer« bekannt ist, und noch vieles andere mehr. Das Schloß Hohenlimburg oder die Burg Altena sind ebenso interessant wie die zahlreichen Stauseen, die man auf dem Weg über Meschede und »Fort Fun« bei Gevelinghausen nach **Willingen** im Sauerland ins Romantik Hotel »**Stryckhaus**« erleben kann.

5. Tag: Heute sollten Sie die Schönheit des Sauerlandes genießen, vielleicht einmal das Schieferbergwerk besichtigen oder eine ausgedehnte Wanderung unternehmen.

6. Tag: Herrliche Wälder, blitzblanke Fachwerkorte und reizvolle Täler werden Sie genießen können, wenn Sie über Oberkirchen, Bad Berleburg, Olpe und Freudenberg nach **Hamm an der Sieg** ins Romantik Hotel »**Alte Vogtei**« fahren, der letzten Station Ihrer Romantik Reise durchs herzhafte Rheinland und Westfalen.

Preis pro Person im Doppelzimmer mit Bad / Dusche und WC, inkl. Romantik Frühstück, Reisekarte und Paß, 6 Übernachtungen 445 DM. Einzelzimmer 500 DM.

Romantik Reisen Deutschland

Romantik Mittelalterreise

1. Tag: Beginnen Sie in **Hildesheim** mit einem Gourmet-Menü im Romantik Restaurant **»Kupferschmiede«,** um sich auch kulinarisch auf eine schöne Reise einzustimmen. Von hier führt Ihre Route über die alte Kaiserstadt Goslar, dem »Rothenburg des Nordens« nach **Braunlage** ins Romantik Hotel **»Tanne«.**

2. Tag: Diesen Tag verbringen Sie mit Ausflügen durch den wunderschönen Harz mit seinen vielen Wasserfällen, Stauseen und historischen Städtchen.

3. Tag: Von Braunlage führt Ihr Weg über Herzberg nach Duderstadt, um sich das sehr schöne mittelalterliche Rathaus anzusehen. Weiter führt Ihr Weg in die historische Fachwerkstadt Göttingen und dann nach Mollenfelde ins Europäische Brotmuseum. Die schönen Städtchen Witzenhausen und Bad Sooden-Allendorf liegen dann auf Ihrem Weg nach **Bad Hersfeld** ins Romantik Hotel **»Stern«.**

4. Tag: Man sollte schon einen Umweg über **Fulda** in das Romantik Hotel **»Goldener Karpfen«** machen, bevor man auf dem Weg nach Uslar über Marbach und Fritzlar nach Kassel mit seinem Schloß Wilhelmshöhe und dem Fridericianum, dem ältesten Museumsbau Europas, kommt. Der Weser entlang über Hannoversch-Münden kommt man dann nach Uslar ins Romantik Hotel **»Menzhausen«.**

5. Tag: Die Porzellanfabrik Fürstenberg liegt auf dem Weg nach Höxter mit seinem Kloster Corvey, und da die Reise entlang der Weser besonders reizvoll ist, sollten Sie über Bodenwerder, der Stadt Münchhausens, bis Hameln fahren, um von dort über Blomberg und Bad Meinberg nach Detmold zu gelangen. Detmold mit seinem Hermannsdenkmal, dem Residenzschloß, dem Freilicht- oder Landesmuseum, der Adlerwarte oder dem Vogelpark ist alleine schon einen ganzen Tag wert, so daß Sie sich zumindest einen Teil dieser Sehenswürdigkeiten ansehen sollten, bevor Sie über den Teutoburger Wald nach **Rheda-Wiedenbrück** ins Romantik Hotel **»Ratskeller«** fahren.

6. Tag: Zunächst wird Ihnen Josef Surmann, der Romantik-Wirt vom »Ratskeller«, eine private Stadtführung geben, die Ihnen sicherlich gefallen dürfte. Danach fahren Sie nach **Münster-Handorf** ins Romantik Hotel **»Hof zur Linde«,** um noch ausreichend Zeit für einen Bummel durch das schöne Münster zu haben, von dem Theodor Heuss sagte, daß es für ihn die schönste Stadt Deutschlands wäre.

7. Tag: Von Münster fahren Sie ins schöne Osnabrück und dann nach Melle zum Heimatmuseum aus alten Fachwerkhäusern. Enger, die »Wittekindstadt«, mit der sehenswerten Stiftskirche liegt dann auf dem Weg nach **Bad Oeynhausen,** wo Sie im Romantik Hotel **»Hahnenkamp«** Ihre Romantik Reise durch mittelalterliche Städte beenden werden.

Preis pro Person im Doppelzimmer mit Bad/Dusche und WC, inkl. Romantik Frühstück, Reisekarte und Paß, 7 Übernachtungen 510 DM. Einzelzimmer 570 DM.

Romantik Weinreise

1. Tag: In Wiesbaden beginnt die »Rieslingroute«, die nicht nur bekannte Wein- und Sektorte wie Eltville, Hallgarten, Johannisberg und Oestrich, verbindet, sondern auch das berühmte Kloster Eberbach, das man nicht versäumen sollte. Erste Station wird das Romantik Hotel **»Schwan« in Oestrich** sein, in dem man die erste Weinprobe genießen sollte.

2. Tag: Entlang des schönsten Teils des Rheins mit der »Loreley« und der »Pfalz« bei Kaub sollten Sie bis Koblenz fahren, um dann moselaufwärts über die Burg Eltz bei Treis, den bekannten Weinorten Zell, Traben-Trarbach und Bernkastel die vielen Windungen der Mosel mitzuverfolgen. Über Wittlich kommen Sie dann auf kurvenreicher Strecke nach **Dudeldorf,** einem kleinen befestigten Ort nahe Bitburg ins Romantik Hotel **»Zum Alten Brauhaus«.**

3. Tag: Die 2000jährige Stadt Trier mit der »Porta Nigra« und anderen römischen Erinnerungen ist erster Höhepunkt auf dem Weg nach **Zweibrücken** ins Romantik Hotel **»Fasanerie«.** Dazwischen liegen dann noch so schöne Orte an der Saar, dem wohl besten Weingebiet unter Kennern, wie Konz, Saarburg und Mettlach mit seiner berühmten Saarschleife.

4. Tag: In Zweibrücken haben wir einen Ruhetag eingeplant, damit Sie sich entweder von der bisherigen Reise erholen oder aber einen Ausflug ins nahe Frankreich unternehmen können.

5. Tag: Durch die Pfalz und insbesondere den zauberhaften Pfälzer Wald führt die heutige Etappe, wobei Sie sich auf jeden Fall etwas Zeit für eine kleine Wanderung nehmen sollten. In **Deidesheim** empfängt Sie dann das Romantik Hotel **»Deidesheimer Hof«** mit Weinen aus eigenem Anbaugebiet. Die »Deutsche Weinstraße« muß man nicht unbedingt in ganzer Länge abfahren, um sich einen Eindruck vom größten Weinanbaugebiet Deutschlands machen zu können. Doch sollte man Orte wie Wachenheim, Forst und Bad Dürkheim, das übrigens das größte Weinfaß der Welt als Restaurant besitzt, schon gesehen haben. Der Dom zu Speyer und das Schloß in Schwetzingen sollten ebenfalls auf dem Besuchsprogramm stehen, bevor Sie nach **Heidelberg** ins Romantik Hotel **»Zum Ritter«** fahren.

6. Tag: Die »Bergstraße« ist nicht nur dafür bekannt, daß hier stets die ersten Frühlingsboten den Winter vertreiben, sondern auch durch seine reizvollen kleinen Städtchen wie Weinheim, Heppenheim und Bensheim mit seinem Auerbacher Schloß. Am Felsenmeer Reichenbach vorbei, fahren Sie in den schönen Ort Michelstadt mit seinem häufig abgebildeten Rathaus. Nicht versäumen sollte man das Elfenbeinmuseum in Erbach, bevor man nach Amorbach mit seiner besonders schönen Abteikirche kommt. Die schöne Stadt Miltenberg liegt dann auf dem Weg zum Schloß Mespelbrunn im Spessart, einem der romantischsten Schlößchen Deutschlands. Das Romantik Hotel **»Post«** in **Aschaffenburg** ist, dann die letzte Station auf dieser Rhein-Wein-Reise.

Preis pro Person im Doppelzimmer mit Bad / Dusche und WC, inkl. Romantik Frühstück, Reisekarte und Paß, 6 Übernachtungen 470 DM. Einzelzimmer 585 DM.

Romantik Reisen Deutschland

Romantik Frankenreise

1. Tag: Ausgangspunkt dieser Reise ist die alte Festungsstadt Würzburg mit seiner Residenz und der Festung Marienberg. Entlang des Mains führt die Reise durch so bekannte Orte wie Sommerhausen mit seinem »Tor-Turm-Theater«, dem kleinsten Theater Deutschlands, Ochsenfurt, Marktbreit und weiter über Dettelbach nach **Volkach** ins Romantik Hotel **»Zur Schwane«,** wo Sie den ersten Kontakt zum Frankenwein bekommen werden.

2. Tag: In **Iphofen,** im Romantik Hotel **»Zehntkeller«** werden Sie nicht nur den zweiten Kontakt zum Frankenwein knüpfen können, sondern wohl auch einen Ausflug nach Prichsenstadt und Castell unternehmen.

3. Tag: Das Schloß Weikersheim und die Herrgottskirche in Creglingen mit seinem wunderschönen Altar von Tilman Riemenschneider sollten die ersten beiden Stationen sein, bevor Sie nach **Rothenburg** ob der Tauber ins Romantik Hotel **»Markusturm«** fahren. Über Rothenburg viele Worte zu verlieren, wäre sinnlos. Jeder weiß, daß es als die romantischste Stadt in Deutschland angesehen wird.

4. Tag: Daher sollten Sie den größten Teil des heutigen Tages auch durch Rothenburg streifen, um vielleicht auch einmal eine nicht so oft abgelichtete Ecke zu entdecken, bevor Sie weiter auf der »Romantischen Straße« nach **Feuchtwangen** ins Romantik Hotel **»Greifen-Post«** fahren.

5. Tag: Diesen Tag sollten Sie zur Erholung nutzen, sich vom Hotel vielleicht ein Fahrrad leihen, um ins Schloß Schillingsfürst zu Kaffee und Kuchen zu radeln.

6. Tag: Natürlich sollte man Dinkelsbühl und Nördlingen gesehen haben, doch dann sollten Sie nach Westen in Richtung Ellwangen fahren, um die Wallfahrtskirche Schönenburg und die Basilika auf dem Marktplatz kennenzulernen. Sie sollten Schwäbisch Hall und seinen Marktplatz und in Neuenstein das Schloß besuchen. Das Kloster Schöntal und die Götzenburg dürfen ebenfalls nicht ausgelassen werden, denn alle diese herrlichschönen Baudenkmäler finden Sie auf Ihrem Weg ins Romantik Hotel **»Prinz Carl«** in **Buchen,** einem Ort, der in den letzten Jahren aus seinem Dornröschenschlaf zu einem wunderschönen Städtchen erweckt wurde. Im gemütlichen Keller vom »Prinz Carl« werden Sie dann wohl den letzten Kontakt mit dem Frankenwein auf dieser Reise haben.

Preis pro Person im Doppelzimmer mit Bad/Dusche und WC, inkl. Romantik Frühstück, Reisekarte und Paß, 6 Übernachtungen 450 DM. Einzelzimmer 530 DM.

Romantik Bayernreise

1. Tag: Das Romantik Restaurant »**Rottner**« in **Nürnberg** ist die ideale Anfangsstation für die kulinarischen Erlebnisse dieser Reise. Über Erlangen führt der Weg zunächst zum Schloß Weißenstein in Pommersfelden, dem ersten prachtvollen Barockbau dieser besonderen Reiseroute, und dann weiter nach **Bamberg,** der 1000jährigen Stadt, die man nicht an einem Tage auch nur annähernd besichtigen kann, ins Romantik Hotel **Weinhaus »Messerschmitt«.** Daher ist auch der **2. Tag** für Bamberg vorgesehen, um die Altstadt, die Kirchen und profanen Bauten, das »Bamberger Venedig« und unzählige sehenswerte Baudenkmäler bewundern zu können.

3. Tag: Wer hätte schon geglaubt, daß gleich zwei gewaltige Klöster bei Lichtenfels zu bewundern sind: Banz und Vierzehnheiligen. Auch die Bierstadt Kulmbach ist stolz auf seine Plessenburg mit dem »Schönen Hof«. In **Wirsberg** ist das sehr interessante Eisenbahnmuseum zu besichtigen und abends erwartet Sie das Romantik Hotel »**Post**«.

4. Tag: Diesen Tag sollten Sie in Wirsberg zur Erholung oder zu einem Ausflug ins Fichtelgebirge nutzen.

5. Tag: Wer hat nicht schon etwas über die Festspiele in Bayreuth gehört, die jährlich viele Wagner-Freunde anziehen. Nicht zuletzt vielleicht, um einen Festspielbesuch mit einem Ausflug in die »Fränkische Schweiz« zu verbinden, Pottenstein oder Gößweinstein, Ebermannstadt oder die Teufelshöhle zu besuchen. In **Auerbach** erwartet Sie nach einem so eindrucksvollen Tag das Romantik Hotel »**Goldner Löwe**«.

6. Tag: Der »Veldensteiner Forst« mit seiner Maximiliansgrotte bei Krottensee und der Burg Veldenstein bei Neuhaus ist ein interessantes Naturschutzgebiet. Entlang der Pegnitz und seinem reizvollen Tal führt der Weg nach Hersbruck. Bis 1809 galt Altdorf als eine der berühmtesten Universitäten in Deutschland, der nächsten Station auf dieser Reise, die weiter über Roth bei Nürnberg mit seinem schönen Schloß Ratibor und Ellingen mit seinem imposanten Schloß des Deutschen Ordens, nach **Weißenburg,** der schönen, von vielen Toren und einer Stadtmauer umgebenen Stadt mit dem Romantik Hotel »**Rose**« führt.

7. Tag: Unweit von Weißenburg liegt im zauberhaften Altmühltal der Ort Solnhofen. Hier und in den Nachbarorten können Sie mit ein wenig Glück selbst Fossilien finden, bevor Sie dann entlang der Altmühl nicht nur zahlreiche sehr schöne Städte wie Eichstätt, Kipfenberg oder Kinding erleben

werden, sondern auch eines der schönsten Klöster Deutschlands bei Weltenburg am Donaudurchbruch bewundern können. In Kelheim die Befreiungshalle, in Regensburg die historische Altstadt und die Walhalla kann man unmöglich alle ausgiebig besichtigen, so daß man sich selbst aussuchen muß, welche Sehenswürdigkeiten man persönlich am meisten schätzen würde. Abends erreichen Sie dann das Romantik Hotel »**Bierhütte**« bei **Freyung.**

8. Tag: Damit Sie den Bayerischen Wald mit seinem Nationalpark und den zahlreichen Glasbläsereien kennenlernen können, haben wir zwei Nächte in der »**Bierhütte**« vorgesehen.

9. Tag: Von Altötting mit seiner Gnadenkapelle, die man unbedingt gesehen haben sollte, führt Sie der Weg zunächst nach Mühldorf und Wasserburg, zwei sehr schönen historischen Städten, an denen man nicht vorbeifahren darf. Man sollte sich etwas Zeit nehmen, um die beiden Schlösser auf der Herren-Insel im Chiemsee zu besuchen, denn man muß mit dem Schiff übersetzen und kann dann auch nicht einfach durch die grandiosen Räume laufen, sondern muß sie genießen. Über Aschau, ein kurzes Stück durch Österreich und über Oberaudorf geht die Route dann am »Tatzelwurm« über eine Maudtstraße nach **Bayrischzell,** einem der gemütlichsten Orte Oberbayerns, ins Romantik Hotel »**Meindelei**«.

10. Tag: Hier sollten Sie auch den letzten Tag verbringen, um die wunderschöne Landschaft in vollen Zügen genießen zu können.

Preis pro Person im Doppelzimmer mit Bad/Dusche und WC, inkl. Romantik Frühstück, Reisekarte und Paß, 10 Übernachtungen 675 DM. Einzelzimmer 755 DM.

Romantik Reisen Deutschland

Romantik Barockreise

1. Tag: Ausgangspunkt der Reise ist München. Hier könnte man einige Tage verbringen, um diese »heimliche Hauptstadt Deutschlands« in sich aufzunehmen, doch das empfehlen wir Ihnen einmal unabhängig von dieser Reise zu tun. Fahren Sie zunächst auf der »Olympiastraße« über Starnberg, Weilheim und Murnau zur »Kreuth-Alm«, einem herrlichen Freilichtmuseum. Von dort über Kochel und am zauberhaften Walchensee entlang, machen einen Abstecher nach Mittenwald und kommen dann nach **Garmisch-Partenkirchen** ins Romantik **»Clausings Posthotel«.**

2. Tag: Heute erleben Sie die berühmtesten Schlösser Deutschlands in Schwangau, doch vorher sollten Sie auch Schloß Linderhof und das Kloster Ettal nicht vergessen. Gesehen haben müssen Sie jedoch unbedingt die Wieskirche in Steingaden, die als die schönste Rokoko-Kirche Europas gelten soll. Nach all diesen gewaltigen Baudenkmälern können Sie dann auf der Fahrt über die »Deutsche Alpenstraße« die großartige Landschaft zwischen Füssen und **Wangen** in sich aufnehmen, wo Sie das Romantik Hotel **»Alte Post«** erwartet.

3. Tag: Verbleib in Wangen, um sich die schöne Stadt anzusehen oder einen Ausflug ins Allgäu oder nach Österreich zu machen.

4. Tag: Von Wangen fahren Sie zunächst nach Lindau an den Bodensee, dem Sie am Nordufer über Wasserburg, Friedrichshafen, Meersburg folgen, um einen Abstecher auf die **Insel Reichenau** ins Romantik Hotel **»Seeschau«** zu unternehmen. In **Überlingen** erwartet Sie dann am Abend das Romantik Hotel **»Hecht«.**

5. Tag: Von Überlingen fahren Sie über Salem mit seinem Münster zum Schloß Heiligenberg und weiter nach **Ravensburg** ins Romantik Hotel **»Waldhorn«** zu einem kulinarischen Mittagessen der Spitzenkategorie. Danach fahren Sie entlang der »Oberschwäbischen Barockstraße« über Bad Schussenried mit seinem Kloster, Steinhausen mit der »schönsten Dorfkirche der Welt« und dann durch das Donautal bis Ehingen, machen einen Abstecher nach Blaubeuren zum »Blautopf«, bevor Sie nach Ulm mit dem berühmten Münster kommen. Über Langenau kommen Sie dann nach **Rammingen,** wo Sie das Romantik Hotel **»Adler«** finden werden.

6. Tag: Heute ist zunächst die alte Fuggerstadt Augsburg Ihr Ziel, wo Sie sich die »Fuggerei«, die Dominikanerkirche und das Schaetzler-Palais ansehen müssen, um nur einige Sehenswürdigkeiten zu nennen. Auf Ihrer Weiterreise durch das reizvolle Mittelbayern sollten Sie nicht versäumen, den Dom in Freising und die Brauerei in Weihenstephan bei Freising, der ältesten Brauerei der Welt, zu besuchen. **Landshut,** nicht nur bekannt durch seine alle vier Jahre stattfindende »Fürstenhochzeit«, sondern auch durch eine sehr schöne mittelalterliche Innenstadt mit einem herrlichen Münster und der prächtigen Burg Trausnitz. Sie wohnen im Romantik Hotel **»Fürstenhof«.**

7. Tag: Heute endet Ihre Rundreise, die Sie jedoch auch mit der Romantik Bayernreise kombinieren können.

Preis pro Person im Doppelzimmer mit Bad/Dusche und WC, inkl. Romantik Frühstück, Reisekarte und Paß, 6 Übernachtungen 420 DM. Einzelzimmer 480 DM.

Romantik Schwarzwaldreise

1. Tag: Unsere Romantik Reise beginnt in Stuttgart, der »Schwabenmetropole«, und führt Sie zunächst entlang des Neckars nach Ludwigsburg mit seinem herrlichen Schloß und dem »Blühenden Barock«, einer der schönsten Schloßgärten in Deutschland. Schillers Geburtshaus sollte man in Marbach gesehen haben und die zauberhaften Orte Besigheim und Bietigheim führen zur »Kätchenstadt« Heilbronn. Nächste Etappe ist das Kloster Maulbronn, das wohl besterhaltenste Kloster in Deutschland. Über die Schmuck- und Uhrenstadt Pforzheim kommen Sie dann ins Romantik Hotel »Post« nach **Nagold.**

2. Tag: Über Freudenstadt mit seinem interessanten Marktplatz kommen Sie auf der nächsten Etappe nach Baden-Baden, der wohl elegantesten Kurstadt Deutschlands. Von hier sind es nur wenige Kilometer nach **Rastatt,** wo Sie im Romantik Restaurant **»Katzenbergers Adler«** ein kulinarisches Mittagessen zu sich nehmen sollten. Danach fahren Sie dann auf der »Badischen Weinstraße« ins Romantik Hotel **»Obere Linde«** nach **Oberkirch.**

3. Tag: Über Offenburg mit seiner schönen Heilig-Kreuz-Kirche kommen Sie in den mittelalterlichen Ort Gengenbach und von dort weiter zum Freilichtmuseum »Vogtsbauernhof« bei Gutach, das man nicht versäumen darf. **Triberg** ist nicht nur durch seine Wasserfälle, sondern auch durch das Romantik Hotel **»Wehrle«** bekannt, wo Sie zu Mittag essen sollten. Danach lohnt sich ein Besuch des Uhrenmuseums in Furtwangen, bevor Sie dann nach **Gutach-Bleibach** ins Romantik Hotel **»Stollen«** fahren.

4. Tag: Freiburg ist schon von weitem an seinem gewaltigen Münster zu erkennen und hat eine überaus interessante Innenstadt, die nicht ausgelassen werden sollte. Einen herrlichen Blick in die Rheinebene hat man vom »Schauinsland«, und es ist jedesmal ein Erlebnis, den südlichen Schwarzwald über Schönau und Zell nach **Badenweiler** ins Romantik Hotel **»Sonne«** zu fahren.

5. Tag: Diesen Tag sollten Sie in Badenweiler zum Ausruhen, Wandern oder Tennisspielen nutzen.

6. Tag: Von Badenweiler gelangen Sie über den »Belchen« nach **Münstertal,** wo das Romantik Hotel **»Spielweg«** mit seinen Spezialitäten zum Mittagessen einlädt. Nach diesem Genuß fahren Sie zum Feldberg, wo eine kleine Wanderung eingelegt werden kann, um dann über Titisee nach **Neustadt** ins Romantik Hotel **»Adler-Post«** zu fahren, wo Ihre Schwarzwaldreise endet.

Preis pro Person im Doppelzimmer mit Bad / Dusche und WC, inkl. Romantik Frühstück. Reisekarte und Paß. 6 Übernachtungen 455 DM. Einzelzimmer 520 DM.

Romantik Restaurant „Landhaus Stricker" · Tinnum

1

Hans-Dietrich und Ursula Stricker haben ein altes friesisches Bauernhaus in eines der schönsten Restaurants der Insel Sylt verwandelt. Die originelle Form des Hauses, seine antiken Öfen, Bodenfliesen und Möbel sowie der alte Kamin wurden erhalten und in das neue Gebäude eingefügt. Ein besonderes Schmuckstück ist die atmosphärisch gelungene Landhaus-Bar, an der sich die Gäste des Hauses auf einen schönen Abend einstimmen. Spezialitäten der Nordseeküste und leichte Speisen der neuen Küche können hier in erholsamer Atmosphäre genossen werden. Im »Landhaus Stricker«, wo früher die »Sylter Riesen« aßen und tranken, treffen sich heute Gourmets von Sylt. Im Keller des Hauses lagern fast 400 Weine aus den berühmtesten Anbaugebieten. Auch in der Turbulenz der Hochsaison ist man ständig bemüht, dem Gast den Besuch im »Landhaus Stricker« so genußreich wie möglich zu gestalten. Dieses Bemühen erleichtern Sie durch rechtzeitige Tischbestellung.

Turning an old Friesian farmhouse into one of the most beautiful gourmet restaurants on the island of Sylt is a feat accomplished by Hans-Dietrich Stricker. The original form of the house, its antique stoves, floor tiles and furniture as well as the old fireplace were preserved and blended into the new building. On very attractive feature is the genuinely atmospheric country cottage bar, at which guests can get into the mood for an agreeable evening. Beautifully cooked seafoods and many other culinary delights can now be enjoyed in a relaxed atmosphere. In the "Landhaus Stricker", where in former times the "Sylter Giants" took food and drink, today the gourmets of Sylt and those who enjoy fish specialities and excellent wines in convivial surroundings meet. Table reservation is recommended.

Sur cette magnifique île de Sylt, Hans-Dietrich Stricker a réussi à faire d'une ancienne maison frisonne au pignon de 1781 un des meilleurs et des plus charmants restaurants de l'île: le «Landhaus Stricker». Le caractère de vieille demeure été conservé car tout a été réutilisé depuis les vieux carreaux de faïence et le carrelage aux deux magnifiques figures de proue, aux vieux fourneaux de cuisine et à la belle grande cheminée. Le bar Landhaus dégage une ambiance particulière et constitue un joyau caractéristique autour duquel les hôtes de la maison se préparent à passer une excellente soirée. Tout cela vous invite à la détente et à savourer les spécialités culinaires de la maison.
Là, jadis, se retrouvaient les «géants de Sylt» qui avaient la réputation d'être des «gens affamés et assoiffés» et aujourd'hui ce sont les gourmets de Sylt et ceux faisant partie de cette catégorie qui viennent déguster les produits de la mer dont la carte est riche et surtout les délicieuses spécialités de crabes. Reservation de table recommandée.

H.-D. + U. Stricker
Boy-Nielsen-Str. 10
2280 Tinnum/Sylt
☎ 0 46 51 / 3 16 72

1
2 – 18.00 Uhr

Betriebsferien
10. 1. bis
15. 2. 85

60

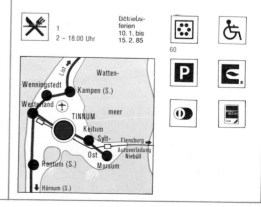

Punkt
für
Punkt

Romantik Hotel garni „Benen-Diken-Hof" · Keitum/Sylt

Keitum auf Sylt ist vielleicht das schönste Dorf auf dieser Urlaubsinsel. Generationen gaben sich große Mühe, den typischen Charakter dieses Ortes zu bewahren; die Kapitäne der Walfangzeit bauten die stilvollen reetgedeckten Friesenhäuser. Vor einigen Jahren wurde einer dieser Wohnsitze, der Benen-Diken-Hof, in ein garni-Hotel umgewandelt, das innerhalb weniger Jahre zu einem der besten Hotels auf der Insel wurde. Klaus-Jürgen und Irmgard Johannsen führen das Hotel in so privatem Stil, daß man sich wie in einem Freundeskreis fühlt. Die Terrassen am Haus, Schwimmbad, Whirlpool und Sauna laden zum Entspannen ein und abends kann man mit dem Hausherrn an der gemütlichen Bar „klöhnen". Dieses schöne Haus strahlt die spezifische Sylt-Atmosphäre aus. Es gibt kein Restaurant, aber die Gäste speisen oft und gern im Romantik Restaurant „Landhaus Stricker".

Keitum on Sylt is perhaps the most attractive village on this holiday island. Great care has been taken to preserve the typical character of this place, many sea-captains lived here and built themselves beautiful thatched houses. A number of years ago one of these houses called the "Benen Dikenhof" was turned into a charming hotel garni, which graduated within a few years to become one of the best hotels on the island. Klaus-Jürgen and Irmgard Johannsen have managed to run the hotel like a private house, every guest feels he is among a small circle of friends with whom, including the host, one can put the world to rights, while enjoying a drink in the cosy housebar. There is no restaurant, but most of the guests dine in the Romantik Restaurant Stricker, just as many of the "Stricker" guests are happy to stay in the "Benen Dikenhof", which has lovely rooms and an indoor swimming pool with sauna and solarium.

Keitum à Sylt, le plus coquet village frison de l'Allemagne est situé sur la côte Est de l'île de Sylt, «le cœur vert de l'île». Autour de vieux arbres séculaires, de ravissantes maisons au toit de chaume sont les témoins vivants de la période florissante de la pêche à la baleine quand le capitaine Sylt au 18ème siècle construisit ses maisons et les enrichit de toutes sortes de trésors conquis dans le monde entier. Une de ces maisons, le Benen-Diken-Hof, a été aménagé en un délicieux hôtel garni qui, en quelques années, a acquis une renommée le faisant l'un des meilleurs établissements de l'île. Monsieur et Madame K. J. Johannsen ont su donner à cet hôtel un caractère d'élégante demeure. L'hôte est séduit d'emblée par l'accueil prévenant et le charme des propriétaires, il peut s'asseoir au petit bar avec le patron qui écoute attentivement ses aventures de la journée. Le Benen-Diken-Hof n'a pas de restaurant, aussi la plupart de ses hôtes se rendent au «Stricker» et, inversement, les hôtes du «Stricker» viennent loger avec plaisir au Benen-Diken-Hof. L'hôtel a, en outre, piscine couverte, sauna et solarium.

K. J. Johannsen
2280 Keitum/Sylt
☎ 0 46 51/3 10 35-38
Telex 2 21 252 dikend

In der Zeit vom 10. 1. bis 23. 3.; 4. 11. bis 20. 12. gewähren wir nach 3 Übernachtungen einen Rabatt von 20 %.

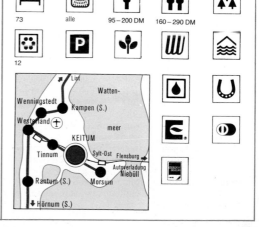

73   alle   95–200 DM   160–290 DM

12

In Oeversee bei Flensburg liegt das Romantik Hotel »Historischer Krug«, das bereits schon 1519 gebaut wurde. Hier können Sie unter einem Reetdach in schön gestalteten Gaststuben erstklassig speisen, verbunden mit dem Komfort moderner Zimmer, alle mit Bad oder Dusche, Radio, Telefon, Fernseher und Minibar. Es gibt auch eine Sauna. Das Hotel wird seit über 165 Jahren von einer Familie geleitet und Hans Hansen-Mörck kann stolz auf seinen Weinkeller und seine Küche sein, in der es viele typische Spezialitäten, geschmackvolle Wild- und eine ganze Anzahl von Fischköstlichkeiten gibt. Oeversee ist ein ausgezeichnetes Zentrum, um das Grenzgebiet von Dänemark, Schleswig-Holstein und Flensburg mit seinen berühmten Museen zu erforschen. Das Gasthaus ist einer der 113 vom dänischen Königshaus privilegierten Krüge. Es ist der älteste SH-Krug!
Bundesautobahn A 7 Abfahrt Tarp.

In Oeversee near Flensburg lies the Romantik Hotel "Historischer Krug" which was already established as an inn in 1519. Here you can enjoy first class catering under a thatched roof in well appointed restaurants and "Stuben", combined with the comforts of modern bedrooms, all with private bath or shower, radio, telephone, television and minibar. There is also a sauna and solarium. The hotel has been managed by one family for over 150 years and Hans Hansen-Mörck can be proud of his wine cellar and cuisine which includes many regional specialities, tasty venison and a number of fish delicacies. Oeversee is an excellent centre for exploring the border area of Denmark, Schleswig-Holstein and Flensburg with its famous museums.

Dans le vieux chemin des Boeufs, l'Ochsenweg, se cache à Oeversee l'Hôtel Romantik «Historischer Krug». Celui-ci offre depuis 1519 une hospitalité chaleureuse. Vous serez charmé par son toit de chaume abritant des chambres pourvues du dernier confort, ses salons agréables et son bar rustique où l'on vous sert la bière. Les spécialités culinaires régionales ne manquent pas: crabes frais, saumon, harengs blancs et produits de la mer, gibier venant du Schleswig et la bière tirée à même le fût, des vins exquis – dans le Haut-Nord – sans oublier les «grogs bien corsés» et les «eaux de vie».
Oversee est le point de départ de nombreuses excursions, par exemple: baignade au Lac du Nord au au Lac du l'Est, excursions à Schleswig ou à Flensburg (musée renommé) promenade dans le «Knick». Pêche, équitation ou randonnées jusqu'au Danemark en voiture ou en bâteau.

L'«Historischer Krug» vous offre: sauna, solarium, radio et télévision, minibar, télephone dans toutes les chambres.

H. Hansen-Mörck
2391 Flensburg-Oeversee
☎ 0 46 30/3 34

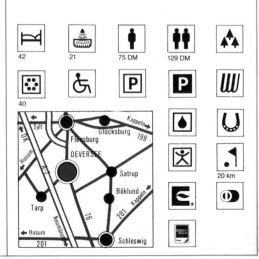

Romantik Hotel „Josthof" · Salzhausen

Salzhausen liegt in der Lüneburger Heide, die die Besucher zu jeder Jahreszeit anzieht. Hier können Sie in der wunderschönen Heidelandschaft spazierengehen und den Frieden und die Ruhe der unberührten Landschaft genießen. Der „Josthof" liegt an einer prächtigen Steinkirche. Beim Betreten des Hotels haben Sie das Gefühl, als ob die Zeit 300 Jahre zurück gedreht worden wäre. Alles – die offene Feuerstelle, der Fußboden, die Möbel – wurde im ursprünglichen Stil erhalten. Dieses Hotel ist ein angenehmer Platz für eine Übernachtung auf dem Wege nach Hamburg oder ein ruhiger Urlaubsort für jene, die fischen, spazierengehen und ausgezeichnetes Essen oder ein Wochenende auf dem Lande lieben.

A. Hansen
Am Lindenberg 1
2125 Salzhausen/Lüneburger Heide
☎ 0 41 72/2 92

Salzhausen is situated in the Lüneburg Heath which attracts visitors at any time of the year. Here you can walk in beautiful heathland and enjoy the peace and quiet of this unspoilt countryside. The "Josthof" is located next door to a magnificent stone church. Entering the hotel you might think that the clock has been turned back 300 years. Everything – the unique fireplace, the flooring, the furnishings – has been kept in the original style. This hotel is a convenient place for an overnight stop on the way to Hamburg or a quiet holiday spot for those who enjoy fishing, walking and excellent food or for a weekend away in the country.

Salzhausen se situe dans la merveilleuse lande de Luneburg qui exerce un attrait exceptionnel sur le visiteur à n'importe quelle saison de l'année. La lande ne s'offre pas, elle se laisse découvrir, c'est le paradis pour le promeneur, le flâneur qui réapprend la lenteur de vivre et recherche le calme et la détente. Un délicieux hôtel à tout de chaume, le «Josthof» attend le randonneur. Là, il s'assoit devant la grande cheminée, commande un «rôti d'agneau de la lande» et jouit pleinement de ses vacances ou de son week-end. Le «Josthof» a une piscine chauffée en plein air. En outre, Salzhausen vous offre de nombreuses distractions: pêche, tennis et tir. Pour les amateurs d'équitation – la Princesse Anne d'Angleterre est de ceux-là – Salzhausen et Luhmühlen sont depuis longtemps réputés.

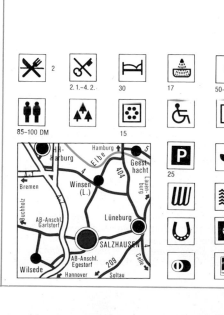

5

Romantik Hotel
„Jagdhaus Waldfrieden" · Quickborn

Das Jagdhaus Waldfrieden, um die Jahrhundertwende ursprünglich als Wohnsitz eines hanseatischen Reeders am Rande Quickborns gebaut, präsentiert sich heute als einladende Residenz im Park. Eingerichtet im englischen Landhausstil ist das Kamin-Restaurant mit seiner dekorativen Empore Mittelpunkt des Hauses. Das Gästehaus, ein ehemaliger Pferdestall, beherbergt heute sehr komfortable Hotelzimmer (alle mit Dusche, WC, Telefon, TV, Radio und Minibar).

Quickborn, der Rantzauer Staatsforst und das Himmelmoor sind leicht zu erreichen. Nach einem Park-Spaziergang vorbei am verträumten Weiher, sollten Sie die ideenreiche Küche mit Wild- und Marktspezialitäten genießen. Hamburg, die faszinierende Weltstadt, ist 15 Autominuten nah.

The hunting lodge "Waldfrieden", which was originally built at the turn of the century as the home of a Hanseatic shipowner, is today an inviting residence in parklands.

Furnished in English country house style, the restaurant with its open fireplace and attractive gallery is the centrepiece of the house. The guest house, formerly stables, now contains the very comfortable hotel bedrooms (all with shower, WC, telephone, TV, radio and minibar).

Quickborn, the Rantzauer Forest and the Himmelmoor are within easy reach. After a stroll in the park past the peaceful pool, you can enjoy the varied cuisine with game and local specialities.

Hamburg, the fascinating metropolis, is 15 minutes drive away.

Le pavillon de chasse Waldfrieden, construit il y a près d'un siècle en bordure de Quickborn, à l'origine pour servir de domicile à un armateur de la Hanse, se présente aujourd'hui comme une résidence attrayante entourée d'un parc.

Aménagé style maison de campagne anglaise, le restaurant avec sa cheminée et sa très décorative galerie en forme de jubé constitue le point central de la maison.

L'ancienne écurie, transformée en maison d'hôtes, héberge aujourd'hui les très confortables chambres d'hôtes (toutes avec douche, WC, téléphone, T. V., radio et mini-bar).

Depuis l'hôtel, il est facile de se rendre à Quickborn, à la Forêt domaniale de Rantzau et au Marais d'Himmelmoor. Après une promenade dans le parc, le long d'étangs tranquilles, venez donc déguster les spécialités de gibier et du marché local préparées

avec beaucoup d'imagination dans la cuisine de l'hôtel.

Hambourg, cette ville fascinante, se trouve à seulement 15 minutes en voiture.

Siegmund Baierle
Kieler Straße B 4
2085 Quickborn b. Hamburg
☎ 0 41 06/37 71

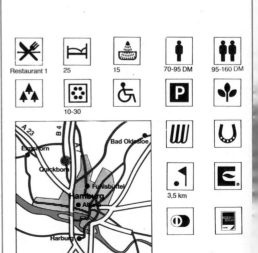

Restaurant 1   25   15   70-95 DM   95-160 DM

10-30   3,5 km

Romantik Hotel
„Jagdhaus Waldfrieden" · Quickborn

»Maxi-Wochenend« – 2 Übernachtungen

Sie haben mehr Zeit? Wunderbar! Dann kommen Sie doch schon Freitagabend. Wir erwarten Sie zu einem gemeinsamen Begrüßungstrunk an unserer Bar. Anschließend servieren wir Ihnen etwas Besonderes: Unsere »Jagdhauskomposition«. Eine Spezialität unseres Küchenchefs. Wenn Sie dann müde sind, machen Sie noch ein paar Schritte durch den Park zu unserem kleinen Entenweiher, bevor Sie Ihr komfortables Doppelzimmer aufsuchen.

Am nächsten Tag wollen Sie vielleicht Hamburg kennenlernen (keine 20 Minuten mit dem Auto entfernt), Shopping gehen oder eine Alsterfahrt machen? Dann nichts wie raus aus den Federn, gemütlich frühstücken und los geht's.

Nachmittags erwarten wir Sie dann zurück. Zu Kaffee und Kuchen bei uns im »Jagdhaus Waldfrieden«. Und abends wird dann wieder geschlemmt. Unser Küchenchef zaubert Ihnen sein »Besonderes Menu«. Lassen Sie sich überraschen. Sonntag heißt Ausschlafen. Genießen Sie es. Bis halb elf bereiten wir Ihnen unser reichhaltiges Frühstück.

225 DM pro Person im Doppelzimmer incl. aller oben aufgeführten Leistungen.

«Maxi week-end» – 2 nights

You have more time? Marvellous! Then you must come on Friday evening. We shall welcome you with a drink at the bar when you arrive. Afterwards we shall serve you something special – our "hunting lodge dish", one of our chef's specialities. Afterwards, if you are drowsy, take a short stroll through the park to our small duck pond, before retiring to your comfortable double room.

On the following day perhaps you want to visit Hamburg (less than 20 minutes away by car) to go round the shops or take a trip on the Alster? Then up you get, and after a leisurely breakfast away you go.

We shall be awaiting you when you return in the afternoon for coffee and cakes in our "Woodland Peace Hunting Lodge". And in the evening – another splendid meal. Our chef will conjure up for you his "special menu". Let yourself have a surprise.

On Sunday you can sleep in – enjoy it. We serve our nourishing breakfast until half past ten.

225 DM per person with double room including all facilities mentioned above.

«Maxi week-end» – 2 nuitées

Vous disposez de plus de temps? Magnifique! Venez donc dès vendredi soir. Nous vous attendons pour prendre tous ensemble un apéritif de bienvenue à notre bar. Puis nous vous servons une exclusivité: notre «composition pavillon de chasse». Une spécialité de notre chef. Si vous vous sentez fatigué, faites quelques pas dans notre parc et rendez-vous à notre mare aux canards avant de gagner votre chambre double confortable.

Le lendemain vous voudrez peut-être découvrir Hambourg (à peine 20 minutes en voiture), faire du lèche-vitrines ou une promenade en bateau sur l'Alster? Rien de plus simple: levez-vous, prenez un bon petit déjeuner et allez y.

Nous vous attendons l'après-midi pour prendre le café accompagné de gâteaux au «Jagdhaus Waldfrieden». Le soir laisse de nouveau la place aux plaisirs de la table. Notre chef vous confectionne un «menu spécial». Laissez-nous le plaisir de vous surprendre.

Dimanche est synonyme de grasse matinée. Profitez-en. Vous pouvez prendre un copieux petit déjeuner jusqu'à dix heures et demie.

225 DM par personne en chambre double. Le prix comprend l'ensemble des prestations mentionnées ci-dessus.

Das Jagdhaus Eiden in Bad Zwischenahn am Zwischenahner Meer ist seit Jahren eine „Adresse für eine erstklassige Küche". Dies war für Gerd zur Brügge jedoch nicht genug und so baute er neben der Jäger- und der Fischerstube, in der man eine erstklassige regionale, norddeutsche Küche findet, in dem vorderen Teil seines herrlichen Fachwerkhauses ein Spitzenrestaurant mit dem Namen „Apicius". Man kann sicherlich ohne Übertreibung sagen, daß es sich in kürzester Zeit zu den besten Häusern ganz Norddeutschlands entwickelt hat und ein wahrer Gourmettempel geworden ist.

Dem Jagdhaus – das natürlich über zahlreiche Konferenzräume und Kegelbahn verfügt – ist ein Hotel mit rund 70 Betten angeschlossen. Hier bieten Hallenbad mit Sauna, Solarium und Whirl-Pool Entspannung. Zur weiteren Freizeitgestaltung bietet sich das im Hause befindliche Spielcasino Bad Zwischenahn mit Roulette, Black Jack und den Glücksspiel-Automaten an.

Also rundum Spiel, Freizeit und Entspannung unter einem Dach für Gäste, denen First-class-Service und Tradition noch etwas bedeuten.

The Hunting Lodge "Eiden" in Bad Zwischenahn on Lake Zwischenahn has for years been "the" place for firstclass cooking. However, this was not sufficient for Gerd zur Brügge and so, adjacent to the Hunter's and Fisherman's Room, where you find first-class regional North German cuisine, he built a top class restaurant named "Apicius" in the front of his delightful halftimbered house. It can be said without exaggeration that in the shortest possible time it has become one of the best houses in the whole of Northern Germany and a real temple for gourmets.

In addition the Jagdhaus Eiden am See offers conference rooms, a bowling alley and, in a separate building, 70 comfortable bedrooms and an indoor swimming pool with sauna. Since 1976 it has also housed the casino of Bad Zwischenahn and has become a centre of attraction in the spa, whilst still maintaining the traditional atmosphere and firstclass service.

Le «Jagdhaus Eiden», à Bad Zwischenahn, sur les rives du Zwischenahner Meer, est depuis longtemps synonyme de «très grande cuisine». Mais Gerd zur Brügge voulait faire encore mieux. Dans la partie avant de sa magnifique maison à colombage, il construisit, à côté de sa Jäger- et Fischerstube (salle des chasseurs et de pêcheurs) dans laquelle on peut déguster de très excellentes spécialités du Nord de l'Allemagne, un restaurant de toute première classe et lui donna le nom d'«Apicius». On peut dire, sûrement sans exagérer, que le «Jagdhaus Eiden» est devenu en peu de temps l'un des meilleurs établissements gastronomiques de toute l'Allemagne du Nord et un véritable temple pour les gourmets.

Au service de l'hôte se trouvent également des salles de conférence, une piste de bowling et 70 chambres dans l'hôtel en annexe équipé d'une piscine et d'un sauna. Il reste à signaler que le Restaurant Romantik «Jagdhaus Eiden am See» abrite depuis de 15 janvier 1976 le Casino de Bad Zwischenahn devenu en si peu de temps un lieu de convergence de la haute société. Venez donc séjourner dans cette atmosphère confortable et stylée où l'on mise au plus haut niveau sur la satisfaction de l'hôte même le plus exigeant. Cela en vaut la peine.

Gerd zur Brügge · 2903 Bad Zwischenahn
☎ 0 44 03 / 10 22 · Teletex 4 40 311

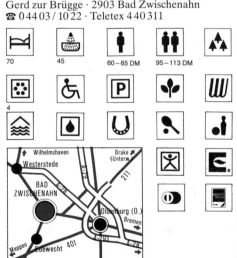

Romantik Restaurant „Kupferschmiede" · Hildesheim

Die idyllisch gelegene Kupferschmiede im Ochtersumer Steinberg bei Hildesheim (in Richtung Alfeld fahren), um die Jahrhundertwende als Ausflugslokal erbaut, wurde zunächst von einem Kupferschmied mit Namen Söhlemann bewirtschaftet. Heute ist das Romantik-Restaurant ein Feinschmeckertreff, in dem unter der Leitung von Edith und Wolfgang Bleckmann ohne Kompromisse nach den Regeln der Nouvelle Cuisine gearbeitet wird. Gemeinsam mit ihren 20 Mitarbeitern teilen sie Engagement und Lust an der Sache. Das zeigt sich bei dem à-la-carte-Angebot ebenso wie bei den liebevoll zusammengestellten kleinen und großen Menüs, die sich ausschließlich nach Saisonangeboten richten. Eine sehr beachtliche Auswahl an Weinen, Digéstifs und Zigarren lassen keinen Wunsch offen.

The idyllically situated "Kupferschmiede" in Ochtersumer Steinberg, near Hildesheim (drive in the direction of Alfeld), built at the turn of the century as a place for outings, was originally run by a coppersmith called Söhlemann (hence its name). Today the Romantik Restaurant is well known amongst gourmets, under the direction of Edith and Wolfgang Bleckmann, who run it uncompromisingly according to the "nouvelle cuisine". Together with their 20 assistants they share the commitment and pleasure. This is evident from the à la carte selection, as well as from the small and larger menus carefully complied according to seasonal availability. A considerable choice of wines, digestives and cigars leaves nothing to be desired.

La chaudronnerie, dans un site idyllique de L'Ochtersumer Steinberg près de Hildesheim (route en direction d'Alfeld), transformée à l'orée du siécle en auberge touristique, fut d'abord tenue par Söhlemann, chaudronnier de son état, d'où le nom actuel. La chaudronnerie est aujourd'hui un restaurant Romantik rendez-vous des gourmets qui, sous la direction d'Edith et de Wolfgang Bleckmann, travaille délibérément selon les normes de la cuisine nouvelle. Avec leurs vingt collaborateurs, ils s'engagent à fond et avec amour pour leur métier. Cela se remarque tout de suite au grand choix de petits et grands menus composés avec minutie jusque dans les détails et qui varient exclusivement en fonction des arrivées saisonnières. Une gamme impressionnante de vins, digestifs et cigarres vient parfaire le tout pour satisfaire aux moindres envies.

Wolfgang Bleckmann
Steinberg 6
3200 Hildesheim
☎ 0 51 21 / 26 23 51

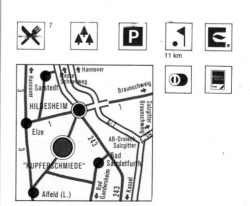

95

Wenn man das reizvolle Fachwerkhaus betritt, fällt sofort die umfangreiche Sammlung von Hähnen aller Art auf. Man sollte kaum glauben, daß es eine solche Vielzahl gibt, doch wenn man Jürgen Hofmann und seine Frau Mechtild hört, dann wäre dies nur ein Bruchteil dessen, was es wirklich gibt. Bereits an diesem Hobby merkt man, daß hier zwei passionierte Gastgeber tätig sind, die den »Hahnenkamp« in mühseliger Feinarbeit wieder zu einem reizvollen und erstklassigen Hotel gemacht haben, das inzwischen auch über Bad Oeynhausen hinaus einen sehr guten Ruf genießt. Gemütliche Restaurations- und Gesellschaftsräume, erstklassige Küche und 20 elegante Zimmer machen es für Urlauber, Geschäftsreisende und für Seminare zu einem begehrten Hotel.

Jürgen Hoffmann
Alte Reichsstraße 4
(An der B 61 in Richtung Minden)
4970 Bad Oeynhausen 2 (Eidinghausen)
☎ 0 57 31/50 41

When one enters the attractive half-timbered house, one immediately notices the extensive collection of cockerels of very kind. One would scarcely believe that there were so many kinds, but if one listens to Jürgen Hoffmann and his wife Mechtild, these are only some of what there really are. Just from this hobby you can see that here are two enthusiastic hosts who, by laborious careful work, have made the "Hahnenkamp" into an attractive and first-class hotel, which incidentally has an excellent reputation even beyond Bad Oeynhausen. Comfortable restaurant and lounges, first-class cuisine and 20 elegant rooms make this a highly thought-of hotel.

Lorsqu'on pénètre dans cette ravissante maison à colombage, on est tout de suite frappé par la vaste collection de coqs en tout genre. Il est à peine pensable qu'il en existe tant d'espèces mais à en croire Jürgen Hoffmann et sa femme Mechtild, il ne s'agirait là que d'une infime partie de ce qui existe en réalité. Ne serait-ce qu'à ce violon d'Ingres, on remarque immédiatement que deux hôteliers passionnés sont à l'œuvre, qui, grâce à un travail difficile et minutieux, ont refait du «Hahnenkamp» un hôtel ravissant de première classe et qui depuis jouit d'une très bonne renommée dépassant même le cadre de Bad Oeynhausen. D'agréables salles de restauration et salons, une cuisine de première class et 20 chambres élégantes en font un hôtel recherché par les vacanciers, par les hommes d'affaires et pour des séminaires.

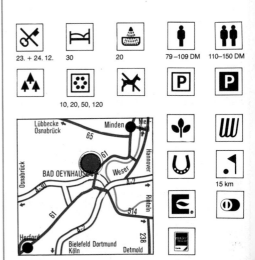

23. + 24. 12.   30   20   79–109 DM   110–150 DM

10, 20, 50, 120

15 km

Romantik Hotel „Hahnenkamp" · Bad Oeynhausen

Ein Wochenende in Bad Oeynhausen

Bad Oeynhausen am Fuße des Wiehengebirges ist als Kurort für Herz, Rheuma, Nerven und Gefäßerkrankungen wohlbekannt. Doch nicht nur zum Kuren kommt man nach Bad Oeynhausen, sondern auch dem Wochenendgast bietet es eine große Vielseitigkeit, sei dies nun das Auto- und Motorrad oder das Märchenmuseum oder die größte kohlensäurehaltige Thermalsolenquelle der Welt. Kurkonzerte und Theatervorstellungen runden ein solches Wochenende ab, und wer etwas durch die Lande fahren möchte, kann einen Ausflug nach Rinteln, zur Porta Westfalica oder nach Hameln unternehmen, auch als Weserschiffahrt.

Ein Wochenende im Romantik Hotel »Hahnenkamp« beginnt mit einem westfälischen Menü am Freitagabend, am nächsten Morgen ein üppiges Frühstücks-Buffet. Dann kann sich jeder das aussuchen, womit er den Tag am liebsten verbringen möchte. Abends wartet ein köstliches Romantik Schlemmer-Menu und danach ein erquickender Schlaf in sehr stilvollen Zimmern auf den »Romantiker«. Nach einem ausgedehnten Frühstück kann man dann am Sonntagmorgen wieder gemütlich heimreisen. Wer nicht allzuweit entfernt wohnt, sollte noch ein Mittagessen im »Hahnenkamp« einplanen.

Pauschalpreis pro Person 177,70 DM inclusive aller genannten Leistungen. Verlängerungsnacht zum Montag 35,– DM pro Person inclusive Frühstück.

A week-end in Bad Oeynhausen

Bad Oeynhausen, situated at the foot of the Wiehengebirge Mountains, is well known as a spa for cardiac, rheumatic, nervous and vascular complaints. However, you don't come to Bad Oeynhausen merely for a cure. The week-end guest finds great variety, whether at the Car and Motor Cycle Museum or the Fairy Tale Museum, or by the largest thermal saline spring in the world whose water contains natural carbon dioxide. Spa concerts and theatrical performances round off such a week-end and if you want to see something of the district you can travel by car or river vessel to Rinteln, the Porta Westfalica, or Hameln.

A week-end at the "Hahnenkamp" Romantik Hotel begins with a Westfalian Menu on the Friday evening, the next morning, a leisurely breakfast. Then everyone can choose how he or she would most like to spend the day. In the evening a delicious Romantik gourmet menu awaits the visitor, followed by a refreshing sleep in very stylish rooms. After a copious breakfast you can then have a comfortable journey home on Sunday morning. People living not too far away should include lunch at the "Hahnenkamp" in the plan.

All-in price 177.70 DM per person, including all the aforementioned facilities. Extra night from Sunday to Monday 35 DM per person, including breakfast.

Week-end à Bad Oeynhausen

La ville de Bad Oeynhausen est située au pied des Wiehengebirge et est une station thermale connue pour les maladies cardiaques, rhumatismales, nerveuses et vasculaires. Mais le curiste n'est pas le seul à se rendre à Bad Oeynhausen qui offre au touriste d'un week-end de nombreuses attractions, que ce soit le musée automobile ou celui de la motocyclette, le musée des contes ou la plus grande source thermale du monde renfermant du dioxyde de carbone. Les concerts donnés par l'établissement thermal et les représentations théâtrales complètent le week-end. Les personnes intéressées par une promenade dans les environs peuvent se rendre, en bateau sur la Weser si elles le désirent, à Rinteln, à la Porta Westfalica, ou à Hameln.

Un week-end à l'hôtel Romantik »Hahnenkamp« débute par un westfalian dîner le vendredi soir et un bon petit déjeuner. Tout un chacun peut alors décider de sa manière de passer la journée. Le soir, un succulent repas spécial Romantik pour gourmets vous attend avant de jouir d'un sommeil réparateur dans les chambres très stylées de cet hôtel Romantik. Après un copieux petit déjeuner, on songe au retour le dimanche matin. Les hôtes habitant les environs devraient envisager un déjeuner supplémentaire au «Hahnenkamp».

Prix porfaitaire par personne: 177,70 DM. Comprend l'ensemble des prestations indiquées. Nuit supplémentaire du dimanche au lundi, petit déjeuner compris: 35,00 DM.

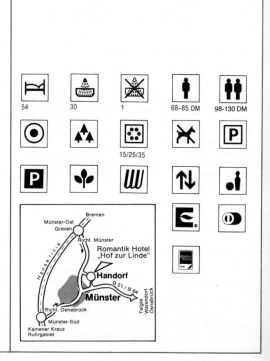

Die Bewohner von Münster gehen in den kleinen Vorort Handorf, wenn sie gut essen möchten. Sie mögen den „Hof zur Linde" besonders, da sie hier eine ausgezeichnete Küche finden zusammen mit einem Restaurant von seltenem Geschmack und Würde. Es gibt einen großen offenen Kamin, wertvolle antike Möbel und alte Eichenbalken, an denen der gute Schinken hängt. Ferien in diesem Hotel sind für jeden schön, besonders für Radfahrer. Wenn Sie die Wasserschlösser dieses Gebietes besuchen wollen oder ein köstliches Mahl genießen möchten, dann ist dieses Romantik Hotel genau das richtige für Sie. Die Speisen werden unter der persönlichen Aufsicht der Besitzer Christa und Otto Löfken zubereitet. Otto ist ein passionierter Jäger und seine Jagdbeute wird auf der Speisekarte als köstliches Wildgericht angeboten.

O. Löfken
4400 Münster-Handorf
☎ 0251/325002

The local citizens of Münster go the small suburb of Handorf when they want to enjoy a good meal. They like the "Hof zur Linde" especially, because they find here an excellent cuisine combined with a restaurant of rare taste and distinction. There is a huge fireplace, valuable antique furniture and old oak beams with tasty hams hanging from them. A holiday in this hotel has something for everyone and especially for motorists and those who enjoy cycling. If you want to visit the palaces and castles of this area or just appreciate delightful meals, then this Romantik Hotel is for you. The food is prepared under the personal supervision of the owners Christa and Otto Löfken. Otto is a passionate hunter and his quarry will find its way on to the menu as delicious vension.

Handorf est une petite banlieue de Münster, bien agréable, fréquentée des habitants de cette ville quand ils désirent bien manger. Ils choisissent avec plaisir l'hôtel «Hof zur Linde», car ce n'est pas seulement la cuisine qui y est délicieuse, mais le visiteur est séduit d'emblée par le charme de son décor rustique. Pour les amateurs de randonnées à bicyclette désirant soit parcourir la belle campagne soit aller à la découverte de nombreux et merveilleux châteaux et ruines, le «Hof zur Linde» est votre lieu de séjour. Les amateurs de quilles, canotage, golf miniature, les promeneurs et ceux cherchant le repos et la détente y trouveront aussi leur compte. L'accueil souriant et les conseils avisés de Christa et Otto Löfken, toujours prêts à satisfaire vos moindres désirs, participeront à rendre votre séjour enchanteur.

54 30 1 68–85 DM 98–130 DM

15/25/35

Romantik Hotel „Hof zur Linde" · Münster-Handorf

Kurzurlaub mit Radtour im Münsterland

Wenn »Sie« zu den Leuten gehören, die mal zwischendurch ausspannen wollen, die gerne in stilecht eingerichteten Zimmern mit allem Komfort wohnen möchten, die unter rauchgeschwärzten Balken und einem Himmel von Knochenschinken gepflegte Gastlichkeit genießen wollen, die jung und junggeblieben sind für eine Pättkestour (Radtour) durch das landschaftlich reizvolle Münsterland, dann möchten wir Sie zu einem »Kurzurlaub mit Radtour« einladen.

Zum Pauschalpreis von 220 DM pro Person bieten wir Ihnen:

1. Tag: Anreise, Empfangscocktail, Abendessen im Herdfeuerraum. Ein kräftiges Süppchen und westfälischen Knochenschinken zum »Sattessen«.
2. Tag: Ausgabe der Fahrräder nach einem reichhaltigen Frühstück. Beginn der Radtour ... Zum Abendessen unser »Romantik Menü«, welches unser Küchenchef aus Saisonspezialitäten für Sie zusammenstellt.
3. Tag: Nach dem Frühstück individuelle Abreise bis 12.00 Uhr.

Short holiday with a bicycle tour of the Münsterland

If "you" are among the people who like to relax occasionally, who like to stay in well arranged rooms with all modern facilities, who enjoy refined hospitality under smoke-darkened beams and a ceiling of hams, who are young or youthful enough to handle a bicycle tour of the charming landscape of Münsterland, then we would like to invite you to a "short holiday with a bicycle tour".

For the total price of DM 220.00 each we can offer:
1. day: Arrival, welcome cocktail, dinner in the Fireplace Room. A rich bowl of soup and Westphalian ham to "fill your stomach".
2. day: After a big breakfast the bicycles are handed out. Start of bicycle tour ... For dinner our "Romantic Menu" which our chef has composed for you from the specialities of the season.
3. day: After breakfast there are individual departures until noon.

Minivacances à bicyclette dans le Münsterland

C'est avec plaisir que nous vous invitons à passer de «minivacances à bicyclette» si vous comptez parmi les gens souhaitant se reposer de temps en temps, si le charme d'une chambre présentant un certain cachet et tout le confort moderne ne vous laisse pas insensible, si vous voulez connaître une hospitalité chaleureuse sous des poutres noircies par la fumée et manger sous une voûte de jambons suspendus, si vous êtes jeune ou avez conservé l'élan de vos 20 ans pour vous lancer dans une randonnée cycliste dans les merveilleux paysages du Münsterland.

Pour un prix forfaitaire de 220,00 DM par personne, nous vous proposons:
1er jour: descente à l'hôtel, cocktail de bienvenue, dîner au coin du feu. Pour vous «rassasier», une soupe consistante et du jambon de Westphalie.
2ème jour: distribution des bicyclettes à l'issue d'un petit déjeuner abondant. Début de la randonnée cycliste ... Notre menu spécial Romantik que le chef compose à partir de spécialités de saison vous est proposé pour le dîner.
3ème jour: départ individuel après le petit déjeuner. Le départ doit avoir lieu avant 12.00 heures.

Romantik Hotel
„Ratskeller" · Rheda-Wiedenbrück

Wiedenbrück ist ein liebenswertes altes Städtchen mit 1000-jähriger Geschichte. 300 – 400 Jahre alte Fachwerkhäuser prägen das Stadtbild. Eines der interessantesten Häuser, 1560 erbaut, ist heute der Ratskeller Wiedenbrück, am Marktplatz hinter dem Rathaus, ein Romantik Hotel, wie man es sucht. Hier treffen sich zu Speis und Trank Gäste aus allen Bevölkerungsschichten, Einheimische, Geschäftsreisende, Touristen und Kurzurlauber, jung und alt. Alle schätzen die anheimelnde, warme Atmosphäre dieses Hauses mit den historischen Gasträumen, in denen man unter alten Balken bei Kerzenschein sitzt. Für Festlichkeiten und kleine Tagungen stehen sehr schöne Gesellschaftsräume zur Verfügung. Über 50 Übernachtungsgäste wohnen in Hotelzimmern mit allem Komfort, teils modern, teils bäuerlich rustikal eingerichtet. Verbringen Sie einmal ein paar Tage in diesem Städtchen, Sie werden sich wohlfühlen, wie viele vor Ihnen. Wiedenbrück liegt immer mal am Wege!
Fordern Sie bei Bedarf bitte unseren Tagungsprospekt an.

Only a few towns in Germany can boast such a great number of half-timbered houses as Wiedenbrück. The town itself is worth seeing and the surrounding countryside has its special attractions which include many interesting walks, tennis, open air and indoor heated swimming pools, keep-fit trails and bowling. One of the most interesting buildings in the town is the "Ratskeller" which was built in 1560 and has developed into a real Romantik Hotel. The historic guest room is like a museum, where you can enjoy excellent beers and delicious food in a traditional atmosphere. The newly-built annexe next door is in the same style as the main building and offers rooms with all modern comforts. Spend a few days in this homely town and hotel.

Peu de villes en Allemagne peuvent se vanter comme Wiedenbrück d'avoir d'aussi nombreuses et jolies maisons à colombages. Le visiteur est non seulement charmé par le pittoresque de la ville mais aussi par son environnement exceptionnel favorisant le repos et la détente. Jolies promenades le long de l'Ems, pêche, équitation, courts et halles de tennis, piscines plein air et couverte, sauna, golf miniature et soirées de quilles. Le «Ratskeller» est une des plus fameuses maisons à colombages de Wiedenbrück. Construite en 1560 comme auberge, elle s'est transformée en un hôtel romantique séduisant. La salle à manger historique est un véritable petit musée où, sous ses vieilles poutres, le visiteur savou-

rera un repas copieux ou un menu gastronomique tout en dégustant une «Altbier». Dans cet hôtel, la cuisine est restée un art. L'architecture de cette demeure, terminée en 1974, s'intègre parfaitement au reste de la vieille ville. Toutes les chambres sont pourvues du dernier confort. C'est avec enchantement que vous élirez domicile dans cet hôtel soigné et dans cette charmante ville.

Hildegard und Josef Surmann
Markt 11 · 4840 Rheda-Wiedenbrück
☎ 0 52 42/70 51

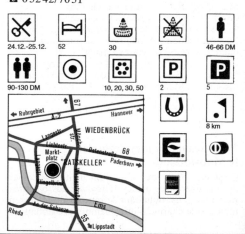

Romantik Hotel „Ratskeller" · Rheda-Wiedenbrück

Ein Fahrrad-Wochenende im historischen Wiedenbrück

Idealer Ausgangspunkt für eine abwechslungsreiche Fahrradtour ist das liebenswerte Städtchen Rheda-Wiedenbrück, am Rande der Münsterländer Bucht.

Im historischen Stadtteil Wiedenbrück mit seinem mittelalterlichen Stadtbild liegt am Marktplatz, von Kastanienbäumen beschattet, der »Ratskeller Wiedenbrück« – ein Romantik Hotel, wie man es sucht.

Am ersten Abend erwartet Sie ein echt westfälisches Menu, wobei Sie sich den Tourenplan des nächsten Tages schon überlegen können, Kartenmaterial und gute Ratschläge geben wir Ihnen gern. Morgens, nach einem guten Frühstück, gehts dann los. Ein deftiges Butterbrot mit westfälischem Schinken geben wir Ihnen noch mit. Sie können mühelos bis weit ins Münsterland radeln, auch bis zum Teutoburger Wald oder ins Ravensberger Land. Landgasthöfe liegen zu kurzer Rast immer am Wege. Des Abends müde nach hier zurückgefunden, haben Sie sich sicherlich zunächst ein Erholungsstündchen verdient. Für den zweiten Abend, vielleicht der Höhepunkt ihrer Kurzferien, haben wir für Sie ein fünfgängiges Feinschmecker-Menu vorgesehen, das Sie bei Kerzenschein unter alten Eichenbalken serviert bekommen.

Unsere Leistungen je Person zum Preis von 200 DM:
2 Wochenend-Übernachtungen mit Frühstücksbuffet; 1 Westfälisches Menu (dreigängig), 1 Romantik-Menu (fünfgängig), 1 Westfälisches Schinkenbrot, 1 Leihfahrrad.

Für die 3. Verlängerungsnacht von Sonntag auf Montag berechnen wir incl. Frühstücksbuffet je Person nur 39 DM.

A cycling week-end in historic Wiedenbrück

The delightful small town of Rheda-Wiedenbrück on the edge of the Münster lowland is an ideal starting point for a highly varied cycling tour.

On the market square of historic Wiedenbrück, with its medieval buildings, under the shade of chestnut trees stands the "Ratskeller Wiedenbrück" – the very romantic hotel you are looking for.

On your first evening a genuine Westphalian menu awaits you, and you can start considering the plan of your tour for the following day. We are glad to provide you with maps and good advice. In the morning, after a good breakfast, off you go. We give you a satisfying Westphalian ham sandwich to take with you. Without any trouble you can cycle far into the Münster district, even as far as the Teutoburger Wald Forest or into the Ravensberg district. You can always take a brief rest at country inns along the way.

When you return tired to Wiedenbrück in the evening you will certainly have earned first of all a short period of relaxation.

For the second evening, perhaps the climax of your short holiday, we have provided for you a five-course gourmet menu served in candlelight under old oak beams.

Our price per person of DM 200 includes 2 nights at the week-end with buffet breakfast, one Westphalian menu (3 courses), 1 Romantik menu (5 courses), 1 Westphalian ham sandwich, plus the loan of a bicycle.

For the 3rd (extra) night from Sunday to Monday we charge only DM 39 per person, including buffet breakfast.

Un week-end à bicyclette dans le vieux Wiedenbrück

L'agréable petite ville de Rheda-Wiedenbrück, située dans l'anse du Münsterland, constitue le point de départ idéal pour une promenade en bicyclette divertissante.

C'est dans la ville historique de Wiedenbrück qui a gardé son caractère médiéval, sur la place du marché à l'ombre des châtaigniers que se situe le «Ratskeller Wiedenbrück», un hôtel Romantik tel qu'on le souhaite.

Un vrai repas de Westphalie vous attend le soir et vous pouvez déjà réfléchir à votre itinéraire du lendemain. C'est avec plaisir que nous vous fournissons des cartes routières et donnons de bons conseils. Le matin, le départ a lieu à l'issue d'un succulent petit déjeuner. Nous vous donnons également un copieux sandwich au jambon de Westphalie. Sans vous fatiguer, la bicyclette vous permet de pénétrer profondément dans le Münsterland ou d'aller jusqu'à la Fôret de Teutberg ou dans le Ravensberger Land. Des auberges campagnardes jalonnent le chemin et vous pouvez vous y reposer un court instant.

Revenu fatigué le soir à l'hôtel, il ne fait pas de doute que vous avez mérité un petit moment de repos.

Pour la seconde soirée, peut-être le meilleur moment de vos minivacances, nous avons prévu un menu gastronomique à cinq plats qui vous sera servi à la lueur des chandelles sous les vieilles poutres de chêne.

Prix par personne de nos prestations: DM 200.
Comprend 2 nuitées lors du week-end, petit déjeuner à prendre au buffet, 1 repas mode Westphalie (3 plats), 1 menu spécial Romantik (5 plats), un sandwich au jambon de Westphalie, le prêt d'une bicyclette.

La 3ème nuitée du dimanche au lundi n'est facturée qu'à 39 DM par personne, petit déjeuner compris.

Romantik Hotel
„Zur Tanne" · Braunlage

Braunlage ist einer der bekanntesten Orte im Harz und bietet den Besuchern viele Reize. Es gibt eine Seilbahn, ein beheiztes Frei- und Hallenbad, Tennisplätze, Reitgelegenheiten und natürlich herrliche Wege zum Spazierengehen in den wunderschönen Wäldern des Harzes. Die „Tanne" ist eines der besten Hotels im Harz und hinter seinem bescheidenen Äußeren versteckt, verbirgt sich eine Küche, die über die Region hinaus sehr bekannt ist. Probieren Sie ein erfrischendes Bier oder eine herzhafte Mahlzeit in der „Altdeutschen Bierstube" oder speisen Sie in der Weißen Stube oder im Grillraum, wo es von frischem Hummer bis zum saftigen Steak alles gibt. Bärbel und Helmut Herbst folgen der Familientradition und erhalten den guten Ruf der „Tanne" mit dem Leitspruch: einkehren – wohnen – sich wohlfühlen. In einem der Hotelzimmer wird dies ein wahres Vergnügen sein.

Braunlage is one of the most popular Harz villages offering many attractions. There is a cable car, indoor and outdoor heated swimming pools, tennis, riding and, of course, walking in the beautiful forests of the Harz. The "Tanne" is one of the best hotels in the Harz Mountains and within its modest exterior offers a cuisine well known even outside the region. Enjoy a refreshing beer or a hearty meal in the "Altdeutsche Bierstube" or dine in the elegant café or grillrooms, where the menu includes everything from fresh lobster to tender steaks. Bärbel and Helmut Herbst follow the family tradition and have upheld the high reputation of the "Tanne" with the maxim: "Come in, stay a while, unwind". In one of the hotel rooms, this will indeed be a pleasure.

A 550 m d'altitude, Braunlage est la plus grande station climatique du Harz. Un téléphérique vous dépose à la «colline» de Braunlage, le Wurmberg, à 990 m d'altitude. Elle sert de base à de nombreuses et fort agréables promenades à pied, à cheval ou en calèche. Il y a deux piscines, l'une couverte et l'autre en plein air, en forêt, chauffée ainsi que des courts de tennis. Pour les érudits, Goslar et Duderstadt sont des villes d'art et d'histoire et méritent une visite. On peut dire sans prétention que le «Tanne» est un des meilleurs établissements du Harz. Sa cuisine raffinée est connue et réputée bien au-delà de la région. Vous oublierez la fatigue d'une journée de marche dans son plaisant «Altdeutsche Bierstube» en jouissant tranquillement d'une bonne bière. Pour des soirées élégantes, vous irez au grill-room ou au café où vous apprécierez et savourerez les langoustes fraîches, les steaks grillés à l'âtre et tout un choix de déli-catesses culinaires. La devise de la maison: Entrerloger – se sentir bien. C'est vrai que c'est un plaisir dans l'une des chambres.

Helmut u. Bärbel Herbst
Herzog-Wilhelm-Str. 8 · 3389 Braunlage
☎ 0 55 20 / 10 34

Romantik Hotel „Zur Tanne" · Braunlage

Im Herzen des Harzes – in den Stuben der »Tanne«

Erlebnisurlaub mit Ihren Kindern im Oberharz

– in unserem Gästehaus – von Samstag bis Samstag –
7 Übernachtungen mit Halbpension im Doppelzimmer pro Person 490 DM. Kinder bis 6 Jahre frei, bis 12 Jahre 25 %, bis 16 Jahre 50 %. Preise enthalten alle genannten Leistungen, zuzüglich der Kurtaxe. Minigolf, Schlittschuhlaufen, Silberbergwerk, Super-Rutschbahn, Wanderung zum Windbeutelessen, Iberger Tropfsteinhöhle, Waldquizpfad, Besichtigung Goslars, Ponyreiten, Radtour, Wildfütterung, Schiffsrundfahrt auf der Okertalsperre oder Seilbahnfahrt zum Burgberg mit Wanderung zum Molkenhaus, Riesenkinderspielplatz.
Termine für 1984: Oster-, Sommer- und Herbstferien.

Zünftiger Wanderurlaub im Oberharz

5 Tage erwandern Sie von Braunlage aus mit Sternwanderungen den Oberharz. Der letzte Tag ist wohlverdienter Ruhetag, den wir für Sie mit einem festlichen Romantik Menü beschließen. Preise pro Person: in der »Tanne« 695 DM, im Gästehaus am Jermerstein 555 DM.
Folgende Leistungen sind im Preis enthalten: 7 Übernachtungen im Doppelzimmer mit Bad/Dusche und WC, Frühstück, Halbpension, Romantik Menü, Lunchpakete, Transfer mit betriebseigenem PKW.

In the Depths of the Harz – In the Rooms of the "Tanne"

A eventful holiday with your children in the Upper Harz

– at our Guest House – from Saturday to Saturday –
7 nights with half board in a double room 490 DM per person. Children up to 6 – free. Up to 12 – 25 %. Up to 16 – 50 %. Prices include all facilities mentioned, plus the spa tax. Minigolf, skating, silver mine, super toboggan run, walks to remote inns with special confectionery, the Iberg stalactite cavern, woodland quiz treks, a tour around Goslar, pony riding, cycling tours, game feeding, a trip on the water round the Oker Dam, or by cable car to the Burgberg Mountain with a walk to the Molkenhaus. Huge children's playground.
Dates for 1984: Easter, summer and autumn holidays.

Real walkers' holiday in the Upper Harz

5 days walking through the Upper Harz, returning to the Braunlage base every day. On the last day you take a welldeserved rest, which we conclude for you with a festive Romantik menu. Prices per person: at the "Tanne" 695 DM; Guest house on the Jermerstein 555 DM.
The price includes the following: 7 nights in a double with bath/shower and WC, breakfast, half board, Romantik menu. Packed lunches. Transfer by private car from the Hotel.

Au coeur du Harz – Dans les salles du «Tanne»

Des vacances riches en souvenirs avec vos enfants dans le Harz supérieur –

dans notre hôtel, du samedi au samedi suivant, 7 nuitées, demi-pension en chambre double, par personne 490 DM, enfants jusqu'à 6 ans: gratuit, jusqu'à 12 ans: 25 %, jusqu'à 16 ans: 50 %. Les prix comprend l'ensemble des prestations indiquées, plus la taxe de séjour, le minigolf, le patinage sur glace, la mine d'argent, la super piste de bobsleigh, une promenade en mangeant des échaudés, la grotte à stalactites de Iberg, les sentiers de jeux de pistes, la visite de Goslar, une promenade à poney et à bicyclette, une excursion pour aller donner à manger aux animaux sauvages, une promenade en bateau sur le barrage de Okertal ou montée en téléphérique au Burgberg en passant par Molkenhaus, les gigantesques terrains de jeux pour enfants.
Dates en 1984: Vacances de Pâques, grandes vacances et vacances d'automne.

Une vraie randonnée pédestre dans le Harz supérieur pour vos vacances

Durant 5 jours, Braunlage vous sert se base pour découvrir à pied la Harz supérieur. Le dernier jour est constitué par un jour de repos bien mérité que nous terminons par un repas de fête spécial Romantik. Prix par personne: au «Tanne» 695 DM, à l'auberge «Am Jermerstein» 555 DM.
Le prix comprend les prestation suivantes: 7 nuitées en chambre double avec bain/douche et WC, petit déjeuner, demi-pension, repas Romantik, repas froid, transfert avec la voiture de l'hôtel.

Romantik Hotel „Menzhausen" · Uslar

Im Weserbergland ist das Romantik Hotel „Menzhausen" ein sehr begehrter Platz für eine erholsame Rast oder den kleinen Zwischenurlaub. Das Haus wurde 1565 gebaut und seine eindrucksvolle Renaissance-Fachwerkfassade trägt Zeugnis jener Tage, als es als Gasthaus für Reisende diente. Die Gäste fühlen sich in der persönlichen Atmosphäre, in den ruhigen und komfortablen Zimmern und in dem gemütlichen Restaurant wohl.
Gerühmt wird das erlesene Weinangebot aus den alten Gewölbekellern unter dem Haus. Die umliegende Landschaft ist ideal für Wanderungen mit vielen reizvollen Zielen. Für ein paar erholsame Tage bieten wir ein interessantes Spezialangebot.

F. Körber
3418 Uslar · ☎ 0 55 71/20 51

In the Solling Hills and the Weserbergland, a much sought-after place for recreation is the Romantik Hotel Menzhausen. The house was built in 1565 and its impressive Renaissance facade bears witness to those days, when it used to serve as an inn for travelling merchants. Guests feel at home in the personal atmosphere of this traditional family hotel with its quiet and comfortable bedrooms. There is also a grill restaurant, a terrace and a splendid flower garden. The surrounding countryside is ideal for walking with many attractive resting places. If you are looking for the romance of the 16th century combined with present-day good living, come and spend your holiday in the Hotel Menzhausen.

L'Hôtel Romantik «Menzhausen» mérite d'être cité comme lieu de repos recherché dans le Solling et le pays montagneux de la Weser. Le visiteur remarquera tout de suite la magnifique façade Renaissance de l'édifice construit en l'année 1565 et qui servait de logis aux marchands en voyage. Aujourd'hui aussi l'hôte appréciera l'atmosphère personnelle d'une entreprise familiale traditionnelle. Il y trouvera en plus de chambres confortables et très tranquilles une cour intérieure pittoresque avec terrasse et rôtisserie; à côté d'un magnifique jardin de fleurs, une pelouse avec de nombreux bancs, chaises longues, pavillon et un jeu d'échecs de jardin invite à la détente et à l'oisiveté. L'hôte amateur de marche à pied trouvera en lisière de forêt, en-dessus de Vahle, le village voisin, un pavillon de chasse situé au point de départ de chemins qui le conduiront dans de splendides forêts. Celui qui se sent attiré par le romantisme du XVIème siècle sans vouloir renoncer au confort du XXème devrait un jour passer ses vacances à l'Hôtel «Menzhausen».

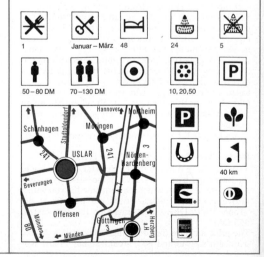

1   Januar – März 48   24   5

50 – 80 DM   70 –130 DM   10, 20,50   P

40 km

Romantik Hotel „Menzhausen" · Uslar

Zu Gast im Weserbergland
im Naturpark Solling
»Spezial-Offerten«

Ein Wochenende von Freitag bis Sonntag

Haben Sie nicht manchmal den Wunsch, nichts mehr zu hören und zu sehen? Möchten Sie nicht einmal das tägliche Einerlei mit seinen Pflichten hinter sich lassen – vielleicht nur für einige Tage, für ein Wochenende?
Wir bieten es Ihnen!
Lassen Sie sich für ein langes Wochenende verwöhnen, genießen Sie die behagliche Atmosphäre eines gastlichen Hauses. Ruhen Sie sich aus! Lassen Sie sich ganz von dem Zauber der tiefen Sollingwälder, der lieblichen Täler, der murmelnden Bäche einfangen. Herrliche, unbeschwerte Tage erwarten Sie.
Ob zu Fuß oder mit dem Auto, immer werden Sie vom Solling mit seinen landschaftlichen Schönheiten begeistert sein. Die herrliche Sicht vom »Harzblick« auf Dörfer und idyllische Wiesentäler wird Sie für die ausgedehnte Wanderung belohnen.
Auch die vorgeschlagene Rundfahrt durchs Oberwesergebiet sollten Sie prüfen (Burgenfahrt, kombinierte Dampferfahrt).
Weitere Tips sind die Porzellanmanufaktur in Für-

stenberg, der Wildpark in Neuhaus mit seinen Hirschen.
Und damit liegen zwei lange und doch so kurze Tage hinter Ihnen. Frisch und ausgeruht sehen Sie einer neuen Woche entgegen, eine gute Erinnerung nehmen Sie mit auf den Heimweg.
Sie sind uns jederzeit willkommen und wir freuen uns auf Ihren Besuch!
Ihre Familie Körber.

Der Arrangements-Preis umfaßt folgende Leistungen:

> 2 Übernachtungen
> Romantik-Gourmet-Menü
> mit Aperitif und Wein
> und Sollinger Bauernvesper
> und beträgt pro Person 225,– DM
> im Zimmer mit Bad oder Dusche, WC
> und Telefon.

Bitte fordern Sie ausführliche Unterlagen an.

Romantik Hotel »Menzhausen«
F. Körber
3418 Uslar
☎ 0 55 71/20 51

Romantik Hotel „Haus Elmer"
Hamminkeln-Marienthal

Nicht weit von der holländischen Grenze und nur ein paar Kilometer von Wesel entfernt, finden Sie im Naturpark »Hohe Mark« den kleinen, idyllischen Ort Marienthal und das »Haus Elmer«, neben der Kirche des ehemaligen Augustiner-Eremiten-Klosters. Hier entstand in 30 Jahren aus einem Bauernhaus ein stilvolles Hotel-Restaurant mit Fachwerkgiebeln, das wegen seiner verläßlich guten Küche mit diversen Spezialitätenwochen zum Mittelpunkt für Empfänge, Hochzeiten und Veranstaltungen aller Art weit über den Niederrhein hinaus bekannt geworden ist. Die Behaglichkeit und der persönliche Kontakt zum Gast geben diesem Haus eine individuelle Note.
Das Hotel mit insgesamt 24 in verschiedenen Stilrichtungen eingerichteten Zimmern, alle mit Du, WC, Tel. und z. T. mit TV und Minibar, lädt durch seine behagliche und persönliche Atmosphäre auch zu längerem Verweilen ein. Durch die ruhige Lage, inmitten von Wiesen, Feldern und Wäldern bietet sich das »Haus Elmer« geradezu für einen Erholungsurlaub, fern aller Hektik des Massentourismus, an.
Durch die Erstellung eines neuen Tagungsraumes ist es auch für Produktveranstaltungen und Tagungen besonders zu empfehlen. Entspannungsmöglichkeiten sind durch die hoteleigenen Fahrräder und durch Schwimmbad mit Sauna ganz in der Nähe gegeben. Ausflugsziele der näheren und weiteren Umgebung sind z. B. die westfälischen Wasserschlösser, das Otto-Pankok-Museum oder das van-Gogh-Museum in Arnheim. Sehenswert sind ebenfalls die örtlichen Naturparks und die Möwenkolonie im Zwillbrocker Venn.

Not far from the Dutch border and only a few kilometres from Wesel, in the village of Marienthal, you will find "Haus Elmer" near the church of the former Augustine monastery. Because of its reliably good cuisine, the plain brick building in the local style has become the place to hold wedding receptions.
With a total of 24 rooms furnished in various styles, but all having shower, WC, telephone, and some TV and minibar, the Hotel is inviting for a prolonged stay, due to its comfortable personal atmosphere. As a result of its quiet position, surrounded by meadows, fields and woods, "Haus Elmer" is ideal for a relaxing holiday, far from the hustle of mass tourism. The provision of a new conference room also makes the Hotel particularly suitable for product exhibitions and conferences. You can unwind by using the Hotel's own bicycles and a swimming pool with sauna which is nearby. Excursions which can be taken to the immediate and more distant surroundings include the Westphalian moated castles, the Otto Pankok Museum, or the van Gogh Museum at Arnheim. The local nature parks and the seagull colony in the Zwillbrocker Venn marshland are also worth a visit.

Non loin de la frontière hollandaise et à quelques kilomètres de Wiesel, dans le petit village de Marienthal se trouve l'hôtel «Haus Elmer» près de l'église du couvent de l'ancien monastère des Augustins.

Elle est devenue la rendez-vous des réceptions et banquets de mariage grâce à sa gastronomie délicate.
Les 24 chambres de styles différents ont toutes douche, toilettes et téléphone, certaines ont la télévision et un minibar. L'atmosphère chaleureuse et personnelle de cet hôtel vous invite à prolonger votre séjour. Le site calme de la «Haus Elmer», au milieu des prés, champs et forêts est le lieu idéal pour des vacances reposantes, loin du stress accompagnant le tourisme de masse. Des possibilités de détente existent à proximité: les bicyclettes que possède l'hôtel, la piscine et son sauna. Les excursions dans les environs ou la région mènent par exemple aux châteaux de Westphalie au bord de l'eau, au musée Otto Pankok ou au musée Van Gogh de Arnheim. Les parcs naturels environnants et la colonie de mouettes de Zwillbrocker Venn sont également intéressants.

K. H. Elmer
An der Klosterkirche 12
4236 Hamminkeln 3
im Ortsteil Marienthal
☎ 02856/500 + 2041

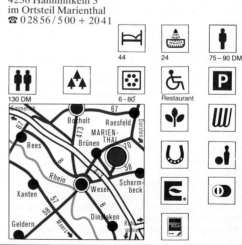

Romantik Hotel „Haus Elmer"
Hamminkeln-Marienthal

Hochzeits-Arrangement

Feiern Sie die Wiederholung Ihres Hochzeitstages zu zweit allein!
Mit Aperitif, Romantik Menü, Tischwein, Sektfrühstück und einer Nacht im Himmelbett oder unserem Turmzimmer.
Arrangementpreis für 2 Personen 350,– DM.

Radeln und Rasten

5 Tage Kurzurlaub mit dem Fahrrad.
Begrüßungstrunk, 4 Übernachtungen mit Halbpension, Leihräder, Radwanderkarte.
Arrangementspreis je Person 380,– DM.
Einzelzimmerzuschlag je Tag 12,– DM.

8 Tage Kultururlaub am Niederrhein

7 Übernachtungen mit Halbpension. Champagner-Menu zum Abschluß (mehrgängiges Menü mit einer Flasche Champagner). Besichtigungsmöglichkeit der Kulturstätten des Niederrheins – z. B. die alte Römerstadt Xanten mit Archäologischem Park, Otto-Pankok-Museum, Dom in Kalkar, Galerie Schloß Ringenberg u. a. m.
Gern arbeiten wir Ihnen eine Besichtigungs-Tour aus.
Arrangementpreis je Person 598,– DM.
Einzelzimmerzuschlag je Tag 12,– DM.

Wedding arrangements

Celebrate your wedding day again, just the two of you!
With aperitif, Romantik menu, table wine, champagne breakfast and one night in the four-poster or our tower room.
Arrangement price for 2: 350.– DM.

Bike and rest

A short holiday of 5 days with the bicycle.
Welcome drink, 4 nights with demi-pension, rented bicycles, bicycle tour maps.
Arrangement price each: 380.– DM.
Extra for single room per day: 12.– DM.

Short holiday of 8 days at the lower Rhine

7 nights with demi-pension.
Champagne menu at the end (multi-course menu with one bottle of champagne). Possibility of seeing the cultural sights of the lower Rhine – for instance the old Roman town of Xanten with the archaeological park, the Otto Pankok Museum, the Kalkar Cathedral, Gallery Ringenberg Castle and other possibilities.

We would be glad to prepare a sight-seeing tour for you.
Arrangement price each: 598.– DM.
Extra for single room per day: 12.– DM.

Spécial mariage

Revivez en tête à tête la fête de votre mariage!
Avec apéritif, menu spécial Romantik, vin, petit déjeuner au champagne et une nuit dans un lit à baldaquin ou dans la chambre de la tour.
Prix pour 2 personnes de notre spécial mariage: 350,– DM.

Bicyclette et détentes

5 jours de minivacances à bicyclette.
Apéritif de bienvenue, 4 nuitées, demi-pension, prêt des bicyclettes, carte de randonnée cycliste.
Prix de l'arrangement par personne: 380,– DM.
Supplément par journée pour chambre individuelle: 12,– DM.

8 jours de vacances culturelles au bord du Rhin inférieur

7 nuitées, demi-pension, repas d'adieu au champagne (menu comptant plusieurs plats et 1 bouteille de champagne).
Possibilité de visiter les lieux culturels du Rhin inférieur que sont l'ancienne ville romaine de Xanten et son parc archéologique, le musée Otto Pankok, la cathédrale de Kalkar, la galerie du château Ringenberg, etc. C'est avec plaisir que nous vous préparons un programme de visites.
Prix de l'arrangement par personne: 598,– DM.
Supplément par journée pour chambre individuelle: 12,– DM.

Der Reiz dieses Stillebens besteht nicht zuletzt darin, daß man das Original in natura erleben kann.

Original-Radierung von Kurt Schönen, Maler und Radierer im niedersächsischen Worpswede.

Originales, im besten Sinne Ursprüngliches, schätzen wir heute so wie zu allen Zeiten.
Dortmunder Actien-Original, Pilsener ausgeprägt herb.

Dortmunder Actien-Brauerei

Romantik Hotel „Lennhof" · Dortmund-Barop

Spitzengastronomie in romantischer Atmosphäre am Rande der Großstadt.

Wenige Autominuten abseits der Autobahn „Sauerlandlinie" liegt am Rande von Dortmund der „Lennhof", ein alter Fachwerkbau, der bereits 1395 einem märkischen Richter als Amtssitz diente.

Heute steht der „Lennhof" unter Denkmalschutz und verbindet in harmonischer Weise ein stilvolles Äußeres mit gediegenem Interieur und modernen technischen Einrichtungen.

Die internationale Küche des Gourmet-Restaurants, der wohlsortierte Weinkeller und insbesondere auch die persönliche Atmosphäre des Hauses werden weit und breit geschätzt und gelobt.

An schönen Tagen bietet die sonnige Garten-Terrasse eine reizvolle Ergänzung des gastronomischen Angebotes.

Für Tagungen stehen im „Lennhof" zwei Konferenzräume zur Verfügung. Es wird ein organisierter Tagungsservice mit allen technischen Einrichtungen geboten.

Trotz besonders ruhiger Lage in ländlicher Umgebung bietet die Nähe Dortmunds (10 Autominuten zur City) und weiterer Städte des Ruhrgebietes dem Gast alle Möglichkeiten moderner Großstädte.

Just a few minutes away from the Autobahn "Sauerlandline" and on the outskirts of Dortmund you will find the "Lennhof", an old half-timbered house, which was already used by a judge of the "Mark" as his official domicile in the year of 1395.

Today, the "Lennhof" is protected by law as a monument and combines its stylistic exterior with its solid interior and its modern technical equipment.

The international cuisine of this Gourmet-Restaurant, the well assorted wine-cellar and especially the personal atmosphere of this establishment are being valued and praised widely.

On nice days the sunny garden-terrace offers a charming supplement to the gastronomical offers.

For conventions two conferencerooms are available at the "Lennhof". An organized convention service is being offered with all technical facilities.

In spite of its very quite location in rural surroundings the vicinity to Dortmund (10 minutes by car) and other towns of the Ruhr-Area offers the guest all possibilities of modern big cities.

Situé à quelques minutes de voiture, en bordure de Dortmund, l'Hôtel «Lennhof» d'une construction ancienne, remontant à 1395, aurait servi de Siège Administratif à un juge marchais.

Le «Lennhof» est aujourd'hui placé sous la protection des monuments et réuni harmonieusement un style plain d'allure avec un intérieur caractéristique et une moderne installation technique.

La cuisine internationale du restaurant pour gourmets, les celliers bien assortis et tout particulièrement l'atmosphère individuel de la Maison sont appréciés et loués à la ronde.

Par beau temps, la terrasse ensoleillée du jardin offre un charmant complément à son assortiment gastronomique.

Au «Lennhof» deux salles de conférences sont à la disposition pour réunions. Un service organisé s'occupe des réunions à l'aide de toutes installations techniques nécessaires.

Malgré son exposition au calme, dans un environnement campagnard, il offre aux hôtes de par son approximité de Dortmund (10 minutes de voiture jusqu'en ville) et d'autres villes de la Ruhr, toutes les possibilités des villes modernes.

Wilhelm Assheuer
Menglinghäuser Straße 20, 4600 Dortmund-Barop
☎ 02 31/7 57 26, Telex 8 22 602

Erlebniswochenende im Lennhof

Dortmund hat nicht nur Kohle und Stahl. Sie können im Romantik Hotel Lennhof ein echtes Romantik-Wochenende genießen, das Natur und großstädtisches Flair miteinander verbindet. Wir bieten ein Erlebnis-Wochenende für zwei Personen im Doppelzimmer mit Bad/Dusche, WC, Begrüßungstrunk, Romantik-Frühstück und einem fünfgängigen Romantik-Schlemmer-Menü mit passendem Wein für 275 DM/250 Sfr/1940 öS. Sie haben die Wahl, das Bergbaumuseum in Bochum oder das Brauerei-Museum in Dortmund zu besuchen. Gern arrangieren wir für Sie auch die Besichtigung einer Groß-Brauerei. Für Fußballfans können wir bei Heimspielen der Borussia Tribünenplätze reservieren. Dasselbe gilt für die berühmte Westfalenhalle, in der fast täglich kulturelle und sportliche Veranstaltungen stattfinden. Für sie beschaffen wir Eintrittskarten und sorgen für kostenlosen Transfer. Falls Sie die schöne Landschaft rund um den Lennhof mit Feldern und Bauernhöfen erkunden wollen, arbeiten wir für Sie eine Fahrradtour aus, die ca. eineinhalb Stunden dauert. Oder wir geben Ihnen Tips, wo Sie in den weiten Wäldern vor den Toren der Stadt − zum Sauerland sind es nur 20 Minuten Fahrzeit − nach Herzenslust wandern können. Vielleicht besuchen Sie auch den Westfalenpark mit dem 220 m hohen Fernsehturm, von wo aus Sie eine prächtige Aussicht über ganz Dortmund haben. Nicht fehlen darf schließlich ein Einkaufsbummel in der nur sechs Kilometer entfernten City, die mit ihren Fußgängerzonen und exklusiven Geschäften, mit ihren Cafés und Museen lockt. Viel Vergnügen.

An eventful week-end at the Lennhof

Dortmund hasn't only coal and steel. At the Lennhof Romantik Hotel you can enjoy a genuinely romantic week-end combining a natural setting with the tang of the great city. We offer an eventful week-end for 2 persons in a double room with bath/shower, WC, welcoming drink, Romantik breakfast, and a five-course Romantik gourmet menu with wine to match for 275 DM/250 Swiss francs/1940 Austrian schillings. You have the choice of visiting the Mining Museum at Bochum or the Brewery Museum at Dortmund. We shall also be very glad to arrange for you to visit a large brewery. We can reserve seats in the stand for football fans at the home games of Borussia Dortmund. The same applies to the famous Westfalenhalle, at which cultural and sporting events take place almost daily. We can obtain admission tickets and transport you there free of charge. If you wish to explore the fields and farmhouses of the beautiful landscape surrounding the Lennhof Hotel, we can work out a cycling tour for you lasting about 1¹/₂ hours. Or else we can give you suggestions as to where you can ramble to your heart's content in the broad woodlands just outside the City (the Sauerland is only 20 minutes away by car). Perhaps you will also visit the Westphalia Park with the 220 m high TV tower, from which you have a splendid overall view of Dortmund. And you mustn't miss a shopping trip to the city centre only 6 km away, enticing you with its pedestrian precincts, exclusive stores, cafés and museums. Enjoy yourselves!

Week-end passionnant à l'hôtel Lennhof

Dortmund ne compte pas que charbon et acier. L'hôtel Romantik Lennhof vous permet de passer un authentique week-end spécial Romantik en combinant joie de la nature et l'ambiance de la grande ville. Nous vous proposons pour 275 DM/250 sfr/1940 öS un week-end passionnant pour 2 personnes, en chambre double, avec bain/douche, WC, apéritif de bienvenue, petit déjeuner Romantik et repas gastronomique spécial Romantik à 5 plats, accompagnés du vin adéquat. Il vous est possible de visiter le musée de la mine de Bochum ou le musée de la brasserie de Dortmund. C'est avec plaisir que nous organisons la visite d'une grande brasserie. Il nous est possible de réserver pour les inconditionnels du football des places dans les tribunes pour les matchs à domicile du club de Borussia. Cette offre est également valable pour la célèbre «Westfalenhalle» qui est presque tous les jours le cadre de manifestations culturelles ou sportives. Nous nous occupons des billets et de vous y emmener gratuitement. Si vous souhaitez découvrir les beautés du paysage entourant l'hôtel Lennhof, des champs et des fermes, nous organisons pour vous une promenade à bicyclette d'environ 1¹/₂ heure. Ou nous vous indiquons les lieux possibles de randonnée pédestre dans les grandes forêts aux portes de la ville − les massifs du Sauerland ne sont qu'à 20 minutes en voiture. Peut-être voudrez-vous visiter le «Westfalenpark» et sa tour de télévision de 220 m d'où vous avez une vue magnifique sur toute la ville de Dortmund. N'omettez surtout pas de faire du lèche-vitrines dans le centre ville qui n'est qu'à 6 km et laissez-vous prendre au charme de ses zones piétonnières et de ses magasins luxueux, de ses cafés et musées. Bon séjour!

**Premium-Alt.
In herbwürziger
Frische.**

Romantik Hotel und Restaurant „Höttche" · Dormagen

Aus einem kleinen rheinischen Gasthaus ist in den letzten Jahren durch einen Hotelbau ein attraktives Hotel zwischen Köln und Düsseldorf geworden. Es verfügt über großzügige, komfortable Zimmer und ein Hallenbad mit Sauna.

Das ausgezeichnete Restaurant hat dafür gesorgt, daß es zu einem Treffpunkt für viele Kölner und Düsseldorfer geworden ist. Für schöne Feiern im kleinen oder größeren Kreise stehen großzügige Räumlichkeiten zur Verfügung; seine Lage und Ausstattung machen das »Höttche« außerdem für Tagungsveranstalter interessant. An Wochenenden und im Sommer bietet das Hotel einen speziellen Familienpreis und von Dormagen aus lassen sich Ausflüge nach Köln, Düsseldorf oder zur Römerfeste Zons machen.

Helma und Dieter Pesch haben mit ihren gut eingespielten Mitarbeitern ein Hotel mit sehr guter Gastronomie anzubieten, das im Industrierevier am Rhein als Oase des Genusses bezeichnet werden könnte.

Dieter und Helma Pesch
Krefelder Straße 14/18
4047 Dormagen 1
☎ 0 21 06/4 10 41
Telex 8 517 376

84   56   80–145 DM   125–185 DM

10–60

Romantik Hotel und Restaurant „Höttche" · Dormagen

Out of a small Rhineland guesthouse, in recent years an attractive hotel has developed by means of a large hotel building. It offers well-appointed rooms with an indoor swimming pool and sauna.

The excellent restaurant has led to its becoming a meeting place for many people from Cologne and Düsseldorf. Facilities are available for private functions for large or small parties; its situation and furnishings also make the "Höttche" suitable for conferences.

At weekends and in summer the hotel offers special terms for families and excursions can be made from Dormagen to Cologne, Düsseldorf or to the Roman fortress of Zons.

Helma and Dieter Pesch, with their well-integrated team, offer a hotel with excellent gastronomy, which could become an oasis of delight in the industrial region of the Rhine.

Cette petite auberge rhénane entre Cologne et Düsseldorf est devenue un hôtel attrayant grâce à la construction dans les dernières années d'un hôtel d'envergure, avec de belles chambres spacieuses et confortables, piscine couverte et sauna.

L'excellent restaurant en a fait un lieu de prédilection pour de nombreux gourmets de Cologne et Düsseldorf. Le «Höttche» dispose de salles dignes de belles fêtes en petit ou grand comité et possède, en plus de son emplacement favorable, un équipment qui le rend intéressant pour réunions et congrès.

Le «Höttche» offre des prix spécial famille pour week-ends et en été et depuis Dormagen, on peut faire de belles excursions à Cologne, Düsseldorf, aux Fêtes Romaines de Zons etc. ...

Helma et Dieter PESCH et leurs collaborateurs bien rodés à leur métier ont un hôtel avec très bonne gastronomie qu'on pourrait qualifier d'oasis délicieuse au cœur de la Rhénanie industrielle.

Auch an der »Ruhr« kann man im Grünen wohnen. Das Ruhrtal, die grüne Lunge des Rhein-Ruhr-Raumes, sorgt hier für bessere Luft als in den dicht beiliegenden Großstädten Düsseldorf und Essen, und mit der Ruhe der alten Fachwerkstadt Kettwig legt auch der Besucher die Hektik des Arbeitstages ab.

Idealer kann ein Hotel/Restaurant kaum liegen: 18 km vom Flughafen Düsseldorf/Lohausen und dem Messegelände in Düsseldorf, 10 km von Essen und seinem Messegelände und dicht am Breitscheider Autobahnkreuz (A 3/A 52).

Das im Inneren vor kurzem neu gestaltete Jugendstilhaus mit seinem exklusiven Interieur erfreut jeden Gast. Das Restaurant unter Berthold B. Bühler – einem Könner der leichten, frischen Küche – ist schon allein den Besuch Kettwigs wert und zählt zu den besten der an Sternen und Kochmützen nicht armen Region.

17 moderne Gästezimmer, darunter zwei hübsche Appartements – alle mit Dusche, Telefon, Minibar und Farb-TV mit Videoprogramm sowie Konferenz- und Gesellschaftsräume für 6 bis 40 Personen – mit gepflegter Atmosphäre und individuellem Service stehen zur Verfügung.

Even on the River Ruhr you can live amongst greenery. This is where Ruhr valley, the "green lung" of the Rhine-Ruhr area, provides you with better air than in the nearby large cities of Düsseldorf and Essen. Visitors encountering the calm of the old half-timbered town of Kettwig put behind them the hectic atmosphere of the working day.

A Hotel with restaurant can hardly have a more ideal situation: 18 km from the Düsseldorf/Lohausen Airport and the Düsseldorf Fairground, 10 km from Essen and its Fairground and close by the Breitscheid Motorway Intersection (A 3/A 52).

All guests are enchanted by the art nouveau building with its exclusive, recently redesigned interior. The restaurant alone, under the direction of Berthold B. Bühler, a connoisseur of light, wholesome cuisine, makes a visit to Kettwig worth-while and counts among the best in a region not precisely poor in highly recommended gastronomic establishments.

Seventeen modern guests rooms are available, including two attractive apartments, all with shower, telephone, minibar and colour TV with video programme, as well as conference and party rooms for 6 to 40 persons, with a refined atmosphere and individual service.

Vivre dans la verdure sur les bords de la «Ruhr» n'est pas impossible. La vallée de la Ruhr, poumon vert de la région Rhin-Ruhr, assure un air meilleur que celui des grandes villes densément peuplées que sont Düsseldorf et Essen. Le calme de la vieille ville à colombage de Kettwig permet au visiteur d'oublier le stress du travail quotidien.

Il est difficile de trouver une meilleure situation géographique pour un hôtel-restaurant: l'aérodrome de Düsseldorf-Lohausen et le terrain d'expositions ne sont qu'à 18 km, la ville d'Essen et son parc d'expositions à 10 km, et la bretelle d'autoroute «Breitscheider Autobahnkreuz» (A 3/A 52) est proche.

Tous les hôtes apprécient la maison style 1900 dont l'intérieur récemment rénové est luxueux. Le restaurant

géré par M. Berthold B. Bühler – un gourmet de la cuisine légère à base de produits frais – mérite à lui seul de déplacement à Kettwig. Ce restaurant compte parmi les meilleurs d'une région où ni les étoiles ni les toques ne manquent.

Une atmosphère irrésistible et un service attentionné entourent les hôtes qui ont à leur disposition dix sept chambres modernes, donc deux jolies suites, ayant toutes douche, téléphone, minibar, télévision couleur et programme vidéo ainsi que des salles de conférences et de réunions pouvant accueillir de 6 à 40 personnes.

Berthold und Uta Bühler
Auf der Forst 1 · 4300 Essen-Kettwig
☎ 0 20 54/89 11

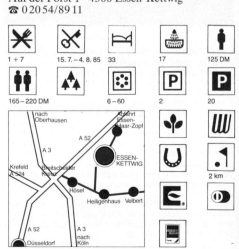

✗	✗	🛏	🧹	👤
1 + 7	15. 7. – 4. 8. 85	33	17	125 DM

👥	ᐃᐃ	⊡	P	P
165 – 220 DM		6 – 60	2	20

Romantik Hotel „Résidence" · Essen-Kettwig

Résidence-Wochenende mit großem »Romantik Menü«

Die »Résidence« in Essen-Kettwig hat sich – seit Berthold B. Bühler die Leitung der Küche übernommen hat – zu einem Geheimtip für Feinschmecker entwickelt. Was bietet sich da Besseres an, als zu zweit ein kulinarisches Wochenende in der »Résidence« zu genießen?

Reisen Sie an einem Freitag, Samstag oder auch Sonntag in Ihre »Résidence«, lassen sich auf eines der sehr eleganten Zimmer führen, stimmen sich bei einem Aperitif an der kleinen Hausbar auf den Abend ein und erleben dann den kulinarischen Genuß eines sechs- bis achtgängigen Menüs, je nach Jahreszeit komponiert.

Dazu den richtigen Wein und dezente Musik und Sie fühlen sich rundherum wohl.

Am nächsten Morgen gemütlich ausschlafen, gut frühstücken und vielleicht einen Spaziergang im Grünen oder ein Ausflug durch das den meisten unbekannte »grüne« Ruhrgebiet und Sie können entspannt wieder dem Alltagsgeschäft entgegensehen.

Es ist gar nicht so abwegig – auch als Mensch aus dem Ruhrgebiet – einmal einen Wochenendurlaub direkt vor der Haustür zu machen. Sie werden feststellen, daß Sie das Ruhrgebiet ganz anders kennenlernen werden, als Sie es bisher angesehen hatten.

Das Wochenende zu zweit inkl. einer Übernachtung im Doppelzimmer mit Bad und WC, einem großen »Romantik Menü« und gutem Frühstück kostet 275,– DM für zwei Personen.

"Résidence" Weekend with great "Romantik" Menu

Since Berthold B. Bühler took over the direction of the kitchen, the "Résidence" at Essen-Kettwig has developed into a very special place vor gourmets. What better proposition can there be for the two of you to enjoy a weekend of first-class cuisine at the "Résidence"?

Travel on a Friday, Saturday or even Sunday to your "Résidence", be led to one of its very elegant rooms. Get into the mood for the evening with an aperitif at the small hotel bar, and then experience the culinary delights of a 6–8 course menu, made up of what is in season. You will obtain the correct wine and discreet music and feel absolutely on top.

On the following morning you can have a comfortable sleep-in and a substantial breakfast and perhaps take a stroll amongst the greenery or go on a spin through the generally unfamiliar "green" Ruhr District; in any case you can look forward to everyday business with relaxation. It isn't all that odd sometimes to take a weekend holiday just outside your front door, even if you live in the Ruhr District. You will find that you get to know the Ruhr District quite differently from the way in which you used to regard it.

The weekend, including one night in a double room

with bath and W.C., a great "Romantik" menu and a substantial breakfast costs 275 DM for 2 persons.

Week-end à la «Résidence» avec repas spécial Romantik

Depuis que Berthold B. Bühler a pris la direction de la cuisine, la «Résidence» de Essen-Kettwig est devenue un lieu que se conseillent les gastronomes. Qu'il y a-t-il de plus agréable que de passer à deux un week-end gastronomique à la «Résidence»? Arrivez le vendredi, le samedi ou même le dimanche dans votre «Résidence», prenez possession d'une des chambres très élégantes, préparez-vous à la soirée en prenant un apéritif au petit bar et vivez le plaisir culinaire d'un repas de 6 à 8 services, composé en fonction de la saison. Le tout accompagné du vin qu'il convient, d'une musique agréable et vous vous sentez dans un autre monde. Faites la grasse matinée le lendemain matin, prenez un bon petit déjeuner, prenez éventuellement le vert ou faites une excursion dans la région «verte» de la Ruhr, inconnue de la plupart, et c'est détendu que vous pouvez repartir vers vos affaires quotidiennes. Il n'est pas superflu, même si vous habitez dans la région de la Ruhr, de passer de temps en temps un week-end pratiquement sur le seuil de votre porte. Vous pourrez constater que cette région est bien autre que vous le pensiez.

Ce week-end à deux, y compris hébergement en chambre double avec bain et WC, un grand repas spécial Romantik et un bon petit déjeuner revient à 275,00 DM pour 2 personnes.

[17] # Romantik Hotel „Altes Brauhaus Burgkeller" mit Gästehaus „Parkhotel am Hammerberg"

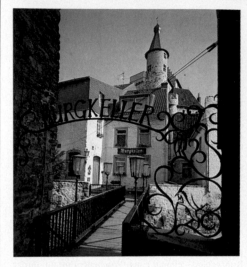

Am Rande des Naturschutzparkes Nordeifel (Drei-ländereck Holland–Belgien–Deutschland an der Peripherie der alten Kaiserstadt Aachen) unterhalb der interessanten Stolberger Burg liegt das „Alte Brauhaus Burgkeller", das man über eine schmale Holzbrücke erreichen kann. Durch die elegant-rustikale Einrichtung des Hauses (Delfter Porzellan, Zinngeräte und Antiquitäten) und die gemütliche Ambiance des „Gambrinus-Kellers" fühlen Sie sich wie zu Hause.

Wenige Gehminuten vom Burgkeller entfernt haben Klaus und Marlis Mann das Gästehaus „Park-hotel am Hammerberg" gebaut, ein idyllisch gelege-nes ruhiges Haus im Grünen mit Schwimmbad und Sauna, Garten und Terrasse.

Möglichkeit für: Ballonfahrten, Segelfliegen, Sur-fen, Survival.

At the foot of the lovely castle of Stolberg you find the "Burgkeller", an old brewery, which can only be reached by crossing a narrow footbridge that spans a fast running stream. However, after cross-ing the bridge, you will find yourself in a hostelry whose atmosphere makes you feel at home at once. The elegant rustic restaurant and the original beer cellar are a meeting place for the citizens of Stol-berg and visitors from far and near. Only a short distance from the "Burgkeller", Klaus und Marlis Mann have built the guest house "Parkhotel am Hammersberg" which is furnished in modern but traditional style and has a swimming pool and sauna, garden and terrace.

La vieille brasserie «Burgkeller» est blottie au pied du magnifique château de Stolberg. Le visiteur ne peut se rendre au «Burgkeller» qu'en empruntant un tout petit pont enjambant un ruisseau qui mur-mure. Rempli d'émerveillement, le touriste ira déguster des plats fins dans un restaurant des plus agréables. Toutes les notabilités de Stolberg et, natu-rellement, les touristes de toutes parts se rassem-blent dans ce sympathique restaurant au décor rustique ou dans la brasserie à bière aménagée dans une vieille cave. A deux pas du «Burgkeller», Klaus et Marlis Mann ont fait construire le «Parkhotel am Hammerberg» meublé en style rustique. Il y a pis-cine et sauna, jardin et terrasse.

Klaus und Marlis Mann
Steinweg 22 · 5190 Stolberg ·
☎ Burgk. 0 24 02/2 72 72
☎ Parkh. 0 24 02/2 00 31

 Restaurant: 6 Mittag noon midi
 Restaurant geschlossen/ Parkhotel geöffnet Karneval
 53
 30

 50–80 DM
 90–130 DM

 15-40
 P

116

Romantik Hotel „Altes Brauhaus Burgkeller" mit Gästehaus „Parkhotel am Hammerberg"

Gelegen am Rande des Naturschutzparkes Nordeifel, 8 km von der alten Kaiserstadt Aachen entfernt.

Ausflüge nach Holland (Maastricht) und Belgien (Lüttich) oder in die Eifel, waldreiches Gebiet mit Talsperren, Seen und romantischen Bachläufen. Sowohl für den Naturfreund als auch für den Liebhaber historischer Sehenswürdigkeiten bieten sich eine Fülle von Möglichkeiten: Stadt Aachen (15 Automin.), Stadt Karls des Großen, historisches Rathaus, Dom mit Schatzkammer, Museen und Galerien, Sammlung Ludwig, City-Führung.

Für Sportbegeisterte: Ballonfahren, Segelfliegen, Surfen, Survival in der Eifel.

Unser Motto bei Ihrem Aufenthalt: Schlemmen im historischen Burgkeller, gelegen in der Altstadt unterhalb der Burg. Wohnen im Parkhotel am Hammerberg, ruhig gelegen mitten im Grünen, Hallenbad, Sauna, Liegewiese, Terrasse, Tennis, Rundwanderweg. Alle Zimmer Dusche/WC, Telefon, Farb-TV, Balkon.

Weekend 2 Personen Freitag bis Sonntag 390 DM (2 Nächte, Frühst., 1 Abendessen normal, 1 Romantik Menü). EZ-Zuschlag 20 DM pro Nacht oder 6 Nächte/2 Personen 895 DM (Übernachtung/Frühst./Halbpension).

Situated at the edge of the National Park Nordeifel, 8 km away from the old imperial town Aachen.

Excursions to the Netherlands (Maastricht) and Belgium (Liege), or into the Eifel, an area rich with forests, artificial and natural lakes and romantic creeks. Both nature-lovers and lovers of historical sights are offered a vast variety of possibilities: The town Aachen (15 minutes by car), residence of Charlemagne, historical town hall, cathedral with treasure chamber, museums and art galleries, Louis collection, city tour.

For sport enthusiasts: ballooning, gliding, surfing, survival training in the Eifel.

Our motto for your visit: Feasting in the historic castle dungeons, situated in the old town underneath the castle. Living in the Parkhotel at the Hammerberg, quiet location with green surroundings, indoor pool, sauna, lawn for sunbathing, terrace, tennis, foot paths. All rooms with shower/WC, telephone, colour TV set, balcony.

Weekend for two persons, Friday to Sunday 390 DM (two nights, breakfast, one normal supper, one Romantik dinner). Surcharge for single-room 20 DM per night, or six nights/2 persons 895 DM (overnight stays/breakfast/half-board).

Se trouve à la lisière du parc naturel du Nordeifel, à 8 km de la vieille ville impériale d'Aix-la-Chapelle.

Excursions en Hollande (Maastricht) et en Belgique (Liège) ou dans le massif de l'Eifel possibles. Région boisée comptant barrages, lacs et cours d'eau romantiques. Une pléiade d'attractions est offerte aux amoureux de la nature tout comme aux amateurs de curiosités touristiques: Aix-la-Chapelle (15 min en voiture), la ville de Charlemagne, l'hôtel de ville historique, la cathédrale et sa salle du trésor, les musées et les galeries, la collection Ludwig, la visite du centre ville.

Les sportifs peuvent s'adonner à la promenade en ballon, au vol à voile, au surf, aux exercices de survie dans le massif de l'Eifel.

Notre proposition pour votre séjour: Gastronomie dans l'historique «Burgkeller», située dans la vieille ville au pied du château. Hébergement dans le Parkhotel sur le Hammerberg, entouré d'un silence de verdure, piscine couverte, sauna, pelouse, terrasse, tennis, circuit pédestre. Toutes les chambres ont douche/WC, téléphone, télévision en couleur et balcon.

Week-end pour deux personnes, vendredi – dimanche, 390 DM (2 nuitées, petit déjeuner, 1 dîner standard, 1 repas spécial Romantik). Supplément pour chambre individuelle 20 DM par nuitée ou 6 nuitées/2 personnes 895 DM (hébergement/petit déjeuner/demi-pension).

Romantik Hotel
„Stryckhaus" · Willingen

Heinrich Vogeler (Mitbegründer der Worpsweder Künstlerkolonie – 1872–1942) erbaute 1912 das Haus im Stryck. Er schreibt dazu: „Wir machten eine Fußtour durchs Sauerland, um einen Platz für den Bau eines Sommerhauses zu finden. Wenn wir einen geeigneten Bauplatz gefunden haben, so lassen wir uns nieder, um die Landschaft von Sonnenaufgang bis Untergang zu erleben. Auf diese Weise bekommen wir den Eindruck, den wir benötigen, um das Haus so anzulegen, daß die Menschen dort glückliche Ruhestunden erleben können." Seit 1935 im Familienbesitz ist das Stryckhaus organisch gewachsen. Es bietet in privater Atmosphäre und bestem Komfort (Meer-, Süßwasser-, Wirbelbad, Sonnenbank, Massage, Friseur) ausgezeichnete Erholung für Individualisten.

Fam. Höhle
Mühlenkopfstraße
3542 Willingen-Stryck
☎ 056 32/60 33-5

Heinrich Vogeler (co-founder of the Worpsweder Artists Colony 1872 – 1942) built the house in 1912 in Stryck. He wrote about it: "We were on a walking tour through the Sauerland, looking for a place to build a summer holiday house. When we found a suitable plot, we settled down to see the countryside from sunrise to sunset. In this way we could discover how to situate the house so that people could spend happy restful hours there." The house has been in the family possession since 1935 and has been developed structurally. In an intimate atmosphere and with every comfort (sea-, freshwater- and whirlpool baths, solar couch, massage, hairdresser), it offers complete recuperation for individualists.

Heinrich Vogeler (co-fondateur de la Colonie d'artistes de Worpswede – 1872–1942) construisit cette maison dans le Stryck en 1912. Il écrit à ce sujet: »Nous fîmes une randonnée à pied à travers le Sauerland pour y trouver un emplacement où construire une résidence d'été. Lorsque nous avons trouvé une place qui convient pour une telle construction, nous nous y arrêtons, pour vivre le paysage du lever du soleil jusqu'au coucher du soleil. C'est ainsi que nous gagnons les impressions dont nous avons besoin pour concevoir la maison de telle sorte que les hommes puissent vivre là des heures heureuses de repos«. En possession de la même famille depuis 1935, le »Stryckhaus« s'est agrandi organiquement. Il offre aux individualistes, dans une atmosphère privée et d'excellent confort (piscine d'eau de mer et d'eau douce, à tourbillons, banc d'ensoleillement, massage, coiffeur) une possibilité tout à fait remarquable de se reposer.

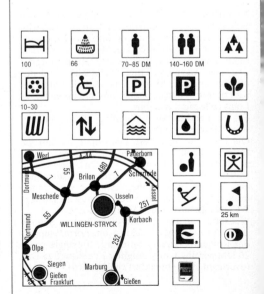

Romantik Hotel „Stryckhaus" · Willingen

Kurzurlaub im Sauerland

3 Tage entspannen, wandern, Besichtigung des Schieferbergwerkes, Kutschfahrten im Sommer bzw. Schlittenfahrten im Winter in herrlicher Luft und Landschaft.
Do – So inkl. Mittag- und Abendessen, Begrüßungs-Cocktail und Romantik Menü 350 DM pro Person.

Sommer im Sauerland für die ganze Familie

In den Sommerferien bieten wir ein spezielles Familienprogramm, bei dem sich die Eltern erholen können und wir die Kinder mit Planwagenfahrten, Wildbeobachtungen, Besuch der Karl-May-Festspiele in Elspe und Ausflüge nach »Fort Fun« in Gevelinghausen betreuen.
Spezielle Kinderpreise:

bis 6 Jahre	frei
6 bis 12 Jahre	150,– DM
ab 12 Jahre	300,- DM
Eltern p. Pers.	700,– DM
pro Woche	

Im Winter finden Langlaufkurse statt

Short holiday in Sauerland

3 days of relaxation, hiking, visiting the mountain schist mine, coach rides in summer and sleigh-rides in winter in the refreshing air and beautiful landscape.
Thursday – Sunday including lunch and dinner, welcome cocktail, and Romantic menu, DM 350,00 each.

Summer in Sauerland for the whole family

During summer holidays we offer a special family programme which will give the parents a chance to recuperate, and we will take care of the kids with rides in covered wagons, wildlife observation, a visit to the Karl May festival in Elspe and excursions to "Fort Fun" in Gevelinghausen.
Special prices for children:

up to 6 years	free
6 to 12 years	DM 150.00
from 12 years	DM 300.00
parents, each	DM 700,–
per week	

In winter there is cross-country skiing instruction
Riding in a covered wagon at Bentheim.

Minivacances dans le Sauerland

3 jours de repos et de promenade, visite de la mine d'ardoise, promenade en calèche en été ou en traîneau en hiver dans un paysage magnifique où l'air est sain.
Du jeudi au dimanche, y compris déjeuner et dîner, cocktail de bienvenue et menu spécial Romantik 350,00 DM par personne.

Eté en famille dans le Sauerland

Pendant les vacances d'été, nous proposons un séjour familial spécial où les parents peuvent se reposer, nous laissant le soin d'accompagner leurs enfants aux promenades en calèches fermées, aux observations d'animaux sauvages, à la visite du festival Karl May à Elspe et aux excursions au «Fort Fun» à Gevelinghausen.
Prix spéciaux pour enfants:

moins de 6 ans	gratuit
6 – 12 ans	150,00 DM
12 ans et plus	300,00 DM
Parents, par personne et par semaine	700,00 DM

Des cours de ski de fond sont donnés en hiver

Romantik Hotel
„Alte Vogtei" · Hamm/Sieg

In dem kleinen Ort Hamm an der Sieg, im Westerwald, finden Sie auffallend und einladend das Hotel »Alte Vogtei«. In diesem alten Fachwerkhaus von 1648, das der Wortelkamp-Familie gehört, spürt man das Gewachsene! –
Uhren, Truhen, Schränke, Öfen, Stiche und Hausrat aller Art stehen für Zeit und Vergangenheit. Räume in angenehmem Größenwechsel lassen »Romantisches« empfinden. Die Echtheit der komfortablen Gästezimmer im Fachwerkhaus setzt sich fort im neuen Teil des Hauses mit schönem Blick auf den Wiesengarten. Während sich Frau Wortelkamp in ihrer charmanten Art um die Gäste kümmert, steht ihr Mann dem Küchenbereich vor. Mit der Saison wechselnde landschaftsbezogene Gerichte sowie die leichte Küche machen den Reiz der Karte aus.

In the small town of Hamm on the river Sieg, right in the middle of the Westerwald, you will find a real gem of an hotel, the "Alte Vogtei" belonging to the Wortelkamp family. In this old half-timbered house a rare sort of hostelry awaits you. The low guest rooms, full of wonderful antiques, give the hotel the appearance of a family home. While Frau Wortelkamp attentively takes care of her guests in a charming manner, her husband looks after the kitchen and has specialised in local Westerwald dishes which he produces in a masterly way. Besides a few small but cosy rooms in the old part of the house, there are a number of spacious rooms in the new building with a pleasant view over the garden.

Fam. Wortelkamp
5249 Hamm a. d. Sieg
☎ 0 26 82/2 59

Dans cette petite ville de Hamm, sur la rivière de Sieg, au cœur de la Westphalie se cache un petit joyau, l'hôtel «Alte Vogtei» appartenant à la famille Wortelkamp. Dans cette vieille maison à colombages où est né le fondateur de l'Association de la Raiffeisen, le touriste se laissera facilement séduire par les spécialités locales, très fines et préparées avec amour. Les salons, très bas de plafonds, sont remplis de très belles antiquités et sont tellement accueillants que vous oubliez être dans un hôtel.
Pendant que Mme Wortelkamp prévenante, accueille ses hôtes et leur donne des conseils avisés, le maître de maison est à ses fourneaux en train de mijoter de bons plats pour le bien-être de ses clients. Il s'est particulièrement voué aux spécialités de la cuisine westphalienne. Vrais délices chez lui.

3 Wochen in den Sommerferien

30 12 3 58 DM 106 DM

20

25 km

Romantik Hotel „Alte Vogtei" · Hamm/Sieg

Wandern, Erholen, Genießen im Westerwald

Suchen Sie ein vom Massentourismus verschont gebliebenes Fleckchen Mittelgebirgs-Landschaft mitten in Deutschland, dann sind Sie im Westerwald richtig! Das zum Wandern, Autowandern und Schauen einladende Ländchen zwischen Rhein, Lahn, Dill und Sieg; mit großem Wald-Naturbad, seinen alten Schlössern, Burgen, Orten und Klöstern, seinen sanften Hügeln und stillen Tälern, mit fischreichen Flüssen und der »Westerwälder-Seenplatte« – womit wir schon »beim Essen sind«.

Das wird »groß« geschrieben in der »Alten Vogtei«. Hier werden frische heimische Produkte verwendet wie Schleien, Karpfen, Forellen, Wels, Aal und Krebse. Die Palette wird natürlich auch mit Deftigem, mit Wild, Lamm und Geflügel bereichert. Pasteten und auch die süßen Gaumenfreuden kommen nicht zu kurz. Das wird in familiärer Atmosphäre serviert und mit einem heimischen Pils oder einem guten Tropfen der nahegelegenen Rhein-, Mosel-, Ahr- oder Naheweine bereichert.

58,– DM EZ, 106,– DM DZ im Komfortzimmer mit Minibar, Fernsehen, Telefon, Loggia und Romantik Frühstück ist sicherlich ein recht attraktiver Preis in einem Haus, wo man noch »Romantisches« empfinden kann und Erholung hat. Im Winter geben wir Ihnen gern Auskunft über Loipen und Skipistenzustand.

Hike, recuperate, enjoy yourself in Westerwald

If you are looking for a spot in the highlands of Middle Germany which is unaffected by mass tourism, then you have found the right spot in Westerwald! The area surrounded by the Rhine, Lahn, Dill and Sieg invites you to hike, make car trips and watch, it has a large natural pool in the forest, old castles, fortresses, villages, cloisters, gentle hills and quiet valleys, rivers which are rich on fish and the "Westerwald see-food platter" – which brings us to the "dinner table".

We are highly recommended in the "Alten Vogtei". Here we use fresh local products like tench, carp, trout, catfish, eel and crayfish. Naturally, the palette is enriched with plain food, game, lamb and poultry. Pâtés and delicacies for the sweet tooth certainly are not left out either. The food is served in a family-like atmosphere and is enriched with a local beer or a good drop of the near-by Rhine, Moselle, Ahr or local wine.

58,– DM EZ, 106,– DM DZ each for a comfortable room with mini-bar, TV, phone, loggia and Romantic breakfast is certainly an attractive price in a house which still has a "romantic" feel and where you can recuperate. In winter we will be glad to give you information about ski areas and slope conditions.

Promenade, repos et distractions dans le massif de la Westerwald

Si vous cherchez un petit recoin des Mittelgebirge, au centre de l'Allemagne, que le tourisme de masse n'a pas encore touché, la massif de la Westerwald répond à vos espérances. Cette contrée entre le Rhin, la Lahn, la Dill et la Sieg invite à la promenade, au tourisme en voiture et à la découverte avec sa piscine découverte au coeur de la forêt, ses vieux châteaux, ses forteresses, ses localités et ses cloîtres, ses douces collines et ses calmes vallées, ses eaux poissonneuses et son «assiette de poissons à la Westerwaldoise» ce qui nous conduit «à table».

«La table» est inscrite en lettres d'or dans le restaurant «Alte Vogtei». On y prépare les produits frais locaux que sont tanches, carpes, truites, silures, anguilles et écrevisses. Il va de soi que plats consistants, gibier, agneau et volailles complètent les menus. Les pâtés et les délicatesses culinaires ne manquent pas non plus. Le service se fait dans un climat familial, le tout accompagné d'une bière locale ou d'un petit verre d'un vin du Rhin, de Moselle, de la Ahr (ces vignobles sont proches) ou d'un vin de la Nahe.

58,– DM EZ, 106,– DM DZ par personne en chambre tout confort, avec minibar, télévision, téléphone, loggia et petit déjeuner spécial Romantik, un prix certainement intéressant pour une cadre invitant au romantisme et permettant de se reposer. En hiver, nous nous faisons un plaisir de vous communiquer l'état des pistes de fond et de descente.

Romantik Hotel
„Zum Stern" · Bad Hersfeld

Der „Stern" liegt in der wunderschön restaurierten Altstadt in der sehr schönen Fußgängerzone. Das Gebäude ist über 500 Jahre alt, die Konzession wurde bereits 1411 erteilt und die Säule im Restaurant besteht aus 1000jährigem Holz. Die Zimmer im alten Teil sind liebevoll im alten Stil renoviert, während im Neubau, in dem sich auch das Schwimmbad befindet, moderne und gemütliche Zimmer zur Verfügung stehen. Ganz unvermutet werden Sie auch eine große Liegewiese entdecken und wichtiger noch, Sie werden überrascht sein, wie ruhig der „Stern" mitten in der Stadt liegt. Die Küche des Hauses hat einen sehr guten Ruf und bietet insbesondere Spezialitäten der Region. Hessische Kräuter aus dem eigenen Hausgärtchen gibt es immer, sogar schon morgens zum Frühstücksquark.

Bad Hersfeld ist ein Kurort für Leber-, Galle- und Magenkranke, wobei auch die waldreiche Umgebung von Bad Hersfeld zum Kurerfolg beiträgt. Nicht nur für Kranke sondern auch für Urlauber ist Bad Hersfeld ein schönes Domizil und so mancher Gast, der von Nord nach Süd reiste, hat im „Stern" in Bad Hersfeld schon Station gemacht.

Bad Hersfeld is a spa-town and well known for its festival, which takes place in the old castle ruin in July. The town is situated in pleasant wooded surroundings which offer walking, riding and many other outdoor activities. Especially interesting are excursions to Fulda, Alsfeld and Schlitz – historic towns full of charm and character. The "Stern" belonged to the Benedictine monastery and was used for secular guests who were not allowed to stay in the monastery itself. Many rooms bear the names of famous visitors. The cuisine of the hotel has a high reputation and offers many specialities of the region. A few years ago a new annexe was built, with all modern comforts including a swimming pool and you can now choose between historic and modern bedrooms. You will be amazed how quiet a hotel located in the city centre can be.

Bad Hersfeld est renommée en tant que station thermale et pour son festival de juillet très fréquenté, tenu dans le cadre du vieux prieuré. La ville est située au milieu de massifs forestiers vous invitant à des promenades à pied, à cheval ou en calèche. Il ne faut surtout pas manquer d'aller visiter les villes Fulda, Alsfeld et Schlitz qui ont su conserver, comme Bad Hersfeld, leur caractère historique. Le «Stern» fut autrefois une auberge de l'abbaye bénédictine aménagée pour les notabilités ne désirant pas passer la nuit dans les murs du couvent. Les noms de chambres sont encore aujourd'hui un vivant témoignage de ces nobles personnages ayant séjourné dans cette maison. La cuisine du «Stern» est renommée et sa carte vous offre des spécialités locales qu'il faut goûter à tout prix. Il y a quelques années, une aile moderne avec piscine a été annexée à la vieille demeure, ce qui permet au voyageur de choisir entre une chambre moderne ou une chambre ancienne pleine d'histoire. Si vous doutez de la tranquillité des chambres – l'hôtel étant situé en plein centre de la ville – venez vous en convaincre vous-même.

W. Kniese
Linggplatz 11 · 6430 Bad Hersfeld
☎ 0 66 21/7 20 07

 5   3 Wochen Anfang Januar

 48   34   62 – 75 DM   100 –150 DM

 80   P   P

122

Romantik Hotel „Zum Stern" · Bad Hersfeld

Ein märchenhaftes Wochenende in Bad Hersfeld

Das Romantik Hotel »Zum Stern« in der historischen Kurstadt Bad Hersfeld, nur eine gute Autostunde von Frankfurt entfernt, möchte seinen Gästen im Geburtsjahr der Gebrüder Grimm ein »märchenhaftes Wochenende« anbieten.

Dies beginnt am Freitag abend mit einem Willkommenstrunk und einem »Tischlein-Deck-Dich«-Menü. Am Samstag fahren Sie dann mit Ihrem Wagen ins »Rotkäppchenland« in die Schwalm. Natürlich erhalten Sie einen »Rotkäppchen-Korb« mit auf die Reise, gefüllt mit Wein und Brot, Schinken und Käse, doch sollten Sie darauf achten, daß kein böser Wolf Sie vom Wege abbringt. In der Stadt Lauterbach gibt es auch eine Töpferei. Wenn Sie die besuchen, steht ein Schnäpschen für Sie bereit. Am Abend wird Ihnen dann ein »Gebrüder Grimm Menü« serviert, das mit einem »Dornröschen Dessert« abschließt.

Danach vielleicht noch einen Schlummertrunk bevor Sie dann in den »Frau Holle«-Betten einen himmlischen Schlaf genießen. Am nächsten Morgen werden Sie (evtl. durch einen Prinzen oder eine Prinzessin) geweckt. Das Hallenbad bietet sich für einige Schwimmrunden an und wer weiß, vielleicht wird man, naß wie ein Frosch, durch einen Kuß zum Prinzen?! Frau Holle war in den Bergen des Kaufunger Waldes zu Hause und im Gebrüder Grimm Museum in Kassel kann man alle Märchen nachvollziehen, ein gutes Ausflugsziel von Bad Hersfeld für den Sonntag.

Dieses »märchenhafte Wochenende« kostet von Freitag bis Sonntag einschließlich Willkommenstrunk, »Tischlein-Deck-Dich-Menü«, Rotkäppchen-Korb, »Gebrüder Grimm Menü« mit Wein, zwei Übernachtungen in »Frau Holle«-Betten pro Person 275,– DM. Kein Zuschlag für Einzelzimmer.

Wer erst am Montag morgen heimreist, der erhält einen märchenhaften Preis für die Nacht von Sonntag auf Montag, denn er zahlt nur 25,– DM für die Übernachtung pro Person!

Und das ist nicht gelogen.

Mitten im Herzen Deutschlands in der Barockstadt Fulda liegt das Romantik Hotel »Goldener Karpfen«. Fulda hat ein einzigartiges, geschlossenes Barockviertel und liegt direkt an der Autobahn Hamburg – München in der wunderschönen Landschaft zwischen Rhön und Vogelsberg.

In den letzten Jahren wurden umfangreiche Neu- und Umbauten am »Goldenen Karpfen« vorgenommen, so daß das Hotel heute allen hohen Ansprüchen gerecht wird, ohne daß jedoch die gediegene, warme, freundliche Atmosphäre verloren ging. Die großzügig eingerichteten Gästezimmer und Appartments laden auch zu längerem Verweilen ein – Fitnessraum und Sauna sorgen dabei für Abwechslung.

In den Restauranträumen umfängt Sie eine Atmosphäre gemütlicher Gastlichkeit. Kulinarisch verwöhnt Sie der Küchenchef mit Gerichten aus frischen Produkten der Saison, die begleitet werden von guten Tropfen aus dem wohlbestückten Weinkeller mit Gewächsen aus allen bekannten Weinanbaugebieten.

In the hearth of Germany in the baroque town of Fulda lies the Romantik Hotel "Goldener Karpfen". Fulda has a unique enclosed baroque quarter and lies directly on the Hamburg – Münich motorway in beautiful country between Rhön and Vogelsberg. In recent years the "Goldener Karpfen" has undergone extensive new and rebuilding, so that the hotel can now cater for the most exacting tastes, without however losing its genuine warm and friendly atmosphere.

The well-appointed guest rooms and apartments encourage one to stay a while – a fitness room and sauna help to pass the time.

In the restaurants you will find an atmosphere of comfortable hospitality. On the culinary side the chef spoils you with dishes of fresh produce in season, accompanied by good wines from the well stocked cellar with growths from all the well known wine regions.

C'est au cœur de l'Allemagne que se trouve l'Hôtel Romantik «Goldener Karpfen» (La Carpe d'Or), dans la ville baroque de Fulda. Fulda, située dans un magnifique paysage entre les massifs anciens du Vogelsberg et de la Rhön, possède tout un quartier de style baroque unique en son genre. La ville est en outre desservie directement par l'autoroute Hambourgh – Munich. Au cours de ces dernières années, le «Goldener Karpfen» entreprit de vastes modifications et améliorations de ses bâtiments si bien que l'Hôtel peut aujourd'hui donner satisfac-

tion à ses hôtes même les plus exigeants, tout en gardant son atmosphère paisible, amicale, chaleureuse. Il est agréable de séjourner même assez longtemps dans les appartements et chambres d'hôtes noblement aménagés et de se distraire pour garder la forme dans la salle de fitness et sauna.

Dans les salles du restaurant, vous sentirez aussi l'atmosphère bienfaisante de l'hospitalité. Le chef-cuisinier veille à votre bien-être au point de vue culinaire en vous gâtant avec des mets frais de saison accompagnés des bonnes bouteilles de la cave, provenant de tous les terroirs connus.

Geschwister Tünsmeyer
Simpliciusplatz 1
6400 Fulda
☎ 06 61 / 7 00 44 · Telex 1 766 192

24.12.–10.1.   120   51   85–110 DM   110–180 DM

10–100   im Rest.

Romantik Hotel „Goldener Karpfen" · Fulda

Romantik Wochenende in der Barockstadt Fulda

Genießen Sie neben Kunst und Natur die erholsame und anregende Atmosphäre eines liebevoll geführten Romantik Hotels, in dem man es sich zur Aufgabe gemacht hat, den Gast rundherum zu verwöhnen.

Um nur einige der Attraktionen der Stadt und Region für ein Erlebniswochenende zu erwähnen:
Stadtbesichtigung, Deutsches Feuerwehrmuseum, Heimatmuseum, Landesbibliothek mit ältesten deutschen Schriften, Barockschloß Fasanerie, Rhönrundfahrt, Wasserkuppe mit Segelfliegerschule, Besichtigung der Zonengrenze.

Viele Wandermöglichkeiten in der Rhön – in der Winterzeit mit Lang- und Abfahrtsskilaufen.

Theater-, Konzert-, Operettenbesuche arrangieren wir in der Saison auf Anfrage gerne.

Der Preis für das Wochenende beträgt 250 DM im Doppelzimmer und 295 DM im Einzelzimmer pro Person, inklusive aller oben genannten Leistungen. Kinder bis 12 Jahre 50 %. Wir freuen uns auf Ihren Besuch!

Unser besonderes Angebot:

Freitag:
Anreise ganz nach Belieben. Ein Begrüßungscocktail erwartet Sie! Vielleicht bleibt noch ein wenig Zeit für einen ersten Rundgang durch das barocke Fulda. Um die Stadt auch kulinarisch kennenzulernen, steht ein Abendessen mit regionalen Spezialitäten auf dem Programm.

Samstag:
Der Tag beginnt mit einem reichhaltigen Frühstücksbuffet. Sie können den Samstag ganz nach Ihren Wünschen gestalten. Fulda und Umgebung bieten ja so manch Interessantes. Wir geben Ihnen gerne Tips und Anregungen. Zum Abschluß eines erlebnisreichen Tages haben wir für Sie ein Überraschungs-Schlemmermenü zusammengestellt.

Sonntag:
Genießen Sie noch einmal unser Frühstücksbuffet, lesen Sie in Ruhe die Sonntagszeitung und machen Sie einen letzten Spaziergang durch die Altstadt.

Romantik Restaurant
„Weinhaus Sankt Peter" · Walporzheim/Ahr

Im romantischen Ahrtal, 15 Minuten von Bonn und 25 Minuten von Koblenz entfernt, liegt der idyllische Weinort Walporzheim mit dem altehrwürdigen »Weinhaus St. Peter«. Schon im 6. Jahrhundert urkundlich erwähnt, wurde es im Jahre 1246 zum Ursprunghaus der heutigen Weingüter und Sektkellereien »Zum Domherrenhof« der Familie Brogsitter. In Brogsitters Romantikrestaurant Weinhaus St. Peter wird der Gast von einer 13köpfigen Küchenbrigade mit den erlesensten Speisen einer exzellenten, tagesfrischen Küche verwöhnt. Hier findet der anspruchsvolle Gast aber auch das besondere kulinarische Angebot der typischen Ahrküche, verfeinert mit den Kräutern aus dem eigenen Kräutergarten.

Unter der Vielfalt der erlesenen Weine und Sekte, die das angeschlossene Weingut »Zum Domherrenhof« zu bieten hat, kann der Gast nach seinem persönlichen Geschmack auswählen und sich in der romantischen Atmosphäre des Kaminzimmers oder der »Weinkirche« alle seine Schlemmerwünsche erfüllen lassen. »St. Peter«, das älteste Gasthaus an der Ahr, ist heute regelmäßiger Treffpunkt Bonner Diplomaten und Spitzenpolitiker sowie häufiger Schauplatz internationaler Empfänge.

In the romantic Ahr Valley between Bonn and Koblenz lies the picturesque wine village of Walporzheim with the venerable Weinhaus "Sankt Peter". The house was first mentioned in documents in the year 600 as a Franconian homestead in royal possession.

Culture and hospitality combine here to create a place with an international atmosphere.

In the oldest guest house you will find something for every taste, whether it be a homely supper or a banquet for the most discriminating gourmet. The house offers various attractive rooms for every occasion from a wedding breakfast to a diplomatic reception.

Belonging to the restaurant there is a vineyard and a Sekt cellar "Zum Domherrenhof". The cellar offers wines from the best locations in the Ahr and the classic German areas, specialising in dry growths. The only Sekt cellar in the Ahr produces the famous red Sekt "Sankt Peter" – semy-dry, and quite new in Germany, VERY DRY red Sekt. Please ask to see, without obligation, the extensive list of wines and Sekt, or have it sent. You can also take a few bottles with you.

Dans la romantique Vallée de l'Ahr entre Bonn et Coblence, se trouve Walporzheim, idyllique village vinicole avec le vénérable commerce de vins et taverne «Sankt Peter». Dès l'an 600, des documents attestent de l'existence de ce cette maison, alors métairie franconienne appartenant au roi.

Aujourd'hui, culture et hospitalité s'unissent dans ce lieu où règne une atmosphère internationale.

Dans l'auberge la plus ancienne, il y a pour satisfaire tous les goûts, de l'assiette campagnarde au repas pour gourmet le plus exigeant. Le «Sankt Peter» possède de nombreuses salles, lieux de rencontre pour toutes les circonstances allant des fêtes de mariage aux réceptions diplomatiques.

Une cave à vins et à spiritueux, le «Zum Domherrenhof» est rattachée au restaurant. Cette cave recèle des vins des meilleurs crus de l'Ahr et d'autres régions vinicoles d'Allemagne, en particulier des vins secs. C'est dans cette cave à spiritueux unique dans la région que naissent le célèbre mousseux rouge «Sankt Peter» – demi-sec - et, fait nouveau en Allemagne, un mousseux rouge TRES SEC. Demandez-nous donc de vous envoyer – sans obligation de votre part bien sûr-, la riche carte des vins et spiritueux de la Maison. Vous pouvez aussi emporter tout de suite quelques bouteilles.

H. J. Brogsitter
Walporzheimer Straße 134 (B 267)
5483 Walporzheim/Bad Neuenahr-Ahrweiler
☎ 02641/34031–34

Mitte Dez. bis Ende Febr.

10–30

10 km

SUCHEN SIE VIELLEICHT MICH?

Ferienkate in Koppelheck/Ostsee

Ich bin eine alte Strohdachkate und habe wohl schon so 200 Jahre auf dem Buckel. Vor zwei Jahren hat mich die Familie Diekmann entdeckt und war offensichtlich ganz verliebt in meine alten Gemäuer (das müssen wohl Romantiker sein!).

Auf jeden Fall haben sie mich schön herausgeputzt, alles bestens renoviert, meine Innereien wie Heizung und Sanitäreinrichtungen erneuert, kurz, ich fühle mich wie neu geboren. Dabei haben sie mir meinen alten Charme – Entschuldigung, wenn ich etwas eitel bin – gelassen. Und auch mein schöner alter Garten mit über 1400 qm ist so geblieben, wie ich ihn liebe.

Schöne alte Möbel, moderne Küche, gemütliche Schlafzimmer und eine Kuschelecke unterm Dach, was will man mehr.

Warum ich Ihnen dies alles erzähle? Nun, Diekmann's haben es nicht nur für sich getan, sondern auch für Sie!

Ja, Sie können mich mieten, und das nicht nur zur Sommerszeit, nein auch, wenn's draußen stürmt und schneit. Ich glaube ohne Übertreibung sagen zu können: Je ungemütlicher es draußen ist, um so gemütlicher habe ich es hier drinnen. Oder sitzt es sich am offenen Kamin etwa nicht gemütlich?

Es versteht sich von selbst, daß Sie weder Bettwäsche noch Handtücher mitnehmen müssen, wenn Sie zu mir kommen. Auch habe ich für Sie Fahrräder bereit, denn die Landschaft Angeln's ist zum Radfahren wie geschaffen.

Ach ja, Sie wissen ja noch gar nicht, wo ich wohne. Nun, das ist an der Geltinger Bucht zwischen Schleswig und Flensburg. Wer mehr über mich wissen will, der schreibe bitte an Romantik Reisen, Postfach 1144, D–8757 Karlstein, Telefon (06188) 6891.

Übrigens! Wenn Sie selbst Besitzer eines so schönen historischen Häuschens sind, und auch nichts dagegen haben, wenn nette Menschen es für kurze Zeit mieten möchten, um sich zu erholen, dann schreiben Sie doch auch und schicken Fotos von Ihrem Häuschen. Ich würde mich freuen, wenn ich Sie im Club von »Gitta's Landhäuser« begrüßen dürfte.

Ihre Kate in Koppelheck.

Romantik Hotel
„Zum Alten Brauhaus" · Dudeldorf

23

Wenn man durch die Eifel in das kleine mittelalterliche, ehemalige Luxemburger Städtchen Dudeldorf kommt, vermutet man hier wirklich kein anspruchsvolles Hotel. Um so mehr ist man überrascht, wenn man das „Alte Brauhaus" gefunden hat.

Das Haus ist schon seit Generationen im Familienbesitz. 1836 wurde hier – neben einer großen Landwirtschaft – Bier gebraut. Zusätzliche Bedeutung erhielt das Haus als Postrelaisstation. Im alten Gärkeller lagern heute neben Bier auch Weine und gute Kredenzen der nahen Mosel, Luxemburg und Frankreich.

An das Haus schließt sich ein Garten mit Pavillon aus der napoleonischen Zeit an. Die unterschiedlich hübsch gestalteten Gästezimmer passen zum sympatisch schlichten alten Eifeler Stil des Hauses. Wurst, Marmeladen, Kuchen und Gebäck werden hier noch nach alten Hausrezepten hergestellt. Familienporträts und einige feine Erbstücke geben den Hotel-Etagen die besondere Note.

Während sich der Junior, der übrigens im „Erbprinz" in Ettlingen seine Kochkenntnisse vertiefte, um Haus und Küche kümmert, betreut Frau Servatius ihre Gäste in angenehmer Weise.

When you come through the Eifel to the tiny, mediaeval former Luxembourg village of Dudeldorf, you do not expect to find an impressive hotel. It is all the more surprising to come across the "Alte Brauhaus".

The house has been in the family for generations. In 1836, beside a large farmstead, beer was brewed here. The house was also important as a coaching stage. Nowadays in the old brewing cellar, alongside the beer, there are also wines and specialities from the nearby Moselle, Luxembourg and France.

Adjoining the house there is a garden with a pavillon dating from Napoleonic times. The various attractively furnished rooms are in keeping with the pleasant, homely Eifel style of the house. Sausages, jams, cakes and pastries are made according to old family recipes. Family portraits and several fine heirlooms lend a distinctive atmosphere to the hotel passages.

Whilst the son, who incidentally gained his culinary knowledge at the "Erbprinz" in Ettlingen, takes care of the house and kitchen, Frau Servatius looks after the guests in her warmhearted manner.

Lorsqu'en traversant le Massif de l'Eifel on arrive à Dudeldorf, petite ville médiévale jadis luxembourgeoise, on ne s'attend guère à y trouver un bon hôtel. Vous serez d'autant plus agréablement surpris quand vous aurez trouvé l'«Alte Brauhaus».

Cet établissement est propriété familiale depuis des générations. En 1836, on commençait à brasser de la bière dans cet important domaine agricole qui prit encore plus d'importance lorsqu'il devint relais de poste. Dans la vieille cave où on mettait jadis la bière en levain, reposent aujourd'hui bière, vins et grands crus de la Moselle voisine, du Luxembourg et de France.

Attenant à la maison se trouve un jardin avec pavillon datant de l'époque napoléonienne. Les chambres d'hôtes, en partie joliment aménagées, vont bien avec le style d'une simplicité sympathique typique de l'ancienne Eifel. On y produit encore selon d'anciennes recettes de la Maison, charcuteries, gâteaux et pâtisserie. Des portraits de famille et quelques beaux meubles ou objets hérités donnent aux étages de l'hôtel une note particulière.

Pendant que M. Servatius jun., qui du reste perfectionna ses connaissances en cuisine au célèbre «Erbprinz» d'Ettlingen, s'occupe de la Maison et de la cuisine, Mme Servatius elle s'occupe de ses hôtes de manière avenante.

M. Servatius
5521 Dudeldorf
☎ 0 65 65/22 08

3 Restaurant   10.1.–30.1. 85

34   17   50–60 DM   90–100 DM

60 Pers.

Romantik Hotel Schwan

D-6227 OESTRICH-WINKEL 1 b. Rüdesheim, Tel. 0 67 23 / 30 01, Telex 4 2 146

Romantik Rhein-Tour

Erleben Sie zwei herrliche Schlemmer-Tage im ROMANTIK HOTEL SCHWAN mit einer Rheindampferfahrt zur Loreley – vorbei an Burgen und Schlössern. Weinprobe im historischen Keller und Taxirundfahrt zu den bekannten Weingütern Kloster Eberbach, Schloß Johannisberg und Schloß Vollrads sind eingeschlossen. **Gesamtpreis DM 410,–**

Enjoy two very pleasent days as a gourmet at the ROMANTIC HOTEL SCHWAN with a cruise to the Loreley and many old castles. (You will find yourself back in History.) Wine tastings and a taxi round trip to the wellknown wine estates Kloster Eberbach, Schloß Johannisberg and Schloß Vollrads are included. **Total package DM 410,–**

Venez vivre deux jours merveilleux comme gourmet à l'Hôtel Schwan avec une croisière sur le Rhin vers la fameuse Loreley, ses grand châteaux et ses forteresses du moyen âge. Sont inclus dans le prix une dégustation dans nos caves, un tour en taxi pour voir les grandes domaines de vignes, le cloître d'Eberbach, le Château Johannisberg, et le Château de Vollrads. **Prix complèt: DM 410,–**

Romantik Hotel „Schwan" · Oestrich (Rüdesheim)

Die Geschichte des „Schwan" geht bis 1628 zurück. In diesem romantischen Hotel, das seine eigenen Weinberge hat, wird auf kultivierten Wein großen Wert gelegt. Weinproben werden in den Weinkellern abgehalten; wo es noch alte Eichenfässer gibt. Die Spezialitäten der Küche sind frischer Spargel im Frühjahr sowie Schnecken und Wild. Von der großen Terrasse hat man einen schönen Blick auf den Rhein. Das Hotel veranstaltet Zweitages-Rheintouren mit Weinprobe, einer Fahrt durch die Rheingauer Weinberge, einer Bootsfahrt auf der schönsten Strecke des Rheins, die mit einem Kerzenlicht-Dinner im Romantik Hotel „Schwan" enden.

The history of the "Schwan" goes back to 1628. In this romantic hotel, which owns its own vineyards, emphasis is placed on cultivated wines. Wine tasting sessions are held in the cellars where old oak casks are stored. The kitchen's specialities are fresh asparagus in the spring, also snails and game. There is a pleasant view of the Rhine from the large terrace. The hotel will arrange a two-day "Romantic Rhine Tour"; this includes wine tasting, a drive through the Rheingau vineyards, a boat trip on the most beautiful stretch of the Rhine, and ends with a candlelight dinner in the Romantik Hotel "Schwan".

L'histoire du «Schwan» remonte à 1628. Dans cet Hôtel Romantik au bord du Rhin, qui possède ses propres vignobles, on attache beaucoup d'importance aux vins de qualité. Des dégustations ont lieu dans le cellier où reposent de vieux fûts de chêne. Les spécialités de la cuisine sont, au printemps, les asperges fraîches, en outre, les escargots et le gibier. De la grande terrasse on peut profiter de la vue sur le Rhin. L'hôtel organise un «Romantische Rheintour» de deux jours. Il comprend une dégustation, un circuit à travers les vignobles du Rheingau, un tour en bateau sur l'un des parcours les plus beaux du Rhin et se termine par un dîner aux chandelles à l'hôtel «Schwan».

Dr. W. Wenckstern
Rheinalle 5/7
6227 Oestrich/Winkel 1 (Rüdesheim)
☎ 0 67 23/30 01 · Telex 4 2 146

1. 12.- 28. 2.	120	67	80 –115 DM	160 – 220 DM
100	4		Gartenterrasse	
			im Neubau	

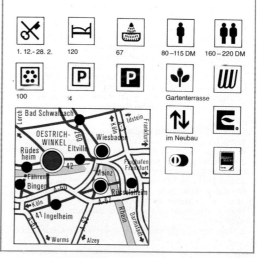

Romantik Hotel
„Fasanerie" · Zweibrücken

Einer königlichen Laune verdankt das Haus seine Lage:
Der Polenkönig Stanislaus Lesczynski erhielt durch Karl
den XII. von Schweden 1714 Asyl in der Herzogstadt
Zweibrücken. Er erbaute sich am Rande der Stadt in-
mitten eines herrlichen Parkes ein Schloß, auf dessen
Grundmauern die heutige Fasanerie steht. Wo einst ein
König Gast sein mochte, da ist heute der Gast König.
Geführt von Friedwolf Liebold und seiner zauberhaften
Gattin wird dieses Haus seinem Motto: »Kultivierte Gast-
lichkeit in schöner Natur« gerecht.
Umgeben von einem Wildrosengarten mit 600 vorwie-
gend historischen Sorten, von sprudelnden Quellen,
altem Mischwald, Obstbäumen und Wiesen wird Ruhe,
Erholung und Entspannung zu jeder Jahreszeit groß geschrieben. Das hoteleigene Hallenbad mit Türkischer
Dampfsauna, Finnischer Sauna, Whirlpool, Sonnenliege
und einem Freibewegungsraum, unter 350 Jahre alten
Eichen gelegen, ebenso wie das Kneippbecken und der
Trimmweg vor der Türe bieten Möglichkeiten zur sportlichen Betätigung. Reiterfreunde werden gerne zum traditionsreichen Zweibrücker Landgestüt vermittelt, ebenso
sind Tennisplätze im Freien und in der Halle nur 300 m
entfernt. Golfbegeisterte finden eine wunderschöne An-
lage am Katharinenhof ca. 25 Kilometer vom Hotel.

The Hotel owes its position to a King's whim. In 1714
Charles 12th of Sweden granted refuge in the Ducal town
of Zweibrücken to the King of Poland, Stanislaus Les-
zynski. He built for himself on the edge of the town in the
middle of a magnificent park a residence on whose foun-
dation walls the present Fasanerie (= Pheasantry) stands.
Where once a king might be a guest, today the guest is
king. Managed by Friedwolf Liebold and his enchanting
wife, this Hotel lives up to its motto: "Cultured hospitality
in a natural setting".
Surrounded by a wild rose garden with 600 mainly
historical varieties, by bubbling springs, ancient mixed
forest, fruit trees and meadows, at all seasons of the year
the main emphasis is placed on calm, recreation and
relaxation. The hotel's own indoor pool with a Turkish
bath, Finnish sauna, whirlpool, sunbeds and an open air
exercise area under a 350 years old oak tree, together with
a Kneipp pool and a keep fit path just outside door offer
opportunities for sporting activities.
Keen horseriders are readily granted access to the Zweibrücken National Stud, with its long tradition, and open-
air and indoor tennis courts are only 300 m away. Golfing
enthusiasts will find a very attractive course at Katharinenhof, about 25 km from the Hotel.

Cette maison doit son emplacement à un saut d'humeur
royal. En 1714, Charles XII de Suède accorda asile au roi
de Pologne Stanislas Lesczynski dans la ville ducale de
Zweibrücken. Il se fit construire aux portes de la ville, dans
un merveilleux parc, un château sur les fondations duquel
s'élève l'actuelle «Fasanerie». L'hôte est roi où autrefois
le roi était hôte. Sous la direction de Friedwolf Liebold
et de sa ravissante épouse, cette maison est fidèle à sa
devise: «tradition de l'hospitalité dans une nature merveilleuse».
Calme, repos et détente sont gravés en lettres d'or quelle

que soit la saison dans cet hôtel entouré d'une roseraie
comptant 600 variétés de roses principalement historiques, de jaillissements de sources, d'une ancienne forêt
d'espèces variées, d'arbres fruitiers et de prés.
L'Hôtel Romantik «Fasanerie» met à votre disposition
pour d'autres activités sportives sa piscine couverte avec
bain turc et sauna finlandais, son whirlpool, banc solaire
et salle de sport, à l'ombre de chênes vieux de 350 ans,
bassin à la Kneipp et sentier sportif tout près de l'Hôtel.
Les cavaliers sont présentés de bon coeur au haras local
riche en traditions. Les courts de tennis en plein air et
couverts ne sont qu'à 300 m. Les amateurs de golf trouveront au Katharinenhof, à environ 25 km de l'hôtel, un
magnifique parcours.

F. Liebold
6660 Zweibrücken
☎ 0 63 32/4 40 74 – 76 · Telex 4 51 182 fahoz

100	50	78–105 DM	110–160 DM	
100	P	P		
			Whirlpool	Türk. Dampfsauna
				25 km

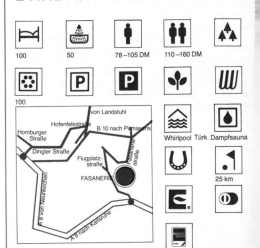

von Landstuhl
Hofenfelsstraße
B 10 nach Pirmasens
Homburger Straße
Dingler Straße
Flugplatzstraße
Fasaneriestraße
FASANERIE
A 6 von Neunkirchen
A 8 nach Karlsruhe

Romantik Hotel „Fasanerie" · Zweibrücken

Golfen für Gourmets

Wir sind Mitglied im Golfclub Katharinenhof. Deshalb können alle Hotelgäste unseres Hauses auf diesem wunderschönen Golfplatz zum Vorzugspreis ihrem Hobby »Golfen« fröhnen.
Wir bieten Ihnen einen Kurzurlaub zu zweit mit folgendem Programm an:
zwei Übernachtungen im Doppelzimmer mit lukullischem Frühstück; zwei Gourmet-Menüs mit Aperitif und jeweils einer Flasche entsprechendem Wein; zwei Tage nach Herzenslust Golfen (auf Wunsch übernehmen wir den Transfer zum Golfplatz Katharinenhof). Für dieses Vergnügen zahlen Sie 300 DM pro Person.
Zu einem

Gourmet-Kurzurlaub zu zweit

laden Dorit und »Poldi« Liebold zu jeder Zeit ein, ob zum Wochenende oder in der Woche. Für zwei Übernachtungen im Doppelzimmer direkt am Schwimmbad, Frühstück, zwei Gourmet-Menüs und jeweils einer Flasche Wein zahlen Sie für dieses Vergnügen 280 DM pro Person.

Golf for Gourmets

We are members of the Katharinenhof Golf Club. So all guests in our hotel can enjoy this wonderful golf course at a special price.
We offer you a short holiday for two with the following programme:
Two overnights in a double room with a splendid breakfast. Two gourmet menus, each accompanied by an aperitive and an appropriate bottle of wine. Two days of golf to your heart's content (if required we will arrange transport to the Katharinenhof golf course). For all this enjoyment you pay 300 DM per person.

Gourmet – Short Holiday,

whether on weekends or during the week. The price of two nights in a double room right on the swimming pool, breakfast, two gourmet dinners, including a bottle of wine with each dinner, is 280 DM each.

Golf pour gourmets

Comme nous sommes membres du Club de Golf «Katharinenhof», les hôtes de notre Hôtel amateurs de golf peuvent profiter du magnifique terrain à des prix de faveur.
Nous vous offrons pour deux personnes le programme suivant pour quelques jours de vacances:
deux nuits en chambre à deux avec petit-déjeuner «Lucullus»; 2 «menus de gourmets» avec apéritif et chacun une bouteille de vin assorti; 2 journées de golf à cœur joie (nous assurons sur demande le trajet jusqu'au terrain de golf du Katharinenhof).
Et toutes ces choses plaisantes vous reviennent à 300 DM par personne.

Minivacances gastronomiques à deux,

que ce soit en semaine ou durant le week-end. Ce plaisir ne vous reviendra qu'à 280 DM par personne pour 2 nuitées en chambre double directement au bord de la piscine, petit déjeuner, 2 repas gastronomiques et une bouteille de vin par repas.

Am 24. August 1985 findet ein Golfturnier des Romantik Hotel Fasanerie im Golfclub Katharinenhof statt! Meldungen direkt im Hotel oder beim Golfclub. Dem Sieger winkt ein romantischer Preis!

On 24 August 1985 a golf tournament for the Romantik Hotel Fasanerie will take place at the Katharinenhof Golf Club!
Contact the hotel direct or the golf club. There is a Romantik prize for the winner!

Un tournoi de golf de l'Hôtel Romantik «Fasanerie» aura lieu le 24 août 1985 au Club de Golf Katharinenhof. Les inscriptions peuvent se faire à l'Hôtel ou au Club de golf. La vainqueur recevra un prix romantique!

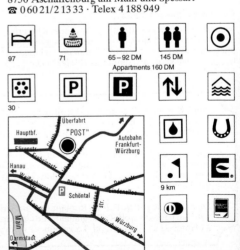

Es war keine leichte Aufgabe, die im Krieg zerstörte Post wieder so aufzubauen, daß die alte Tradition optisch erhalten blieb. Heute ist die »Post« das führende Hotel im ganzen Landkreis Aschaffenburg.

Sehr behaglich ist das Hauptrestaurant, die »Königlich Bayerische Poststation«, und für Hochzeiten und Tagungen stehen die »Delfter Stuben« und das »Wappenzimmer« zur Verfügung. An einer netten Hausbar kann man seinen Apéritif oder Digestif einnehmen. Die »Post« liegt verkehrsgünstig im Zentrum von Aschaffenburg. Dennoch ist ein ruhiger Schlaf möglich, denn alle Zimmer sind mit Lärmstoppfenstern ausgestattet. Außerdem verfügt die »Post« über ein Hallenschwimmbad, »Anno 1523«, Sauna und Solarium sowie ausreichende Garagen und Parkplätze.

Jeder Hotelgast erhält zur Begrüßung einen Willkommens-Apéritif, um danach die weit über die Region bekannte und vor allem auch beim Aschaffenburger Publikum geschätzte, lobenswerte Küche zu genießen. Besonderheit ist das »Gourmet-Wochenende«, bei dem man die »Post«, Aschaffenburg und den Spessart mit dem Schloß Mespelbrunn zu einem sehr günstigen Preis von 80,– DM pro Person und Tag mit Naschmenü genießen kann.

It was no easy task to rebuild the "Post" afer it was destroyed during the war, so that the old tradition style remained visible. Today the "Post" is the leading hotel in the whole of the Aschaffenburg region.

The main restaurant is very comfortable – "The Royal Bavarian Post Station" – and for weddings and conferences, there are the "Delfter Stuben" and the "Wappenzimmer". One can also enjoy an aperitive or post-prandial drink at the bar.

The "Post" is well situated in the centre of Aschaffenburg. Nevertheless it is possible to sleep peacefully, as all the rooms have windows insulated against noise. They are comfortable and well-furnished and the majority are also airconditioned. In addition, the "Post" has an indoor swimming pool "A. D. 1523", sauna and solarium, as well as ample garages and parking spaces.

Every hotel guest receives a welcoming drink on arrival to help him to enjoy the praiseworthy cuisine, which is known throughout the region and particularly appreciated by the Aschaffenburg public.

A speciality is the "Gourmet Weekend", whereby one can enjoy the "Post" in Aschaffenburg and the Spessart region with Mespelbrunn Castle at a very reasonable price of DM 80 per person per day with a tempting menu.

Ce ne fut pas chose facile que de reconstruire le «Post» après sa destruction pendant la guerre, en lui redonnant optiquement toute son ancienne tradition. Aujourd'hui, le «Post» est l'hôtel qui fait autorité dans tout l'arrondissement d'Aschaffenburg.

Le «Post» met à la disposition de ses hôtes son restaurant principal dans lequel règne vraiment une atmosphère de bien-être, les «Salles de Delft» (Delfter Stuben) et la «Salle des blasons» (Wappenzimmer) pour les mariages et séminaires et un agréable bar pour prendre l'apéritif ou un digestif.

Le «Post», d'accès facile, se trouve au centre d'Aschaffenburg. Il est pourtant possible d'y dormir dans le calme puisque toutes les chambres possèdent des fenêtres isolées contre le bruit. Les chambres sont très accueillantes, confortables et en partie climatisées. Le «Post» dispose en outre d'une piscine couverte, «l'Anno 1523», d'un sauna et d'un solarium ainsi que d'un nombre suffisant de garages et de places pour garer les voitures.

Chaque hôte reçoit un apéritif de bienvenue pour se régaler ensuite de la cuisine digne de louange, réputée par delà les frontières de la région, et très appréciée par les habitants d'Aschaffenburg.

Une particularité à signaler: le «Week-end de gourmet» pendant lequel on peut jouir agréablement du «Post», d'Aschaffenburg et du Spessart avec le château de Mespelbrunn, au prix très intéressant de 80,– DM par jour et par personne – avec menue de gourmet.

Eveline + Roland Hofer
Goldbacher Straße 19–21
8750 Aschaffenburg am Main und Spessart
☎ 0 60 21/2 13 33 · Telex 4 188 949

97   71   65 – 92 DM   145 DM

Appartements 160 DM

30   P   P

Überfahrt
Hauptbf.   "POST"   Autobahn Frankfurt-Würzburg
Hanau
Schöntal
Main   Würzburg
Darmstadt

9 km

ROMANTIK
Hotel
Post

Aschaffenburg an Main
und Spessart

Hallo, lieber Romantik-Gast!

Ein Schnupper-Kurz-Urlaub bei uns ist etwas Besonderes.

Lustwandeln	Sie durch unsere Altstadt, hier gibt es Museen und eine der größten staatlichen Gemäldegalerien im Schloß Johannisburg. Aschaffenburg hat dazu so viel Schönes: Ein weiteres Schloß, herrliche Parkanlagen, das Pompejanum und vieles andere.

Oder

wandern	Sie durch den sagenumwobenen Spessart – auch Fahrräder können vermittelt werden –
und abends	nehmen Sie ein Candlelight-Dinner in der Königlich Bayerischen Poststation oder in den Delfter Stuben.

Halbpension mit je einem Nasch- und einem Feinschmecker-Menü, zwei Übernachtungen im Doppelzimmer mit Bad + WC, freie Hallenbad- und Saunabenutzung, alles im Preis, pro Person 188,– DM.

Kinder und *Jugendliche:* bis zwölf Jahren im Zimmer der Eltern Übernachtung ohne Berechnung, ab zwölf Jahren im Einbettzimmer zu 50 % des Übernachtungspreises. Sondermenüs für kleine Esser.

Wann dürfen wir Sie erwarten?

Ihre Wirtsleut'

Eveline + Roland Hofer

Romantik Hotel „Zur Schwane" · Volkach

Seit 1404 gibt es die „Schwanenwirtschaft" in Volkach, seit 1935 sind die Pfaff's Wirtsleute. In dem gemütlichen Haus, mit all den alten Möbeln soll jeder Gast zuhause sein, das ist die Devise von Petra und Michael Pfaff. Die Gaststube mit der gemalten Kassettendecke, dem Kachelofen und den Holztischen lädt zum Verweilen ein. Die Küche pflegt die fränkischen Gerichte und bietet sie in gehobener Form an. Das Land rund um die Mainschleife schenkt je nach Jahreszeit einen köstlichen Spargel, edles Wild, Fische und natürlich den Frankenwein. Es ist ein Genuß, an den Sommerabenden im „Schwanenhof" zu sitzen, um anschließend in den Fremdenzimmern zu nächtigen, die komfortabel eingerichtet sind. Das Frühstück am nächsten Morgen ist nichts Alltägliches! Die Pfaff's haben auch eigene Weinberge. Ein hervorragender Qualitätsweinbau wird alljährlich mit Auszeichnungen und Medaillen bestätigt.

The "Schwanenwirtschaft" has existed in Volkach since 1404 and since 1935 the Pfaffs have been the landlords. In the comfortable house, with all the old furniture, every guest should feel at home – that is the aim of Petra and Michael Pfaff. The lounge with its painted coffered ceiling, tiled stove and wooden tables invites one to linger there. The cuisine provides Franconian dishes, elegantly presented. The countryside around the bend in the Main offers, according to season, delicious asparagus, excellent game, fish and, of course, Franconian wine. It is a pleasure to sit in a summer evening in the "Schwanenhof" and then spend the night in the bedrooms which are provided with every comfort. The breakfast next morning is out of this world! The Pfaffs also have their own vineyards. The cultivation of an outstanding Qualitätswein is confirmed each year by awards and medals.

Le «Schwanenwirtschaft» existe à Volkach depuis 1404; depuis 1935, il est aux mains des Pfaff's, les aubergistes. Chate hôte doit se sentir chez soit: telle est la devise de Petra et de Michael Pfaff – dans cette maison accueillante, avec tous ses meubles anciens. La salle ennoblie d'un plafond à caissons peints, d'un poêle de faience et de bonnes tables en bois invite à y rester longtemps. La cuisine est riche en recettes franconiennes auxquelles elle apporte grand soin. Tout autour de la boucle formée par le Main, le pays offre selon la saison de délicieuses asperges, du gibier noble, poissons et bien entendu du vin de Franconie. Qu'il est agréable de goûter les soirées d'été assis au «Schwanenhof», avant de regagner les chambres d'hôtes aménagées avec confort. Et le lendemain matin, un petit déjeuner vraiment sorti de l'ordinaire vous attend! Les Pfaff ont aussi leur propre vignoble. Année pour année, distinctions et médailles viennent confirmer la qualité de l'excellent vin qui y est récolté.

Josef Pfaff II
Postfach 146
8712 Volkach/Main
☎ (0 93 81) 5 15

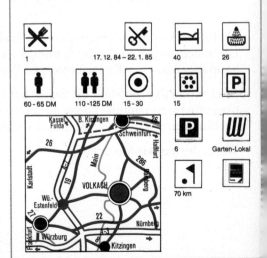

1	17. 12. 84 – 22. 1. 85	40	26
60 - 65 DM	110 -125 DM	15 -30	15
		6	Garten-Lokal
		70 km	

Romantik Hotel „Zehntkeller" · Iphofen

Wie der Name schon sagt, war hier einmal ein Zehntkeller, sicherlich ein unangenehmer Platz für die Bewohner von Iphofen. Glücklicherweise wurde er 1910 in ein Gasthaus, und zwar in ein ganz besonderes Gasthaus, umgebaut. Durch sein stilvolles Äußeres spürt man, daß das Gebäude früher ein Amtshaus des Fürstbischofs von Würzburg war. Das Innere des Hotels strahlt fränkischen Charme aus – solide, zuverlässig und von hoher Qualität –, sei es die fränkische Küche, der am Ort wachsende Wein oder die komfortablen Zimmer. Der »Zehntkeller« ist unter gar keinen Umständen einfach, sondern hat einen Hauch von Eleganz und ist ein Romantik Hotel, das man gesehen haben sollte.

The "Zehntkeller" used to be a tithe collection point, surely an unpleasant place for the citizens of Iphofen. Fortunately it was made into an inn about 1910, and a very special one at that. One senses by its stylish exterior that the city was a former official seat of the bishopric of Würzburg. The interior of the hotel radiates a Franconian charm – solid, reliable and of high quality – be it the Franconian cuisine, the home-grown wines or the comfortable bedrooms. The "Zehntkeller" is by no means plain, but has a tinge of elegance and is a Romantic Hotel which is well worth seeing.

Comme son nom l'indique en allemand, le «Zehntkeller» était le lieu où l'on recouvrait la dîme, et n'était donc pas un endroit aimé des citoyens d' Iphofen. Fort heureusement, cette demeure a été, en 1910, aménagée en un hôtel et quel hôtel! L'extérieur rappelle l'élégance d'une époque où cette ville fut autrefois le siège de la résidence épiscopale de Würzburg et l'intérieur de l'hôtel dégage l'ambiance chaleureuse d'une vieille auberge franconienne. Tout ici est sobre, distingué et confortable, que ce soit la cuisine franconienne, le vin provenant des propres vignobles ou le mobilier des chambres. Un Hôtel Romantik valant un déplacement.

H. Seufert
8715 Iphofen
☎ 0 93 23/33 18 + 35 18

7. 1. – 25. 1. 85   67   41

3   62–80 DM   90–130 DM

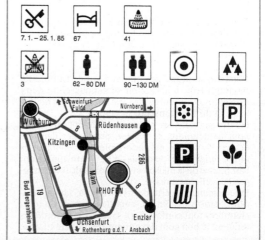

Wirsberg liegt nur 5 km von der Autobahn Bayreuth-Hof. Ein hübscher Luftkurort an zwei Bächen
und von Wäldern des Fichtelgebirges und Franken-
waldes umschlossen. Viele Gäste kommen in die
„Post" zum Entspannen, Genießen, um ruhig und
komfortabel zu wohnen. Die Festspielgäste von
Bayreuth wissen die hervorragende Küche zu loben
und die Atmosphäre des Hauses zu schätzen.
Ein römisches Hallenbad/Sauna/Solarium/Fit-
nessraum sowie Luxusappartments und Zimmer
mit allem Komfort. 7 urgemütliche Gasträume spiegeln den guten Geschmack der Wirtsleute wider, die
mit Charme und großer Aktivität im Haus präsent
sind. Die Jugend drängt bereits in der 5. Generation
mit Schwung und Einsatz nach. Die Küche bietet
nur Frisches, teilweise aus eigener Jagd und Gewässern, köstlich zubereitet und vom freundlichen Service kredenzt.

Wirsberg lies only 5 km from the Bayreuth-Hof
Autobahn. It is a pretty health resort situated on two
streams and surrounded by the forests of the Fichtel
Mountains and the Frankenwald. Many guests
come to the „Post" to relax, for recreation and to stay
in quiet and comfort. Visitors to the Bayreuth Festival praise the outstanding cuisine and appreciate the
atmosphere of the house. The amenities include a
Roman-style indoor swimming pool, sauna, solarium and keep-fit room, as well as luxurious suites
and rooms with every comfort. Seven exceptionally
comfortable lounges and guest rooms reflect the
good taste of the owners, who run the house actively
and with great charm. The younger members of the
family, now the fifth generation, are eagerly following on.
The cuisine offers only fresh food, some from the
hotel's private game and fishing reserves, tastefully
prepared and presented with friendly service.

Wirsberg se situe à seulement 5 km de l'autoroute
Bayreuth-Hof. Jolie station climatique entre deux
ruisseaux et entourée par les forêts du Fichtelgebirge et du Frankenwald.
Nombreux sont les hôtes qui viennent au «Post»
pour se détendre, se régaler, pour loger dans un
endroit tranquille et confortable. Les mélomanes
qui se rendent aux festivals de Bayreuth apprécient
l'ambiance de la maison et mentionnent avec louan-
ges l'excellente cuisine.
Une piscine couverte de style romain, sauna, solarium, centre de fitness, appartements de luxe et
chambres tout confort. Sept salles très confortables
reflètent le bon goût des aubergistes dont le charme

et le zèle sont partout présents dans la maison. Les
jeunes de la 5ème génération arrivent déjà pour
prendre la relève avec élan et ardeur. La cuisine ne
sert que des mets frais, délicieusement préparés,
provenant en partie de ses propres chasses et eaux,
dressés et servis de manière flatteuse.

K. Herrmann
8655 Wirsberg/O.-Franken
☎ (0 92 27) 861
Telex: 6 42906

Romantik Hotel „Post" · Wirsberg

Kennen Sie das fränkische Gretna Green?

Nicht nur wir arrangieren Ihre Hochzeit nach Ihren Wünschen, sondern auch unser Pfarrer und Bürgermeister haben ein Ohr für Ihre kurz- oder längerfristigen Heiratswünsche. Ob unter der Woche am Samstag, Sonntag oder an einem Feiertag, unser Standesamt traut Sie wann Sie es wünschen.
Wir planen für Sie aber selbstverständlich auch Jubiläen, Taufen, Geburtstage und andere Feiern nach Ihren Vorstellungen.
Damit Sie sich vorher bei einem verlängerten Wochenende von unseren Leistungen überzeugen können, bieten wir Ihnen ein Romantik Arrangement von Freitag bis Sonntag mit vielen Überraschungen sowie Halbpension, einem Romantik Menü und Benutzung unserer Freizeiteinrichtungen wie Sauna, Schwimmbad und Solarium für 195,– DM pro Person.
Oder buchen Sie unsere »*Erbauliche romantische Woche*« von Samstag bis auf den darauf folgenden Sonntag (8 Übernachtungen mit reichhaltigem Frühstück und Benutzung unserer Freizeiteinrichtungen) für 390,– DM pro Person.
In der Zeit vom 15. Oktober bis 20. Dezember und 2. Januar bis 30. Juni gültig.

Do you know the Franconian Gretna Green?

Not only we will arrange your wedding to your wishes, but our vicar and mayor will pay attention to your short or long-term wedding wishes. Whether during the week, on Saturday, Sunday or on a holiday our registry office will join you in marriage when you wish. Of course, we also plan anniversaries, baptisms, birthdays and other celebrations for you in accordance with your ideas.
In order that you may convince yourselves in advance of our performance, come down for a long weekend. We can offer you a Romantic arrangement from Friday to Sunday with a lot of surprises as well as demi-pension, a Romantic menu and the use of our recreational facilities such as sauna, swimming pool and solarium at 195.– DM per person.
Or book our "Elevating Romantik Week" from Saturday to the Sunday of the following week (eight nights plus hearty breakfasts and the use of our recreational facilities) at 390.– DM per person (valid 15 October to 20 December and 2 January to 30 June).

Connaissez-vous le Gretna Green franconien?

Nous ne vous bornons pas à organiser votre mariage comme vous le souhaitez. Notre prêtre et notre maire tendent une oreille attentive à vos désirs matrimoniaux à court ou à long terme. Notre bureau de l'Etat civil vous marie à la date que vous voulez, que ce soit en semaine, le samedi, le dimanche ou un jour férié.
Il va de soi que nous organisons également anniversaires de mariage, baptêmes, anniversaires ou autres festivités selon vos désirs.
Pour que vous puissiez vous faire à l'avance une idée de nos prestations, nous vous invitons à un séjour du vendredi au dimanche, avec de nombreuses surprises, demi-pension, repas spécial Romantik et utilisation de nos installations de loisirs que sont sauna, piscine et solarium, pour 195,00 DM par personne.
Ou réservez une «semaine romantique édifiante», du samedi au dimanche suivant (8 nuitées avec petit déjeuner copieux et utilisation de nos installations de loisirs) pour 390,00 DM par personne (valable du 15.10 au 20.12 et du 2.1 au 30.6).

Wenn Sie durch das wunderschöne Frankenland reisen, sollten Sie weder die reizende 1000 Jahre alte Stadt Bamberg noch das „Weinhaus Messerschmitt" versäumen. Das „Messerschmitt" wurde von jenem Mainschiffer in der Ahnentafel der Familie im Jahre 1832 gegründet, der eines Tages von einer seiner Fahrten ein Faß Wein mit nach Hause brachte und dieses Glas für Glas verkaufte. Die Bamberger kamen auf den Weingeschmack und der Mainschiffer-Urahn wurde Weinhändler. Das heute 150-jährige Weinhaus war geboren. Es wurde auch das Elternhaus des Flugzeugpioniers Professor Willy Messerschmitt. Die Familiennachfolger Otto und Lydia Pschorn setzen seit 30 Jahren die Weinhaus-Tradition fort. Die vielen fränkischen Besonderheiten und die Spezialitäten von Jahreszeitenmarkt, besonders auch die lebend frischen Mainfische, sind weit bekannt. Messerschmitt – das Weinhaus in Bamberg – hat sich seit Generationen entwickelt. Genießen Sie seine Gastlichkeit.

Attention gourmets and tourists: neither the charming 1,000 years old city of Bamberg nor the "Weinhaus Messerschmitt" should be missed. Today the name of the owner is Otto Pschorn, but the restaurant has been in the family since 1832. It all started with a cask of wine, which was brought from Mainz. The beerdrinkers enjoyed it so much that it become a permanent institution to serve wine at the "Messerschmitt" and today you can enjoy the best wines here. Lydia Pschorn, like her husband, is a true gastronome and cooks savoury dishes such as "eel in sage" and many other specialities and Otto will delight his guest with his gourmet knowledge and hospitality. Stay a little longer in Bamberg and indulge in good food and drink.

Bamberg est une ville ravissante vieille de 1 000 ans qu'il faut avoir vue. Pour un gourmet, un séjour à Bamberg, sans descendre au Messerschmitt ne serait pas complet. Il ne faut naturellement pas penser au fameux constructeur d'avion venant de cette famille, mais au restaurant «Weinhaus Messerschmitt». Bien que l'hôtelier actuel s'appelle Otto Pschorn, le «Weinhaus Messerschmitt» est resté propriété de la même famille depuis 1832. Boire du vin est devenu une tradition remontant à 1832 lorsqu'un fût de vin fut rapporté de Mayence. Lydia Pschorn est aux fourneaux, c'est un vrai cordon bleu, elle vous prépare les mets les plus délicieux comme l'«anguille à la sauge» qu'on ne mange aussi bonne nulle part ailleurs. Otto Pschorn, un passionné de la gastronomie, un gourmet parmi les gourmets qui sait conseiller et recevoir avec un soin remarquable. Venez a Bamberg, au «Messerschmitt» et laissez vous choyer dans de plaisantes salles par les propriétaires.

O. Pschorn
Lange Straße 41 · 8600 Bamberg
☎ 09 51/2 78 66/7

Sie finden bei uns:
das traditionelle Feinschmecker-Restaurant
die Hubertusstube,
der zwanglose Schoppen- und Pils-Treffpunkt
das idyllische Brunnenhof-Gärtchen
für erholsame Stunden bei Kaffee und Hausgebäck
die Küferei
ein Bankett- oder Tagungsraum
und Hotelzimmer mit zeitgemäßem Komfort

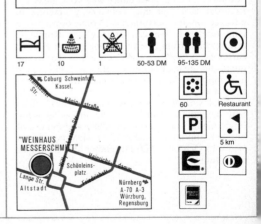

Romantik Hotel „Weinhaus Messerschmitt" · Bamberg

Sonderarrangements im Romantik Hotel Weinhaus Messerschmitt, Bamberg

Kunst und Gaumenfreuden in Bamberg
Wochenend-Angebote von November bis März, mit 2 Übernachtungen, Menüs, Führungen und Weinprobe 245,- DM pro Person.

Zubereitung von Fluß-Fischen
ein 3-Tage-Kochkurs unter Leitung von Küchenmeister Erwin Schneider. Termine auf Anfrage, von November bis März.
3 Übernachtungen, Menüs, Weinprobe, Fränk. Schweiz-Fahrt u. ä. 430,- DM pro Person.

Vorweihnachtliches Eßvergnügen in einer liebenswerten Stadt
Bamberg à la carte, im November und Dezember.

Silvester und Neujahr im liebenswerten Bamberg
mit Konzert der Bamberger Symphoniker, Gala-Menü und, und, und ...
Arrangement-Preis mit 3 Übernachtungen 420,- D-Mark pro Person.

Programme können bei Romantik-Reisen oder im Romantik-Hotel Messerschmitt angefordert werden.

Special arrangements as the Romantik Hotel Weinhaus Messerschmitt, Bamberg

Art and gastronomy in Bamberg
Week-end offers from November to March, with 2 nights at the Hotel, menus, guided tours and wine-tasting 245,- DM per Person.

Preparation of river fish
A 3-day cookery course under the direction of Chef Erwin Schneider. Dates on request, from November to March.
3 nights at the hotel, menus, wine-tasting, trip to the Franconian Switzerland and the like. 430,- DM per person.

A pleasant pre-christmas dinner in a delightful City
Bamberg à la carte, during November and December.

New year's eve and new year in delightful Bamberg
with a concert by the Bamberg Symphony Orchestra, Gala-menu and, and, and ...
all-in price with 3 nights at the hotel, 420,- DM per person.

Programmes can be obtained from Romantik Tours or at the Romantik Hotel Messerschmitt.

Offres spécialés à l'Hôtel Romantik Weinhaus Messerschmitt, Bamberg

Arts et gastronomie à Bamberg
Proposition de week-end, de novembre à mars, 2 nuitées, pension complète, visites et dégustation de vin, 245,00 DM par personne.

Preparation des poissons d'eau douce
Cours de cuisine échelonné sur 3 jours sous la direction du chef Erwin Schneider. Arrangements sur demande, de novembre à mars.
3 nuitées, pension complète, dégustation de vin, excursion dans la Suisse franconienne, etc. 430,00 DM par personne.

Plaisirs gastronomiques de l'avent dans une ville agréable
Bamberg à la carte, en Novembre et Décembre.

31 Décembre et premier de l'an dans le doux Bamberg
Concert donné par les symphonistes de l'orchestre de Bamberg, repas de fête et, et, et ...
Prix de cette offre, y compris 3 nuitées: 420,00 DM par personne.

Demandez les programmes à Romantik-Reisen ou à l'Hôtel Romantik Messerschmitt.

Romantik Hotel
„Goldner Löwe" · Auerbach

Der „Goldne Löwe" in Auerbach wurde schon im Jahre 1144 erbaut. 1847 ging er in den Besitz der Fam. Ruder über. Durch zwei große Um- und Ausbauten wurde aus dem Gasthof ein Hotel mit Komfortzimmer und Appartements, die auch verwöhnten Ansprüchen gerecht werden. Die Einrichtung des Restaurants „Löwenstube, Knappenstube und Auerbachstube" spiegeln die Geschichte des Hauses und Auerbachs wider. Für Seminare und Konferenzen sind eigene Räume vorhanden. In der Küche, die von Frau Ruder geführt wird, werden frische Produkte verarbeitet und zu jeder Jahreszeit saisonale Spezialitäten angeboten. Die eigene Metzgerei im Hause verleitet zum Einkauf von Wurstspezialitäten für Zuhause. Durch den hohen Freizeitwert Auerbachs, Naturpark Veldensteiner Forst, 5 Tennisplätze, 1 Tennishalle, Angeln, Reiten, Hallenbad mit Sauna, Freibad, die eigene Kegelbahn sowie Tischtennis im Haus, wird der Aufenthalt im „Goldnen Löwen" zu einem Erlebnis.

The "Goldner Löwe" in Auerbach looks back on an long tradition. There have been licensed premises here for 800 years but it is only recently that is has woken from its enchanted sleep. By means of clever alterations and tasteful decoration, a house has been constructed which would hardly be expected in the little town of Auerbach.

The decor of the restaurant mirrors the historic past of Auerbach, which used to be a very important iron ore mining centre. An old mining truck stands in the hall and in the "Knappenstube" (miner's parlour) you feel as though you are in a mine shaft. The food is hearty and in the charge of Frau Ruder, who is able to choose the best pieces of meat from the hotel's own butcher's shop to serve her guests. Charming rooms and comfortable lounges, as well as many ways of spending leisure time make a stay at the "Goldner Löwe" a real rest.

Auerbach à 435 m d'altitude est située en bordure de la région du parc naturel appelé la «Suisse franconienne», massif boisé de Velden à 10 km de l'autoroute Nuremberg-Hof à la sortie de Grafenwöhr. Cette contrée est merveilleuse, elle dort encore, car elle n'est pas encore la proie de l'affluence. Des forêts étendues et de ravissants chemins de promenade alternent avec d'étroites vallées offrant au regard des tours rocheuses et des parois d'un aspect souvent fantastique, puis subitement devant vous un ruisseau gai, tout cela est fascinant: quelque chose d'unique à voir.

Le décor du restaurant évoque le passé historique d'Auerbach qui fut un important centre de minerai. Un vieux wagonnet se trouve dans le hall de l'hôtel

et la salle «Knappenstube» est aménagée en une ancienne galerie très pittoresque, car on continue encore à extraire le minerai à Auerbach. La cuisine est soignée et généreuse et c'est Mme Ruder qui va choisir elle-même les meilleurs morceaux de viande dans leur propre boucherie annexée à l'hôtel, afin de pouvoir offrir des produits parfaits à ses clients. Les chambres sont charmantes ainsi que les salons très confortables. Ping-pong, jeux de quilles et une jolie terrasse pour ceux voulant se faire dorer au soleil.

A & R. Ruder
Unterer Markt 9 · 8572 Auerbach
☎ 0 96 43 / 17 65

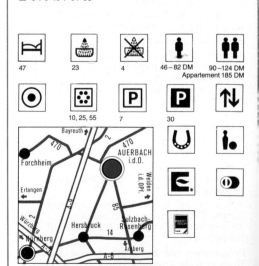

47   23   4   46 – 82 DM   90 – 124 DM
                             Appartement 185 DM

10, 25, 55   7   30

Romantik Hotel „Goldner Löwe" · Auerbach

Kennen Sie den Naturpark FRÄNKISCHE SCHWEIZ–VELDENSTEINER FORST? Hier finden Sie eine Mittelgebirgslandschaft, die noch nicht vom Massentourismus überlaufen ist und zu jeder Jahreszeit ihre besonderen Reize bietet. Herrliche Tannen- und Buchenwälder gilt es zu erwandern, Burgen und Höhlen sowie Barockkirchen haben dieser Landschaft ihr besonderes Gepräge gegeben. Dichter und Maler der Romantik haben es auf Schusters Rappen durchwandert, besungen und auf dem Zeichenblock festgehalten. Die Richard Wagner-Festspielstadt Bayreuth ist nah und Nürnberg nicht fern. Auf die vielen Sportmöglichkeiten ist bereits bei unserer Hausbeschreibung hingewiesen.

Unser Wochenend-Arrangement:
2 Übernachtungen im Doppelzimmer mit Bad und WC incl. Frühstücksbufett
1 Abend-Menu und 1 Fondue-Abend
DM 186,– pro Person, EZ-Zuschlag DM 20,– pro Tag

Bayerisches Wochenende:
2 Übernachtungen im Doppelzimmer mit Bad und WC incl. Frühstücksbufett
1 Abend-Menu und 1 bayerisches Bufett mit Unterhaltungsmusik
DM 211,– pro Person, EZ-Zuschlag 20,– DM pro Tag. Durchführbar ab 20 Personen

Do you know the FRANCONIAN SWITZERLAND–VELDENSTEIN FOREST Nature Reserve? Here you will find a Central German moutain landscape not yet overrun by mass tourism and able to offer its special charms at all seasons. You can wander through splendid woodlands of fir and beech. This landscape has been given its particular stamp by castles and caverns as well as baroque churches. During the romantic period poets and painters turned their footsteps hither to discover subjects for their verses and pictures. The Wagner Festival town of Bayreuth is near at hand and Nuremberg is not far away. Our description of the Hotel already drew attention to the many sports facilities.

Our week-end terms:
2 nights in double room with bath and WC, including buffet breakfast, 1 evening menu and 1 fondue evening
DM 186,– per person, supplement for single room DM 20,– per day.
Bavarian week-end:
2 nights in double room with bath and WC, including buffet breakfast, 1 evening menu and 1 Bavarian buffet with light music

DM 211,– per person, supplement for single room DM 20,– per day. Conditional on 20 bookings.

Connaissez vous le parc naturel de FRÄNKISCHE SCHWEIZ–VELDENSTEINER FORST (Suisse franconienne-forêt de Veldenstein)? Vous y trouverez un paysage caractéristique des Mittelgebirge où les touristes n'ont pas encore afflué et qui présente un certain charme, quelle que soit la saison. Découvrez en vous promenant les magnifiques forêts de sapins et de hêtres. Châteaux, grottes et églises baroques ont donné à ce paysage un cachet particulier. Poètes et peintres romantiques ont sillonné à pied cette région, l'ont chantée et croquée. Bayreuth, la ville du festival wagnérien est proche et Nuremberg n'est pas très loin. La description de l'hôtel vous a déjà indiqué les nombreuses possibilités de s'adonner au sport.

Notre proposition pour le week-end:
2 nuitées en chambre double avec bain et WC, y compris petit déjeuner à prendre au buffet
1 dîner et une soirée fondue
DM 186,– par personne, supplément pour chambre individuelle DM 20,– par jour.
Week-end bavarois:
2 nuitées en chambre double avec bain et WC, y compris petit déjeuner à prendre au buffet
1 dîner et un buffet bavarois avec musique d'ambiance
DM 211,– par personne, supplément pour chambre individuelle DM 20,– par jour. Participation minimale: 20 personnes.

Buchen liegt abseits der Touristenroute im Odenwald und das „Prinz Carl" bietet Ruhe und Erholung für jene, die dem Gedränge und Gehetze entfliehen wollen. Frau Ehrhardt präsentiert liebevoll die Gerichte, die Herr Ehrhardt in der Küche zaubert. Und wo können Sie besser Wild essen als im „Prinz Carl"?! 1610 wurde das Hotel erstmals unter dem Namen „Zur goldenen Kanne" erwähnt. 1841 wurde der Name in „Prinz Carl" geändert und unter diesem Namen hat es sich einen ausgezeichneten Namen gemacht. 1965 wurde ein neuer Flügel angebaut, der das alte Gebäude ergänzt und der Service wird wie folgt beschrieben: Und wahre Liebe ist immer schweigsam, niemals aufdringlich; deshalb fühlen sich die Gäste hier so wohl, ohne zu wissen warum.

Buchen is off the tourist routes in the Odenwald and the "Prinz Karl" offers rest and relaxation for those who want to escape the hustle and bustle. Frau Ehrhardt lovingly presents the delights which Herr Ehrhardt creates in the kitchen. And where can you eat better venison than in the "Prinz Karl"! The hotel was first mentioned in 1610 and was called "Zur goldenen Kanne". The name was changed to "Prinz Karl" in 1841 and under this name it has acquired its excellent reputation. A new wing, added in 1965, complements the old building and the service has been decribed as follows: "And true love is always silent, never obtrusive; that is why the guests feel so comfortable here, without knowing why."

Pour atteinde Buchen il faut quitter les grandes routes touristiques de l'Odenwald. Dans ce coin paisible, vous fuirez la monotonie de la vie quotidienne en vous rendant à l'hôtel «Prinz Carl». La gracieuse et charmante Mme Ehrhardt vous aidera par ses conseils à choisir et à déguster les créations culinaires de son mari. Et les gibier, où y en a-t-il de meilleurs, si ce n'est qu'au «Prinz Carl»! Cet hôtel existait en 1610 sous le nom de «Goldene Kanne». En 1841, le nom fut changé en «Prinz Carl» et c'est ainsi qu'il acquit sa réputation. Buchen est devenue la seconde patrie du Prof. Egon Eiermann et en 1965, pour lui, une aile moderne fut annexée au vieux bâtiment harmonisant la création architecturale avec le cadre existant, c'est une des raisons pour laquelle le touriste s'y sent si à l'aise. Bernd Böhle a écrit, en parlant du «Prinz Carl»: «Un amour véritable est toujours silencieux, il n'est jamais importun». C'est pourquoi les hôtes se sentent si bien sans savoir pourquoi.

W. Ehrhardt
Hochstadtstr. 1 · 6967 Buchen/Odw.
☎ 0 62 81/18 77

Buchen ist in eine reizvolle Landschaft eingebettet und bietet dem Urlauber herrliche Wander- und Radwege (auch ohne Gepäck), Tennisschule (Halle) und Reitmöglichkeiten. Das Heimatmuseum zählt zu den bedeutendsten im süddeutschen Raum.

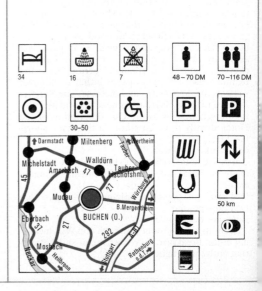

Romantik Hotel „Prinz Carl" · Buchen

Entspannen im Odenwald

Zwischen Odenwald und Bauland – an der Grenze von rotem Buntsandstein und weißem Muschelkalk liegt das Fachwerkstädtchen Buchen.

Intakte Landschaft, blumenreiche Wiesentäler, bewaldete Höhen und hügeliges Agrarland – alles was der gestreßte Großstädter heute sucht, hier findet er es.

Wollen Sie wieder einmal Rehe oder Hirsche in freier Wildbahn beobachten oder Pilze finden, dann kommen Sie zu uns ins Madonnenländchen.

Mittelalterliche Dörfer und Burgen können Sie sich nicht nur erwandern, sondern auch mit Fahrrad, Pferd oder auf einer Kutschfahrt entdecken. Sportfans haben die Möglichkeit zu Tennis, Squasch, Schwimmen und Langlauf.

Nicht nur für Wochenendurlauber aus den Ballungsgebieten der Umgebung, sondern für alle Liebhaber deutscher Landschaft geeignet – ist unser Romantik Hotel.

Damit die Kultur nicht zu kurz kommt, besuchen Sie doch zwischendurch auch eine der schönsten Tropfsteinhöhlen, unser Musikmuseum und Orte der fast vergessenen Bauernkriege.

Am Ende eines erlebnisreichen und aktiven Tages verwöhnen wir Sie gern mit einem kulinarischen Menü in unserem gemütlichen Restaurant – umgeben von Odenwälder Malerei und der sprichwörtlichen Gastfreundschaft. Bevor Sie Ihre Glieder in behaglichem, gesundem Schlaf ausstrecken, sollten Sie sich einen Dämmerschoppen bei Kerzenlicht in den Kellergewölben unserer »Goldenen Kanne« gönnen.

Nach diesem Wochenende oder Kurzurlaub stürzen Sie sich wieder mit Elan in den Alltag. Ein Wochenende von Freitag bis Sonntag inkl. einem regionalen Menü am Freitag und einem Gourmet-Menü mit Wein am Samstag kostet pro Person 225,– DM. Ein Kurzurlaub während der Woche, der auch schon am Sonntag beginnen kann, kostet für drei Tage inkl. zwei Abendessen und einem Gourmet-Menü mit Wein pro Person 295,– DM. Kein Zuschlag für Einzelzimmer.

Nun gibt es an der „Deutschen Weinstraße" endlich ein Romantik Hotel, und was für eines muß man hinzufügen, denn der „Deidesheimer Hof" ist ein sehr traditionsreiches Haus im Besitz der Familie Hahn. Als Stammhaus der „Hahnhof"-Betriebe verbindet es die Herzhaftigkeit der Pfalz mit der Herzlichkeit der Pfälzer, und das spürt man im ganzen Betrieb. Einmalig schöne Räume, eine erstklassige Küche, sehr komfortable und gemütliche Zimmer, was wünscht man sich mehr.

Daß es hier zur Herbstzeit, wenn die Weinlese stattfindet, auch einmal etwas betriebsam zugeht, dürfte nur den stören, der keine Weinfreudigkeit liebt. Im stehen die übrigen Monate des Jahres zur Verfügung, um den „Deidesheimer Hof" genießen zu können.

Familie Hahn
Am Marktplatz
6705 Deidesheim
☎ 0 63 26/18 11 · Telex 4 548 04

At last there is a Romantik Hotel on the "German Wine Road" – and what a one, it must be said, because the Deidesheimer Hof is a house rich in tradition belonging to the Hahn family. As the original house of the "Hahnhof" business, it combines the heartiness of the Palatinate with the warm-heartedness of the local people and that is noticeable troughout. Exceptionally lovely reception rooms, first-class cuisine, very comfortable and attractive guest-rooms – what more could one wish for?

The fact that in the autumn, at the time of the wine harvest, it is somewhat bustling, will only disturb those who don't care for the gaiety which comes with wine-drinking. For them, the rest of the year is available to enjoy the Deidesheimer Hof.

La Route allemande des Vins «Deutsche Weinstrasse» possède enfin elle aussi son Hôtel Romantik. Et quel hôtel! Le Deidesheimer Hof, propriété de la famille Hahn est en effet un établissement très riche en tradition. Maison-mère des entreprises «Hahnhof», elle joint à la fois les qualité du cœur typiques du Palatinat et la cordialité des Palatins qu'on retrouve dans toute la maison.

Des salles d'une beauté rare, une cuisine de toute première qualité, des chambres confortables et accueillantes, que peut-en demander de plus?

A l'automne, la région connaît une période d'intense activité mais cela ne dérange sans doute que ceux qui n'apprécient pas les joies du vin et des vendanges et préfèrent profiter pleinement du Deidesheimer Hof pendant les autres mois de l'année.

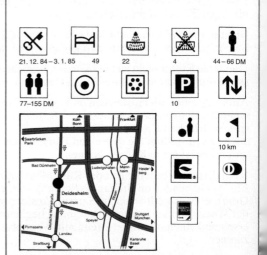

21. 12. 84 – 3. 1. 85   49   22   4   44 – 66 DM

77 – 155 DM   10

10 km

Romantik Hotel „Zum Ritter" · Heidelberg

34

Das Haus „Zum Ritter" wurde im Jahre 1592 erbaut und überstand durch glückliche Umstände die Vernichtungen Heidelbergs. Heute ist die Renaissance-Fassade das einzige vergleichbare Gegenstück zu dem kunstvollen Bau des Heidelberger Schlosses. Die Eigentümer haben es verstanden, die Inneneinrichtung dem Gebäude anzupassen. Die rustikale Ritterstube erinnert an die glanzvolle Vergangenheit und lädt auch heute noch zu besonders gemütlichen Stunden ein.

Pkw-Fahrer sollten gleich das nahe gelegene Parkhaus Kornmarkt benutzen (Richtung Schloß) oder zum Ausladen des Gepäcks vom Fluß her bis zum Platz hinter der Heiliggeistkirche fahren, die dem Hotel gegenüber liegt. Die Fußgängerzone Hauptstraße vor dem Hotel darf nur bis 10 Uhr befahren werden.

The "Ritter" was built in 1592 and by good fortune survived the destruction of Heidelberg. Today the Renaissance facade is the only comparable counterpart to the fine architecture of Heidelberg Castle. The owners have been able to furnish the interior in appropriate style. The rustic "Knights' Chamber" reminds one of past splendours and is still today conducive to whiling away pleasant hours.

Motorists should use the multi-storey parking in Parkhaus Kornmarkt just close by (in the direction of the Castle/Schloss) or, to offload the luggage, drive away from the river to the parking place behind the Heiliggeist Church, which is opposite the hotel. The pedestrian precinct in front of the hotel may only be used by cars up to 10 a.m.

L'Hôtel Romantik «Zum Ritter», construit en l'an 1592, survécut par un heureux hasard aux guerres et incendies qui ravagèrent jadis la ville d'Heidelberg. Aujourd'hui, la façade Renaissance constitue le seul pendant architectural digne du fameux chateau d'Heidelberg. Les propriétaires ont su harmoniser l'aménagement intérieur avec le bâtiment. La Salle rustique des Chevaliers, témoin d'un passé glorieux, invite aujourd'hui encore à passer dans l'agrément des heures inoubliables.

Les automobilistes parmi les hôtes auront tout intérêt à utiliser le parking «Kornmarkt» tout proche (en direction du chateau) ou, pour déposer les bagages, à remonter en partant des rives du Neckar à la place située derrière l'église Heiliggeistkirche en face de laquelle se trouve l'Hôtel. La rue Hauptstrasse devant l'Hôtel est rue piétonière et on ne peut y circuler que jusqu'à 10 heures.

G. & M. Kuchelmeister
Hauptstr. 178 · 6900 Heidelberg
☎ 0 62 21/2 42 72 + 2 02 03
Telex: 4 61 506

58 · 28 · 9 · 55–120 DM · 85–230 DM

Altstadt · Restaurant

Parkhaus Nr. 12
Parking house No. 12
Garage publique no. 12

Preisgünstige Ausfahrtkarten

Wenn Sie ein echt fränkisches Wirtshaus mit Spezialitäten aus der fränkischen Landschaft suchen, fahren Sie nach Großreuth zum „Rottner". Im Frühjahr verwöhnt man Sie dort mit Hopfensalat, eigenem Spargel, Geißlein und Täubchen, später mit Rebhuhn, Wildente, Fasan, Kaninchen, Reh und Wildschwein. Im Winter gibt es Spanferkel und Schlachtschüssel. Im Fischkasten schwimmen Waller, Zander, Hecht, Saibling, Aal und Krebse. Dazu trinkt man Weine aus den besten Lagen Frankens. Sie sollen Franken mit seinen Schönheiten und Schätzen nicht nur sehen, sondern auch schmecken. Dafür, daß dies ein Genuß sein wird, verbürgt sich das Gasthaus Rottner mit seiner excellenten Küche, Keller und Service.

Here is a tip for visitors to Nuremberg. If you are looking for a special place to dine, drive to Grossreuth and the "Rottner". The way is poorly signposted, but well worth the effort to find it. You will probably wish to admire the beautiful facade of the house and as you enter the cosy and welcoming restaurant will put you in the mood for the culinary delights which await you here. Frau Rottner and her kitchen brigade will present you with many excellent dishes, be sure to try the snails in red wine sauce. Konrad Rottner provides his guests with real treats in the form of fresh game and homegrown asparagus.

L'hôtel «Rottner» n'est pas facile à découvrir, le chemin étant mal indiqué, mais en le trouvant vous serez récompensé de votre effort. A sa vue vous serez saisi d'émerveillement: devant sa ravissante façade à colombages que vous resterez à contempler oubliant le temps qui passe. En entrant dans cet hôtel, on est séduit par le charme, l'excellence de l'accueil, le service et les fastes de la cave. Un repas dans cette salle à manger est une fête. Chimiste de métier, Konrad Rottner a comme violon d'Ingres la gastronomie qu'il a su mettre au service de la clientèle. Aidé en grande partie par sa femme et son équipe, vous apprécierez chez lui une cuisine de grande classe. Konrad Rottner est un passionné de la chasse et des mets raffinés. Il possède ses propres champs d'asperges; pendant la saison, le «Rottner» est le point de rencontre de tous les amateurs qui viennent les déguster. Ses escargots à la sauce au vin sont un délice, l'eau vous vient à la bouche rien que d'y penser.

K. Rottner
Winterstraße 15 · 8500 Nürnberg-Großreuth
☎ 09 11/61 20 32

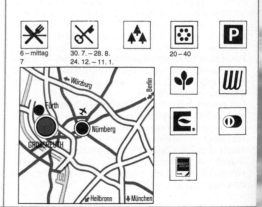

Romantik Hotel „Markusturm" · Rothenburg

36

Rothenburg ob der Tauber ist wie eine Märchenstadt aus dem Mittelalter, sehr gut erhalten und voller Entdeckungen. Sie ist die klassische romantische Stadt Deutschlands, an der „Romantischen Straße" gelegen, einer von Europas interessantesten Straßen. Der „Markusturm" ist ein ausgezeichnetes familiäres Hotel aus dem Jahre 1264. Es wird einzigartig von Marianne Berger und ihrem Mann geführt, der ein Hobbyhotelier aus Passion ist (Hobbies sind Dinge, die man gerne macht). Versäumen Sie nicht die Spezialitäten des Hauses: Frische Forelle mit einer Flasche köstlichem Frankenwein. Aus vierzehn eigenen Teichen und aus der Tauber gibt es vielseitige Versorgung. Von August bis Ende Oktober werden jährlich rund 20 Zentner Steinpilze ausgespeist, die der Chef persönlich zusammen mit seinen Brüdern sucht, die passionierte Jäger sind. Deshalb stehen auch ab November Wildgerichte auf der Speisekarte. Es lohnt sich eine Fahrt nach Rothenburg und seine malerische Umgebung.

Rothenburg ob der Tauber is like a fairy tale town of the Middle Ages, beautifully preserved and full of interest. Here you find the classic romantic city of Germany, situated on the "Romantische Straße", one of Europe's most interesting roads linking up a chain of historic towns. But there is much more to discover, walks and excursions into the Tauber valley, or a ride in a horse-drawn carriage to a nearby village. The "Markusturm" is an excellent family hotel, popular with honeymoon couples and tourists alike. It is superbly run by Marianne Berger and her schoolmaster husband, who gives a helping hand in the hotel as a hobby (hobbies are things people enjoy doing). Don't miss the speciality of the hotel, fresh trout with a bottle of delicious Franconian wine.

Rothenburg o. d. Tauber est une des plus jolies villes médiévales d'Allemagne renfermant de très nombreux monuments et curiosités. Elle est devenue une des villes romantiques d'Allemagne. Il n'y a pas que la ville qui est pittoresque mais l'environnement aussi est exceptionnel avec sa charmante vallée du Tauber et ses toutes petites vallées qui la sillonnent de part et d'autre permettant d'agréables promenades dans la nature somnolente. Malgré le nombre croissant de touristes, le «Markusturm» est resté un petit hôtel ravissant où l'on y goûte la joie de vivre. Le voyageur est séduit par le charme discret de son décor mais aussi par l'accueil prévenant de Marianne Berger qui dirige avec amour le «Markusturm». Son mari, directeur d'école, a comme violon

d'Ingres, l'hôtellerie. Il met donc son point d'honneur à assurer le bien-être de tous ceux qui descendent dans son établissement.

Fam. Berger
Rödergasse 1
8803 Rothenburg o. d. T.
☎ 0 98 61/23 70

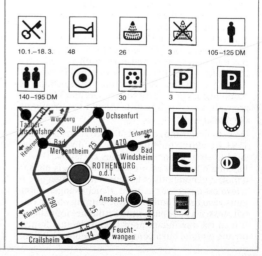

10.1.–18.3.	48	26	3	105–125 DM
140–195 DM		30	3	

Romantik Hotel „Greifen-Post" · Feuchtwangen

Am pittoresken Marktplatz von Feuchtwangen, dem idyllischen Frankenstädtchen, fallen die beiden Fassaden des Romantik Hotel „Greifen-Post" ins Auge. Seit 1369 besteht die „Post"; einst Fürstenherberge, bewirtete sie berühmte Gäste von Kaiser Maximilian bis Lola Montez, die „fürtrefflich" umsorgt wurden.

Auch heute gilt bei den Wirtsleuten Lorentz, deren Familie in der 4. Generation im Hause lebt, das Wort: „Bei uns waren Könige zu Gast, bei uns ist der Gast König!"

Für Festlichkeiten und Gesellschaften finden Sie Räume historisch-ländlicher Prägung, Tagungsräume und das Badehaus im ehemaligen Renaissancehof der Post gelegen, mit Hallenbad, Sauna, Solarium und der stimmungsvollen Kamingrillstube mit großer, offener Feuerstelle, wo Sie sich auch etwas Herzhaftes braten lassen können. Die originelle Speisenkarte umfaßt vorwiegend fränkische Leckerbissen und Gerichte nach hauseigenen Rezepten. In der umfangreichen Getränkekarte dominieren die trockenen, süffigen Frankenweine. An der Romantischen Straße gelegen, ist dieses gemütliche Haus der ideale Ausgangspunkt für Fahrten nach Würzburg, Nürnberg, Rothenburg/T., Dinkelsbühl und zu den Schlössern und Burgen der waldreichen, freundlichen Umgebung.

1588 is the year you can read at the entrance to the "Greifen" and the "Post" is said to be even older. For 3 generations now this hotel (two merged in one) has been owned by the Lorentz family and a 4th generation is growing up fast. Perhaps it is because the famous Rothenburg is so close that Feuchtwangen has never been as popular with tourists. This could be a reason that the typical Franconian cuisine had a better chance to thrive here and this is particularly true of the "Greifen-Post". To get away from it all, come here for some Franconian food, a glass of wine or a mug of beer, all served in a friendly and informal atmosphere. Feuchtwangen is an excellent base for exploring nearby Rothenburg, Dinkelsbühl or Nördlingen. The cities of Nuremberg and Würzburg are within easy driving distance and the town itself offers many attractions.

On peut lire à l'entrée de l'hôtel «Greifen» la date de 1588. Le «Post» qui lui fut annexée il y a quelques années est d'origine encore plus ancienne.

La famille Lorentz assure la direction de la maison depuis 3 générations et la 4ème croît si bien que la relève est désormais assurée. Feuchtwangen a toujours vécu dans l'ombre de Rothenburg ob der Tauber, aussi n'a-t-elle pas connu l'affluence touristique. Il n'en est que mieux pour la gastronomie franconienne typique qui a conservé ses vieilles traditions culinaires et si vous descendez au «Greifen-Post», vous aurez le plaisir de les apprécier.

L'hôtel romantique «Greifen-Post» sur la «Route romantique» est le point de départ de nombreuses excursions: Rothenburg, Dinkelsbühl, exemplaire intact d'une ville médiévale, ou Nördlingen, ville libre d'Empire, toutes sur la «Route romantique», les villes de Nuremberg ou Würzburg, ou la vallée de l'Altmühl avec ses fouilles de fossiles bien connues. En séjournant une semaine, vous avez entrée libre à tous les bains de la région, une visite à son musée d'histoire locale, un course en calèche ou une bicyclette à votre disposition pour sillonner la région et un joli cadeau à votre départ.

E. Lorentz · Marktplatz 8 · 8805 Feuchtwangen
☎ 0 98 52/20 02 · Telex 6 1 137

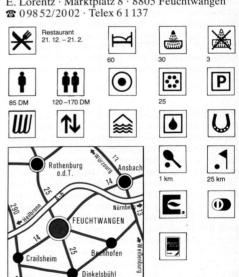

Romantik Hotel „Greifen-Post" · Feuchtwangen

Romantik-Wochenende in Feuchtwangen

Entspannen und Neues entdecken

Freitagabend: Begrüßungstrunk und Abendessen in der gemütlichen Kaminstube mit Grillspezialitäten. Doppelzimmer mit Bad oder Dusche, WC, Minibar, TV.

Samstag: Frühstücksbuffet. Vielleicht Fahrt nach Dinkelsbühl (13 km), Mittagessen nach Ihrer Wahl aus unserer Karte. – Nachmittags bei gutem Wetter Fahrt mit dem Rad (kostenlose Fahrräder) oder per Auto nach Schillingsfürst zur Schloßbesichtigung und zum Kaffeetrinken, evtl. weiter nach Rothenburg (18 km) – oder ein Tennisspiel? Halle und Plätze sind im Ort vorhanden. – Bei weniger gutem Wetter: Besichtigung des Heimatmuseums in Feuchtwangen (es soll das schönste in Süddeutschland sein!), zurück in die Greifen-Post – Sprung ins Renaissance-Schwimmbad. Zum Abendessen bereitet unser Küchenchef für Sie ein Menu zu.

Sonntag: Frühstück vom Buffet – Morgenspaziergang um Feuchtwangen – Abschiedsgeschenk: Gläschen hausgemachte Marmelade.

Inclusivpreis im Himmelbett- oder Romantik-Zimmer pro Person 225 DM; im Doppelzimmer mit Dusche, WC (Naßzelle) pro Person 198 DM. Wenn Sie die Nacht von Sonntag auf Montag noch bleiben können, ist das Übernachten für Sie kostenlos! Das ist doch etwas!

Romantik week-end in Feuchtwangen

Relax and make new discoveries.

Friday evening: A drink when you arrive and dinner in the cosy openhearth room with grilled specialities. Double room with bath or shower, WC, minibar, TV.

Saturday: Buffet breakfast. Perhaps a trip to Dinkelsbühl (13 km). Lunch à la carte – in the afternoon if the weather is good a trip by bicycle (bicycles free of charge) or car to Schillingsfürst to visit the Castle and drink coffee, and possible on to Rothenburg (18 km) – or a game of tennis? The town has both indoor and outdoor courts. – If the weather is not so good: a visit to the Folk Museum in Feuchtwangen (said to be the most attractive one in South Germany!) then back to the Greifen-Post and spring into the renaissance-style swimming pool. Our chef is preparing a dinner menu for you.

Sunday: Buffet breakfast – a moring walk around Feuchtwangen.

On departure: a glass of home-made jam. All in price: four-poster bed or Romantik room 225 DM per person; Double room with shower and WC 198 DM per person. If you can still stay on, your night from Sunday to Monday is free! That really is something!

Week-end Romantik à Feuchtwangen

Jouir du repos et aller à la découverte.

Vendredi soir: apéritif de bienvenue et dîner dans l'agréable restaurant à cheminée intérieure proposant des grillades. Chambre double avec bain ou douche, WC, minibar, télévision.

Samedi: petit déjeuner à prendre au buffet. Eventuellement excursion à Dinkelsbühl (13 km), déjeuner selon le choix que vous aurez fait en fonction de notre carte. L'après-midi, par beau temps, excursion en bicyclette (mise gratuitement à disposition) ou en voiture à Schillingsfürst pour y visiter le château et y prendre le café. L'excursion vous conduit éventuellement à Rothenburg (18 km) – ou sur le court de tennis. Courts couverts et en plein air sur place. Si le temps n'est pas de la partie, visite du musée local de Feuchtwangen (il passe pour être le plus joli du sud de l'Allemagne!). Retour à l'hôtel Greifen-Post – un petit plongeon dans la piscine renaissance. Notre chef vous prépare le repas du soir.

Dimanche: petit déjeuner à prendre au buffet – promenade matinale dans les environs de Feuchtwangen.

Adieux: sous forme d'une tasse de café et d'un feuilleté aux pommes accompagné de crème fouettée. Prix tout compris en chambre à lit à baldaquin ou chambre romantique, par personne 225 DM en chambre double avec douche, WC (cabine-douche), par personne 198 DM. La nuitée du dimanche au lundi est gratuite si vous souhaitez rester. Profitez-en!

Romantik Hotel „Rose" · Weißenburg

n könnte eine Lektion in Geschichte erteilen, enn man über Weißenburg schreibt. In jedem Winkel dieser Stadt stößt der Besucher auf Zeugnisse vergangener Zeiten. Ganz in der Nähe sind die Kalksteinbrüche von Solnhofen, die die Archäologen interessieren dürften, da man heute noch Fossilien finden kann. Nur ein paar Schritte vom alten Rathaus entfernt finden Sie das Hotel „Rose". Seit 1625 steigen hier bekannte Persönlichkeiten ab, doch fühlt sich der Durchschnittsbürger hier genau so wohl und ein reizendes Restaurant zusammen mit komfortablen Zimmern laden Sie zum Bleiben ein. Die Spezialitäten des Hauses sind „Rostbraten in Pfeffersauce mit Pfeffergurken" und „Seezunge mit Krabbenragout". Nachdem Sie das Dessert, Krokanteis mit Grand Marniersauce gegessen haben, werden Sie wissen, daß Sie da speisen, wo Feinschmecker zu Gast sind.

One could give a history lecture on Weissenburg. In every corner of this town the visitor meets evidence of times gone by. Close by are the limestone quarries of Solnhofen which should interest the archaelogist, where one can still find fossils today. Just a few steps away from the old town you will find the hotel «Rose». It has welcomed royalty since 1625 but the average citizen will also feel at home here, and a charming restaurant, together with comfortable rooms, invite you to stay. Specialities of the house include "roast joint in pepper gravy with gherkins" and "sole with crab ragout". After enjoying a dessert of ice cream covered with Grand Marnier sauce, you will know you are dining where gourmets come to eat.

Un exposé serait nécessaire pour relater le passé historique de Weissenburg. Le visiteur découvre à chaque angle, à chaque ruelle de cette vieille ville pittoresque l'histoire des siècles écoulés.
Les amateurs de la préhistoire sont attirés par les pierres lithographiques du Jura franconien à Solnhofen, connue dans le monde entier. Des arrangements spéciaux de vacances sont organisés à effet. En outre, Weissenburg est un point de départ idéal pour des excursions d'une journée, que ce soit à Nuremberg, à Rothenburg ou à Dinkelsbühl ou par la ravissante vallée de l'Altmühl à Ratisbonne (Regensburg) avec le «Walhalla» («Temple de l'honneur allemand») ou à l'abbaye de Weltenburg à Kelheim.
L'hôtel «Rose» existe depuis 1615 à Weissenburg. Des salles de restaurant charmantes et une jolie cave originale incite le voyageur à y séjourner. Et pour couronner le tout, une cuisine dont vous apprécierez les délices.

E. Mitschke
Rosenstraße 6
8832 Weißenburg/Bayern
☎ 0 91 41/20 96

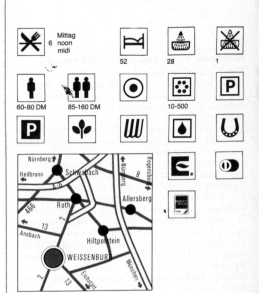

Romantik Hotel „Rose" · Weißenburg

Erlebnis-Wochenende

Freitag ist Ihr Anreisetag. Haben Sie sich in Ihrem gemütlichen Zimmer ausgeruht und frisch gemacht, begrüßen wir Sie mit einem Willkommenstrunk als Einstimmung für die fränkischen Spezialitäten, welche wir in unserem »Ratskeller« für Sie bereithalten.

Samstag: Wenn Sie ausgeschlafen haben, servieren wir Ihnen ein reichhaltiges Romantikfrühstück. Danach besteht die Möglichkeit, aus diversen Ausflugsprogrammen Ihren Tag zu gestalten. Abends Menü mit fünf Gängen.

Sonntag: nach dem Frühstück Besuch des Römermuseums (einmalig in Deutschland), der römischen Therme und Möglichkeit zur Besteigung des Turmes von St. Andreas mit weitem Rundblick. Nach einem wohlverdienten Mittagessen Heimreise.

Preis für zwei Übernachtungen, Romantikfrühstück, Begrüßungscocktail, ein Mittagessen, fränkisches Abendessen, Gourmetmenü pro Person im Zimmer mit Dusche, WC: 198 DM.

Verlängerungsnacht pro Person incl. Frühstück 30 DM als besondere Serviceleistung.

Eventful week-end

You arrive on Friday. When you have taken a rest and freshened up in your comfortable room we greet you with a welcoming drink to whet your palate for the Franconian specialities we have prepared for you in our "Ratskeller".

Saturday: After your refreshing sleep we provide you with a generous breakfast. Then you can plan your day from our various excursions. In the evening a 5-course menu.

Sunday: After breakfast a visit to the Roman Museum (unique in Germany) and the Roman baths and a chance to climb the tower of St. Andrew's Church to enjoy the wide prospect from its top. Following a well-deserved lunch you journey homewards.

Price for 2 nights, Romantik breakfast, welcoming cocktail, 1 lunch, Franconian dinner, gourmet menu pro person in room with shower and WC: 198 DM.

Extra night per person including breakfast 30 DM as a special facility.

Un week-end inoubliable

Arrivez le vendredi. Reposez-vous dans votre chambre agréable et changez-vous. Nous vous souhaitons ensuite la bienvenue lors d'un apéritif annonçant les spécialités franconiennes qui vous attendent dans la «Ratskeller».

Samedi: à l'issue d'un sommeil réparateur, nous vous servons un copieux petit déjeuner. Divers programmes d'excursions vous permettent ensuite d'organiser votre journée. Le soir, repas à 5 plats.

Dimanche: Après le petit déjeuner, visite du musée romain (unique en Allemagne), des thermes romaines et possibilité de monter en haut de la tour St. André d'où l'on jouit d'un large panorama. Retour à l'hôtel après un déjeuner bien mérité.

Prix pour 2 nuitées, petit déjeuner spécial Romantik, cocktail de bienvenue, 1 déjeuner, un dîner franconien, 1 repas gastronomique, par personne en chambre avec douche et WC: 198 DM.

Nuit supplémentaire, par personne, y compris petit déjeuner 30 DM, un prix spécial pour nos hôtes.

n eingesessenes Restaurant verbunden mit eige-
er Metzgerei war schon immer ein besonderer
Gütestempel. Dazu kommt noch ein ausgezeichnetes renoviertes Hotel in der wunderschönen Wein-
gegend von Schwaben und Sie haben das ideale
Haus, „Zum Ochsen", ein lebendiges und beliebtes
Restaurant, wo es·schwierig sein kann, einen Platz
zu bekommen – die Leute wissen, daß das Essen
hier gut ist. Ein Glas Wein macht alles noch liebens-
werter. Besuchen Sie Kernen-Stetten im Remstal,
nahe bei Stuttgart. Bleiben Sie eine Weile hier.
Genießen Sie die ausgezeichnete Küche und den
Wein und erforschen Sie die Hügel, Täler und Wälder des Remstals.

An established restaurant affiliated with a butcher's
shop has always been a special hallmark. Add to that
an attractively renovated hotel in the beautiful wine-
growing area of Swabia and you have an ideal combi-
nation. That is the "Zum Ochsen", a lively and popular inn, where it just might be difficult to get a table –
people know that the food is good here. A glass of
wine makes it all the more enjoyable to visit Stetten
im Remstal which is situated close to Stuttgart. Stay
here for a while, enjoy the excellent cuisine and
wines and explore the hills and valleys of the
"Schwäbische Alb".

Une vieille auberge annexée à une boucherie
signifie bonne chère. En outre, cette auberge est
située au coeur d'un vieux vignoble. Le touriste
en s'y rendant ne trouvera pas un honnête petit
hôtel, mais un établissement vivant, plein de dyna-
nisme, restauré il y a quelques années en une
demeure séduisante. Bien que tout ait été conçu
très grand, vous aurez de la peine à trouver de la
place si vous ne réservez pas à l'avance, car tout
le monde sait que l'«Ochsen» est une des meilleures tables de la région et qu'en autre son vin est
exquis. Venez séjourner, vous ne le regretterez
pas.

O. Schlegel
7053 Kernen-Stetten/Remstal
☎ 07151 / 42015
☎ 07151 / 42016 Gästehaus Schlegel

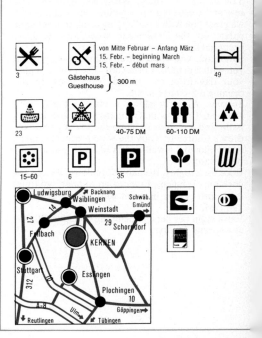

von Mitte Februar – Anfang März
15. Febr. – beginning March
15. Febr. – début mars

3

Gästehaus
Guesthouse } 300 m

49

23

7

40–75 DM

60–110 DM

15–60

6

35

Romantik Restaurant „Katzenberger's Adler" · Rastatt

Als Rudolf Katzenberger am 1. Januar 1984 den Betrieb seinen Kindern Isolde und Paul Hagelberger übergab, da meinten viele, daß »Katzenbergers Adler« nun wohl auch nicht mehr das wäre, was er einmal war.

So geht es sicherlich manchem »Nachfolger«, wenn ein Großer seines Faches, wie Rudolf Katzenberger dies zweifelsohne war, die aktive Bühne verläßt.

Natürlich vermißt man heute die Bonmots und Geschichten des Grandseigneurs Katzenberger, doch gut essen und trinken in vertraut gemütlicher Atmosphäre kann man nach wie vor. Paul Hagelberger steht schon seit über 10 Jahren am Herd des »Adlers« und war noch zu Katzenbergers Zeiten für die Küchenqualität verantwortlich. Und Isolde Hagelberger leitet den Service, seit man zurückdenken kann.

Auch wenn einige Restaurantkritiker und -führer meinen, man müßte alle Rosetten und Kochmützen wegnehmen, weil Rudolf Katzenberger nicht mehr da ist, der »Adler« ist nach wie vor ein ausgezeichnetes Restaurant und stets eine gute gastliche Adresse im badischen »Ländle«.

When Rudolf Katzenberger handed over his business on 1 January 1984 to his children, Isolde and Paul Hagelberger, many people thought that "Katzenberger's Adler" would not be the same as it once was.

This does indeed happen to many successors when a great man in his profession, as Rudolf Katzenberger certainly was, leaves the stage.

Of course one does miss today the sayings and stories of the grand old man Katzenberger, but one cañ still enjoy good food and drinks in the same intimate familiar atmosphere. Paul Hagelberger has been in the kitchen of the "Adler" for over 10 years and was responsible for the quality of the cuisine even in Katzenberger's time. And Isolde Hagelberger has been in charge of the service for as long as one can remember.

Even if some restaurant critics and guidebooks think that all the rosettes and "chef's caps" should be taken away because Rudolf Katzenberger is no longer there, the "Adler" is still, as then, an outstanding restaurant and remains a good gastronomic address in the Baden region.

Lorsque Rudolf Katzenberger remit son restaurant le 1er janvier 1984 aux mains de ses enfants Isolde et Paul Hagelberger, beaucoup craignaient que le Katzenberger Adler ne serait plus ce qu'il a été. Il est évident que lorsqu'un Grand du métier – et cela ne fait pas le moindre doute, Rudolf Katzenberger en était un – quitte la vie active et se retire de la scène, son successeur doit faire ses preuves. Bien sûr, on regrette aujourd'hui les bons mots et les anecdotes que Katzenberger, grand seigneur de sa branche, savait si bien raconter, mais dans son restaurant, on y mange et boit toujours aussi bien, dans cette même atmosphère agréable et assez unique que tant appréciaient, habitués ou non. Paul Hagelberger est depuis dix ans aux fourneaux de l'Adler, garant déjà du temps de Katzenberger de la qualité de la cuisine. Quant à Isolde Hagelberger, elle dirige le service pratiquement depuis toujours. Même si quelques critiques et guides de la gastronomie estiment qu'on devrait supprimer toutes les rosettes et toques sous prétexte que Rudolf Katzenberger n'est plus là, l'«Adler» reste néanmoins un excellent restaurant, une bonne adresse de la gastronomie dans le pays de Bade.

Isolde + Paul Hagelberger
Josefstr. 7
7550 Rastatt
☎ 0 72 22 / 3 21 03

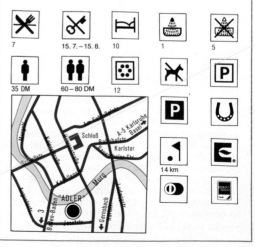

Romantik Hotel „Post" · Nagold

...gold liegt am östlichen Rand des Schwarzwalds ...nd ist besonders für Ausflüge nach Baden-Baden, den Schlössern entlang des Neckars, nach Stuttgart und zu den Höhlen in der „Schwäbischen Alb" zu empfehlen. Das Wirtshausschild der „Post" ist wahrscheinlich das schönste, das man in Deutschland finden kann. Genau so anziehend ist die Ausstattung der alten Gasträume und des Hotels, das 1696 erbaut wurde. Seit 1773 ist die „Post" in der gleichen Familie. Berühmte Gäste wie Napoleon waren hier, Grund genug für viele Touristen, hier zu halten. Großen Anteil an der beachtlichen Klasse der Nagolder „Post" hat die vorzügliche Gastronomie, die auch vor den verwöhntesten Gaumen bestehen kann. Die Karte wechselt täglich und man bietet eine regionale Küche mit französischem Akzent. Man verwendet frische Zutaten nach der Saison und bereitet Saucen (ohne Mehl) à la minute. Komfortable Zimmer und vielseitige Konferenzräume sind selbstverständlich für dieses Romantik Hotel.

Nagold is situated on the eastern edge of the Black Forest and is particularly suitable for excursions to Baden-Baden, the castles along the river Neckar, Stuttgart and the numerous caves in the „Schwäbische Alb". The inn-sign of the "Post" is probably the most beautiful to be found in Germany. Equally attractive is the interior and the wood panelling in the public rooms of this hotel which was established in 1696. Since 1773 the „Post" has been owned by the same family, although the chronicle bears various names, due to the lack of male offspring. Famous guests include Napoleon, reason enough for many French tourists to stop here. The delicious food served at this hotel includes "Spätzle" noodles and many other regional specialities.

L'enseigne de l'hôtel «Post» à Nagold est une des plus belles de toute l'Allemagne. La façade de la maison érigée en 1696 ainsi que le cloisonnage intérieur sont dignes d'être vus. Le «Post» est un domaine de famille depuis 1773 bien que la chronique cite plusieurs noms. La raison en est simple, il y eut peu de descendants de race masculine.
Ancien relais de poste, bien des personnages illustres y sont descendus. Napoléon y a passé une nuit et bien des Francais viennent y séjourner pour en connaitre les lieux. Les hôtes illustres ne sont pas venus uniquement pour s'émerveiller des splendeurs de l'hôtel «Post», mais surtout pour y savourer sa cuisine très réputée. Une spécialité de la maison, les nouilles «Spätzle», un délice pour les amateurs. Nagold, située à l'Est de la Forêt-Noire, est l'endroit

parfait pour vos vacances vous offrant une infinité d'excursions: promenades au Nord de la Forêt-Noire ou à Baden-Baden, le tour des châteaux le long du Neckar, à Stuttgart, métropole de la Souabe, ou visite des nombreuses grottes sur l'Alb souabe.

Fam. Scholl
Bahnhofstraße 2–4
7270 Nagold
☎ 0 74 52/40 48 + 42 21

34	23	1	40,50–79,50 DM	77–125 DM
	60	P		35 km

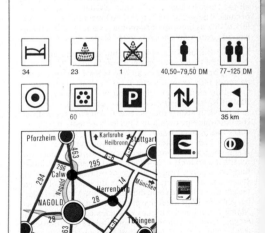

Romantik Hotel
Landgasthof „Adler" · Rammingen-Langenau 42

Rammingen bei Langenau liegt nur 4 km vom Autobahnkreuz Elchingen – Ausfahrt Langenau – entfernt.

Das Haus genießt den Vorteil einer vollkommen ruhigen Lage. Wenn Sie eine großzügige und gepflegte Gastronomie schätzen, und dieselbe in einer gastlichen Atmosphäre genießen wollen, finden Sie sie hier. Wenn Sie Entspannung und Ruhe brauchen, so wird das Haus Ihren Ansprüchen gerecht, in diesen im ländlichen Stil mit allem heutigen Komfort eingerichteten Zimmern.

Die erstklassige Küche, die 12 geschmackvollen Zimmer und Seminarraum machen das Haus zum begehrten Hotel für Urlauber und Geschäftsreisende.

2 Tage HP für Kurzurlauber zu 185,– DM. Bitte fordern Sie ausführliche Unterlagen an.

Zum Tagesprogramm bieten sich folgende Möglichkeiten an:

Radwanderwege (Charlottenhöhle, Eselsburger Tal usw.) Fahrräder werden kostenlos zur Verfügung gestellt.

Wanderungen ins Ried (auf Wunsch mit Führer zu unerforschten Gebieten und Pflanzen.

Ulm – 20 km Entfernung – mit seinem Münster, seiner Altstadt und seinen Museen, bietet außerdem als Kulturzentrum zahlreiche Veranstaltungen.

Neresheim m. seiner wunderschönen Barockkirche.

Rammingen, near Langenau, lies only 4 km from the Autobahn junction, Elchingen exit.

The house has the advantage of being situated in completely quiet surroundings. If you appreciate varied and refined gastronomy, you will find it here. If you need rest and relaxation, the house will provide these, with its rustic style and rooms with every modern comfort.

The first-class cuisine, the 12 tastefully furnished rooms and the conference room combine to make this a desirable hote both for holidaymakers and businessmen.

There are interesting alternatives for short holidays:

Picnic weekends (several barbecue sites are available).

Bicycle tours (to Charlottenhöhle [cave], Eselsburger Tal [valley] etc.).

Rambles in the Ried National Park (guide provided on request for seeking rare plants in remote areas).

Ulm – 20 km away – with its Minster, old town and Museums is also a cultural centre which organises many events.

Rammingen à proximité de Langenau est à 4 km de la sortie de l'autoroute Elchingen.

Cette maison offre l'avantage d'une situation totalement calme. Vous trouverez ici une ambiance sympathique, une cuisine excellente et un service de premier ordre. Si vous voulez vous détendre et vous reposer, vous trouverez la tranquillité et le confort dans des chambres de style rustique.

La cuisine de premier choix, les douze chambres sobres et distinguées, de bon goût et la salle de séminaire font de cette maison un hôtel recherché par les vacanciers et les hommes d'affaires.

Des choix intéressants s'offrent aux vacanciers de quelques jours:

week-ends pique-nique (plusiers lieux sont possibles pour griller).

Routes de randonnées cyclistes (grotte Charlottenhöhle, vallée Eselsburger Tal, etc.).

Promenades dans le marais (sur demande, découverte de régions et plantes inconnues avec un guide).

Ulm – outre sa cathédrale, sa vieille ville et ses musées, ce centre culturel situé à 20 km est le cadre de nombreuses manifestations.

Fam. Apolloni · Riegestraße 15
7901 Rammingen/Ulm · ☎ 0 73 45/70 41

...eutschland gibt es viele Fachwerkhäuser, aber ...„Obere Linde" ist eines der schönsten. Eine ...olzbrücke führt zu einem Nebenhaus. Die ge-...backene Forelle mit Mandeln allein ist es wert, nach Oberkirch zu kommen. Am Fuße des Schwarzwalds begrüßt dieses Hotel seit 1659 Gäste. Der Besitzer Werner Dilger wird oft in Kochschürze angetroffen, während seine Frau die Gäste betreut. Trinken Sie noch ein Glas des hiesigen Weins zu den ausgezeichneten Gerichten, die in diesem Hotel serviert werden.
Zwei Kegelbahnen und einen Tennisplatz für die Gäste gibt es schon seit Jahren.
Ein im Fachwerkstil neu erbautes Gästehaus ist dem unter Denkmalschutz stehenden Gebäude völlig angepaßt.
Eine ganze Etage Himmelbetten, komfortabel eingerichtete Zimmer mit TV, Radio, Minibar, Bad oder Dusche, WC, Balkon und ein schöner Garten erwartet die Gäste. Großzügige Gartenanlagen sind eine gute Ergänzung.
Sie finden eine herzliche Atmosphäre und ein gemütliches Zuhause.

There are many half-timbered houses in Germany, but the "Obere Linde" hotel is one of the most beautiful. There's a wooden bridge leading to an adjoining house and the "fried trout with almonds" alone is worth a special trip to Oberkirch. Located at the foot of the Black Forest, this hotel has been welcoming guests since 1659. Manager Werner Dilger can usually be found wearing his chef's jacket while his wife serves the guests. Take a glass of the local wine with the excellent dishes which are served at this hotel and you have all the ingredients for a good Romantik Hotel. Recently a bowling alley was added to the hotel's facilities, but a tennis court has been available to guests for a number of years.
In our new guest house, which is in keeping with the old building, we have four-poster beds waiting for you in the romantically furnished rooms, with TV, radio, minibar, bath, WC and balcony. An indoor swimming pool, sauna and solarium are planned.

Oberkirch située au pied de la Forêt-Noire, station climatique et productrice de vin, aux portes de Strasbourg, est une petite ville adorable faisant beaucoup pour le tourisme. Oberkirch est un enchantement pour ceux qui passent leurs vacances et ne cherchent pas seulement à se laisser dorer au soleil, car chaque jour offre des nouveautés. Il y a beaucoup de maisons à colombages en Allemagne, mais on peut dire sans hésitation que l' «Obere Linde» en est une des plus belles. Le vin du Bade l'a souvent prise comme exemple pour la réclame de ses vins. Werner Dilger vous offre une gastronomie délicate et vous le verrez souvent portant sa veste de cuisinier pendant que sa femme s'occupe avec prévenance de ses hôtes. Depuis peu, un jeu de quilles à l'hôtel et, depuis de nombreuses années, des courts de tennis à la disposition des clients.
Dans la nouvelle auberge adaptée au style de l'ancien bâtiment, on a meublé pour vous des chambres romantiques avec lit à baldaquin, balcon, télévision, radio, minibar, salle de bains, douche et WC. Piscine couverte, sauna et solarium sont prévus.

Werner und Elisabeth Dilger
Hauptstraße 25–27
7602 Oberkirch/Baden
☎ 07802/3038
Telex 752640 linde d

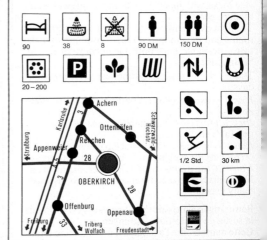

Romantik Hotel „Obere Linde" · Oberkirch

Urlaub an der Sonnenseite des Schwarzwaldes

Unser BADISCH-ELSÄSSISCHER KURZ-URLAUB ist gerade richtig, um sich zwischendurch einmal von der Hetze des Alltages zu erholen. 3 Übernachtungen mit Halbpension und Programm p. P. 295 DM.
Trimmen Sie sich fit bei unserer OBERKIRCHER WEIN-WANDERWOCHE. Eine lehrreiche Woche für alle Wein- oder Wanderfreunde. 6 Übernachtungen mit Halbpension und Programm p. P. 525 DM.
Während eines WINTERURLAUBES ZWISCHEN SCHWARZWALD UND VOGESEN erholen Sie sich 7 Tage bei badischem Wein und Schwarzwälder Spezialitäten. 6 Übernachtungen mit Halbpension und Programm p. P. 475 DM.
Gerne lassen wir Ihnen unsere vollständigen Unterlagen zukommen oder stellen individuell für Sie ein Freizeitprogramm zusammen.

Holiday on the sunny side of the Black Forest

Our SHORT HOLIDAY IN BADEN and ALSACE is just right to enbale you to relax occasionally from hectic everday life.
3 nights with part board and programme: 295 DM per person.
Get trim and fit on our OBERKIRCHEN WINE AND WALKING WEEK. An instructive week for all lovers of wine or walking.
6 nights with part board and programme: 525 DM per person.
During a WINTER HOLIDAY BETWEEN BLACK FOREST AND VOSGES you relax for 7 days over the wine of Baden and Black Forest specialities.
6 nights with part board and programme: 475 DM per person.
We shall be glad to send you all our leaflets or to draw up an individual leisure programme for you.

Vacances sur le versant ensoleillé de la Forêt Noire

Nos VACANCES BADOISES ET ALSACIENNES sont idéales pour se reposer de temps en temps des remous quotidiens.
3 nuitées, demi-pension et prestations du programme, par personne: 295,00 DM.
Gardez la forme en participant à notre SEMAINE DE LA RANDONNEE ET DU VIN A OBERKIRCH. Une semaine instructive pour les passionnés de la randonnée et les amateurs de bon vin.

6 nuitées, demi-pension et prestations du programme par personne: 525,00 DM.
Profitez de VACANCES HIVERNALES ENTRE LA FORET NOIRE ET LES VOSGES pour vous reposer 7 jours en goûtant le vin du pays de Bade et les spécialités de la Forêt Noire.
6 nuitées, demi-pension et prestations du programme, par personne: 475,00 DM.
C'est avec plaisir que nous vous adressons notre documentation complète et que nous vous composons un programme de loisirs personnalisé.

Romantik Parkhotel „Wehrle" · Triberg

...n Sie nach einem kultivierten Hotel suchen,
...s nicht nur ausgezeichnetes Essen, sondern auch
...len vorstellbaren Komfort in den antik eingerich-
...teten Zimmern im Hauptgebäude oder im modernen Gästehaus im Park bietet, sollten Sie nicht zö-
gern, nach Triberg ins „Wehrle" zu gehen.
Bei Claus Blum werden Sie unaufdringliche aber
warmherzige Gastlichkeit erleben, die Ihnen
Freude am Genuß und Entspannung schenkt. Das
Stammhaus, seit 1608 unter dem Zeichen des Goldenen Ochsen, liegt zwischen Triberger Marktplatz
und eigenem Park. Im Park selbst: Gästhaus und
Parkvilla, das beheizte Freibad, Hallenbad, Sauna,
Solarium, Tischtennis usw. Das Wehrle ist zudem
Ausgangspunkt der Schwarzwald-Wanderidee
ohne Gepäck „auf dem Weg der Uhrenträger".
Sehenswürdigkeiten um Triberg: Wasserfälle, Hei-
matmuseum, Freilichtmuseum, Vogtsbauernhof,
Deutsches Uhrenmuseum, Glashütte Wolfach und
Waffenschmiede Geroldseck
Wegen des günstigen Preis-Leistungsverhältnisses
nehmen unsere Dauergäste gerne die **Pauschal-
angebote** wahr! – zum Beispiel:
Eine Woche Halbpension im Zimmer mit Dusche/
WC 620,– DM, mit Bad/WC 690,– DM pro Per-
son. 14 Tage Gesundheitsurlaub mit Dr. Schnitzers
Roh- und Vollkornkost in Vollpension ab 1080,–
D-Mark.
Das Gourmet-Angebot für Anspruchsvolle
»Drei Tage schlemmen und wandern« 448,– DM.
In allen Pauschalen ist Hallenbad und beheiztes
Freibad (im Sommer), Sauna und Solarium-Be-
nützung enthalten.
● In den **Sonderangebotszeiten** 15 % Nachlaß ●
Ausführlichere Auskünfte erteilt Ihnen Claus
Blum.

If you are looking for an elegant and wellrun hotel,
offering not only excellent food, but also all imaginable comfort in the traditionally furnished rooms
in the main building or in the modern guest house
in the park, go to the Triberg "Wehrle".
Claus Blum provides warm but unobtrusive hospitality, which makes dining and relaxation a pleasure.
The ancestral house, known since 1608 as the Golden Ox, lies between Triberg market place and its
own park. In the park itself are a guest house and
park villa, heated open-air swimming pool, indoor
pool, sauna, solarium, table tennis etc. Sights
around Triberg include waterfalls, Folklore-Mu-
seum, open-air museum, German clock museum
and Wolfach glass factory.

Pour ceux qui recherchent un hôtel de grande classe, offrant non seulement une cuisine extraordinaire
mais aussi tout le confort, peuvent aller sans hésiter
au «Wehrle» à Triberg, qui n'a pas son pareil en
matière de culture hôtelière, d'hospitalité cordiale,
de bien-être et de détente, sous la direction avisée de
Claus Blum.

C. Blum
7740 Triberg i. Schwarzwald
☎ 0 77 22/40 81
Telex: 792609

98   55   5   52-99 DM   100-180 DM

50   12   20

Skiwandern ohne Gepäck
Die Schwarzwald-Skiwander-Idee »Auf dem Weg der Uhrenträger«

vom

Romantik Parkhotel „Wehrle"
Triberg im Schwarzwald

zum

Romantik Hotel „Adler-Post"
Titisee-Neustadt

Unsere Ski-Wanderpauschale
DM 468,– pro Person
schließt folgende Leistungen ein:
5 Übernachtungen in guten Zimmern mit Bad oder Dusche und WC
(4 Häuser mit Hallenbad und Sauna)
reichhaltiges Frühstück, 3gängiges Abendmenu, Gepäckbeförderung, Mehrwertsteuer, Service und Heizung selbstverständlich inbegriffen.

Die Skiwanderung führt teilweise über den „Fernskiwanderweg" (SSM-Loipe – Schonach – Hinterzarten) und im übrigen über Loipen, die von den Gemeinden oder anderen Trägern, nicht aber von den beteiligten Hotels, unterhalten werden.

Bei ungünstiger Witterung werden die einzelnen Häuser neben dem Gepäcktransport bei eventuell notwendiger Personen- und Skibeförderung behilflich sein.
Jedes Haus wird Ihnen vor Beginn der Tagestour die nötige Information geben.
Langlaufausrüstungen sind an den Etappen erhältlich.

Um eine definitive Reservierung vornehmen zu können, erbitten wir Ihren Verrechnungsscheck in Höhe der gebuchten Pauschalen an die Reservierungsstelle im

Romantik Parkhotel Wehrle,
Telex 792609,
Telefon 0 77 22-40 81

oder an
Romantik-Reisen,
Postfach 1144,
8757 Karlstein,
Telefon 0 61 88-50 20

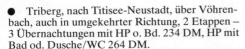
● Triberg, nach Titisee-Neustadt, über Vöhrenbach, auch in umgekehrter Richtung, 2 Etappen – 3 Übernachtungen mit HP o. Bd. 234 DM, HP mit Bad od. Dusche/WC 264 DM.

● Titisee-Neustadt, St. Märgen, Neukirch, Triberg, oder umgekehrt, 3 Etappen – 4 Übernachtungen mit HP o. Bd. 298 DM, HP mit Bad od. Dusche/WC 338 DM.

● Die komplette Rundwanderung mit 7 Etappen und 7 Übernachtungen inklusive Frühstück zum Pauschalpreis von 336 DM, mit Bad od. Dusche/WC 409 DM.

Alle Preise enthalten MwSt., Service, Kurtaxe, Gepäcktransport sowie Hallenbadbenützung.
Mehrpreis für Einzelzimmer 6,– DM pro Person und Tag.
2 Zusatztage 158 DM, mit Bad 186 DM.
Halbpension (HP) beinhaltet 3-Gang-Abendmenu, Übernachtung und reichhaltiges Frühstück.

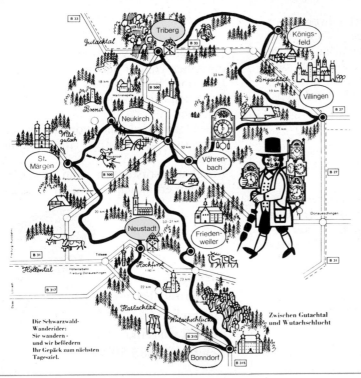

vom

Romantik-Parkhotel »Wehrle«

Triberg im Schwarzwald
Telefon 0 77 22/40 81

zum

Romantik-Hotel »Adler-Post«

Titisee-Neustadt
Telefon 0 76 51/50 66

Skiwandern ohne Gepäck siehe Seite 161

Zentrale Buchungsstelle
Kurverwaltung
7740 Triberg im Schwarzwald
Telefon 0 77 22-8 12 30
Telex 792609

Romantik Hotel „Adler-Post" · Titisee-Neustadt

45

Titisee-Neustadt ist einer der bekanntesten Kurorte im Hochschwarzwald. Das Romantik-Hotel Adler-Post liegt im Ortsteil Neustadt 5 km östlich vom Titisee. Dem Besucher steht ein reichhaltiges Angebot an Freizeiteinrichtungen im Hause und am Ort zur Verfügung: Gepflegte Wanderwege, beheizte Freibäder, Wassersportmöglichkeiten auf dem Titisee, ein modernes Tenniszentrum und im Winter verschiedene Langlaufloipen – um einige der Möglichkeiten aufzuzeichnen. Die „Adler-Post" kann auf eine 400-jährige Tradition zurückblicken und ist seit 1850 im Besitze der Familie Ketterer. Die meisten Zimmer verfügen über Bad, WC, Minibars, Telefon etc. Ein Hallenbad (8 x 4 m), Sauna und Solarium stehen den Gästen zur Verfügung. Alte rauchgeschwärzte Holzbalken zieren die kleine Empfangshalle. Das Restaurant bietet Spezialitäten der badischen Küche, des Schwarzwaldes und der Jahreszeit. Verlangen Sie bitte unsere Prospekte und Pauschalangebote für Weekend-Familien- und Sportarrangements.

Titisee-Neustadt is one of the most popular Black Forest resorts and offers many attractions to the visitor – a beautiful lake, indoor and outdoor heated swimming pools, numerous interesting walks, sailing, tennis, horse-riding – the list is endless. The "Adler-Post" is located in the part of Neustadt 5 km east of the lake. It looks back on a 400 years' tradition and Herr Ketterer is a man always busy with ideas on how to improve his hotel. He built an indoor swimming pool with sauna and solarium, where you can relax after a day of sightseeing or walking. The entrance hall is beautiful and one would not guess by its condition that the hotel is over four centuries old. The restaurant offers fine food and a visit to the cellar reveals a large variety of excellent wines.
Please ask for our leaflets and all-in terms for week-end family and sporting activities.

L'Hôtel «Adler-Post» situé à Neustadt, 5 km à L'Ést du Lac Titisee, jouit d'une tradition vieille de 400 ans. Cet hôtel dispose de ravissantes chambres, de salons confortables et élégants, d'une très jolie rôtisserie ainsi que d'une piscine couverte, sauna et solarium.
Titisee-Neustadt est une des régions de vacances les plus recherchées en Forêt-Noire. Elle offre de nombreux loisirs et distractions: piscines chauffées en plein air, centre de «fitness» jardins de plaisance, nombreuses et jolies promenades, voile, tennis, équitation, tir, pêche et golf miniature.
Demandez nos catalogues et nos prix forfaitaires de week-ends sportifs et familiaux.

Fam. Ketterer
Hauptstr. 16
7820 Titisee-Neustadt
☎ 0 76 51/50 66

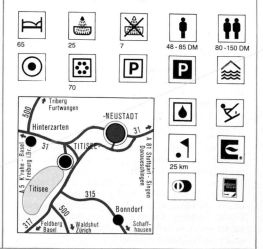

65   25   7   48 - 85 DM   80 - 150 DM

70   25 km

Wenn Sie einmal ein kleines entzückendes Hotel suchen, wo Sie sich wie zuhause fühlen, dann sollten Sie die Familie Jehli – Kiefer besuchen und sich von ihnen verwöhnen lassen. ·Während sich Ena Jehli liebevoll um das Wohl ihrer Gäste kümmert, sorgt Walter Jehli in der Küche für die ganz individuelle Betreuung auf kulinarischem Gebiet. Er verbindet die Küche seiner Schweizer Heimat mit Spezialitäten aus dem Schwarzwald und zaubert köstliche Creationen. Es ist eine besondere Freude diese Köstlichkeiten mit einem Glas badischen Wein zu genießen und in dem kleinen wohnstubenhaften Schwarzwald-Restaurant zu sitzen, wo alte Uhren ticken und an kalten Tagen das Kamin-Feuer prasselt.

Der Stollen eignet sich ganz besonders als Standort für Urlaubsausflüge in alle vier Himmelsrichtungen. Die „Badische Weinstraße" im Norden, der Kaiserstuhl, oder das Elsass im Westen, die Schwarzwaldberge im Osten oder die Schweiz im Süden. Aber auch das Elztal selbst ist ein herrliches Wanderrevier, das noch nicht vom Massentourismus entdeckt ist.

Seit 1981 stehen den Hotelgästen sechs äußerst behagliche Luxusappartements mit anspruchsvollster Inneneinrichtung zur Verfügung.
● Schlemmer- und Golf-Wochenende
● Kochkurse 11. 11. bis 17. 11. 1984
   24. 2. 1985 bis 2. 3. 1985.

If at any time you are looking for a small and charming hotel where you can feel entirely at home, then you should visit the Jehli-Kiefer family and let them spoil you. Whilst Ena Jehli lovingly looks after the needs of their guests, Walter Jehli is in the kitchen attending to the needs of their "inner men". He combines the cuisine of his Swiss home with specialities of the Black Forest in truly delicate creations.

It is especially pleasant to enjoy these delicacies with a glass of sparkling wine from Baden, sitting in the small, almost drawingroom-like restaurant, where old clocks tick and on cold days log fires crackle.

In 1981 the "Stollen" was enlarged by the addition of an extra storey, which includes 6 luxury-class apartments elegantly furnished for the discriminating.

Etes-vous à la recherche d'un charmant petit hôtel de style familial, alors descendez au «Stollen» tenu par la famille Jehli-Kiefer et laissez-vous y choyer. Pendent qu'Ena Jehli, charmante et prévenante s'occupe de ses hôtes, Walter Jehli est à ses fourneaux en train de préparer de succulents petits plats. D'origine suisse, il a su allier les spécialités de son pays à celles de la Forêt-Noire composant ainsi des créations culinaires excellentes.

Il vous sera difficile de ne pas céder au charme de l'endroit, avec un repas fin devant soi, un vin du Bade miroitant dans votre verre, dans une salle à manger où les heures s'égrennent à de vieilles pendules et où lorsque les journées sont fraiches, le feu craque dans la cheminée, tout cela vous fait oublier que vous êtes dans un restaurant et vous vous sentez chez vous. En 1981, le «Stollen» s'est agrandi d'un étage l'enrichissant de 6 appartements de luxe dont l'aménagement intérieur devrait plaire aux plus exigeants.

Fam. Jehli-Kiefer
7809 Gutach-Bleibach
☎ 0 76 85/2 07

4　　　18　　　9　　　80 DM　　150 DM

　　　35　　　nur im Hotel

1 km

Romantik Hotel „Spielweg" · Münstertal/Schwarzw.

Es wird schwer sein, im Schwarzwald ein schöneres Hotel als den „Spielweg" in Münstertal zu finden. Es ist einzigartig und man ist von diesem Hotel begeistert, wenn man die attraktiven Gästezimmer und den alten Innenhof betritt.
Das Gästehaus mit dem beheizten Freischwimmbad und Hallenbad harmoniert so gut mit dem ursprünglich gebliebenen alten Gasthof. Die badischen Spezialitäten, die hier serviert werden, sind eine wahre Freude für den Gaumen, weswegen die Gourmets weit her reisen und der Spielweg diesen guten Ruf hat, der beste Gasthof im Umkreis zu sein.
In der vierten Generation wird der Spielweg von der Familie Fuchs geführt. Spielweg und Umgebung ist besonders geeignet zum Wandern, Bergsteigen und Angeln. Im Winter Langlauf und Ski-Alpin.
Durch eine Umgehungsstraße ist das Hotel jetzt ganz ruhig gelegen.
Erleben Sie den »Spielweg«.

It will be difficult to find a more beautiful inn in the Black Forest than the "Spielweg" in Münstertal. It is unique and one could be in raptures about this hotel when one enters the attractive guestrooms and charming courtyard. The new wing with the swimming pool harmonizes so well with the original building and is a pleasure to see. One would have to be a poet to describe it properly. The Black Forest specialities which are served here are a real feast for the palate and therefore the "Spielweg" has the reputation of being the best "Gasthof" in the entire area.

Il est bien difficile de trouver en Forêt-Noire un plus bel hôtel que le «Spielweg» à Münstertal. Il est irrésistible. On ne peut que s'enthousiasmer devant les magnifiques salons ou la merveilleuse cour intérieure, ou l'aile moderne avec piscine.
C'est un plaisir pour les yeux, et les authentiques recettes du terroir un délice pour le palais. Le Spielweg est devenu le plus bel hôtel et la meilleure table de Forêt-Noire.
La famille Fuchs gère la «Spielweg» depuis quatre générations. L'hôtel et ses environs conviennent particulièrement bien aux randonnées, à l'escalade et à la pêche; au ski de fond ou de descente en hiver.
La route contourne l'hôtel qui jouit ainsi d'un calme absolu.

H. Fuchs
7816 Münstertal/Schwarzwald
Im Oberen Münstertal
Ortsteil Spielweg
☎ 07 636/6 18 + 13 13

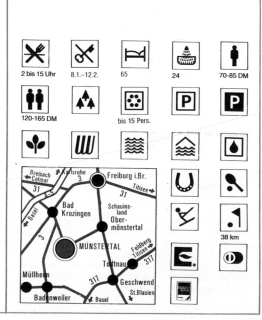

Badenweiler ist ein eleganter Kur- und Ferienort im südlichen Schwarzwald und ein idealer Platz sich vom Alltagsstreß zu erholen. Es ist nur 12 km von der Autobahn Frankfurt/Basel entfernt und den Umweg wert, wenn Sie eine Unterkunft auf Ihren Reisen durch diesen Teil von Deutschland suchen. Hier können Sie herrlich Kururlaub mit all seinen Attraktionen verbringen und können es mit den kulinarischen Köstlichkeiten, die die »Sonne« zu bieten hat, verbinden. Das Hotel wurde 1620 gebaut und ist seit vier Generationen und 100 Jahren in der Fischer-Familie. Die heimische Atmosphäre, die ausgezeichnete Küche, moderner Komfort und persönliche Betreuung durch die Besitzer machen es wert, in diesem ruhigen Hotel Halt zu machen.

Badenweiler is an elegant spa + Holiday resort in the southern Black Forest and an ideal place to recover from the stress of everyday life. It is only 12 km from the Frankfurt/Basle motorway and well worth the detour, if you are looking for accommodation on your travels through this part of Germany. Here you can spend a marvellous spa-holiday with all its attractions and combine it with the culinary pleasure the "Sonne" has to offer. The hotel was established in 1620 and has been in the Fischer family for four generations. The homely atmosphere, exquisite cuisine, modern comforts and personal supervision of the owners make it worthwile to stay in this quiet hotel.

Badenweiler est restée une des rares stations thermales privées et vacances de l'Allemagne et offre à l'hôte le plus exigeant une gamme complète des techniques modernes de cure. Son climat tempéré et doux, le calme et le repos aident le surmené à retrouver son équilibre normal. Les techniques de cure sont particulières au rhumatisme, arthrose des membres, etc. L'hôtel «Sonne» existe depuis 1620 et c'est déjà la 4ème génération de la famille Fischer qui en assume la direction. Il se prête admirablement bien à un séjour de cure se transformant en de véritables vacances.
Un décor romantique, une cuisine délicieuse, un confort moderne (toutes les chambres avec salle de bains ou douche, WC), l'accueil prévenant des propriétaires, tout cela crée une atmosphère chaleureuse incitant à se laisser aller à la joie de vivre. Le voyageur pressé désirant passer une nuit tranquille est vite au «Sonne», ce n'est qu'un détour de 12 km depuis l'autoroute.

F. Fischer
7847 Badenweiler
☎ 0 76 32/50 53

Neu:

Ferienappartements mit allem Komfort, auch mit Hotelservice.

Tennishalle, 500 Meter.

3

Mitte Nov. –
Anf. Febr.
15. Nov.–beginning Febr.
15. Nov.–début Febr.

65

42

70-90 DM

118-160 DM

15 km

Romantik Hotel „Hecht"
Überlingen/Bodensee

Mitten drin in der historischen alten Stadt Überlingen, zwischen Nikolausmünster und Seepromenade, fällt jedem das güldene Aushängeschild des Hecht mit der goldenen Traube im Maul des Fisches ins Auge. Bodensee-Fische und Seewein von den Uferhängen, das ist kulinarische Harmonie, die im Hause der Surdmanns in Vollendung dargeboten wird. Daß er besonders die heimischen Produkte, wie Lachsforelle, den Egli, die Äsche und den Blau-Felchen mit Phantasie, aber sauber und ehrlich zu wahren Träumen des Gaumens bereitet. Seine Soßen, Terrinen und Mousses sind weit bekannt. Oft fahren die Feinschmecker zu bestimmten Jahreszeiten weite Strecken,um im Hecht zu bestimmten Gerichten einzukehren.

Überlingen on Lake Constance, is a picturesque town with narrow streets and a magnificent lakeside promenade. In the midst of this holiday region the traveller will find the "Hecht", instantly reconisable by its golden inn sign. In recent years this hotel has become a meeting place for gourmets and bon viveurs from all over the world, with excellent service provided by the hotelier's wife, while he himself looks after his guests' well-being in the kitchen. This is certainly a good address for the holidaymaker or traveller.

Überlingen au bord du Bodensee (Lac de Constance) est une ville pittoresque avec des ruelles étroites et une magnifique promenade au bord du lac. C'est en plein centre de ce lieu de vacances que le voyageur trouve l'hôtel «Hecht», qu'il reconnaîtra grâce à son enseigne dorée. Devenu un lieu de rendez-vous pour les gourmets au courant des dernières années, on y trouvera des gourmets venant de tous les coins du monde, dont s'occupera au mieux l'hôtelière, tandis que l'hôtelier veille au bien-être de ses hôtes dans la cuisine. Une adresse à recommander pour les vacanciers tout commè les voyageurs de passage.

Erich und Ingrid Surdmann
Münsterstr. 8
7770 Überlingen/Bodensee
☎ 0 75 51/6 33 33

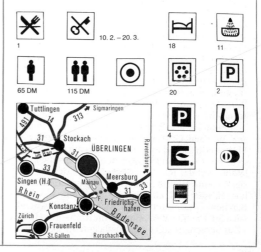

Romantik Hotel und Weinstube Hecht Überlingen

Romantik Hotel Krone, Gottlieben

Romantik Hotel Seeschau Insel Reichenau

Nach der Anreise im Romantik Hotel »Hecht« in Überlingen, einen kurzen Schnuppergang zur neu gestalteten Seepromenade. Am Abend dann nach einem Glas Champagner Beginn eines viergängigen Gourmet-Menüs.

1. Tag: Das reichhaltige Frühstücksbuffet gibt uns Kraft und die Grundlage für den ersten Tag. Die Tour beginnt um 9.00 Uhr in Richtung Nußdorf zur Klosterkirche (Barock) Birnau. Bis dorthin wird Sie Herr Surdmann, der »Hecht«-Wirt, auf seinem Rennrad begleiten. Sie radeln dann auf dem Prälatenweg nach Salem, vorbei am Mendishauserhof. Können am Affenberg (ca. 500 Berberaffen) kurz rasten und besichtigen in Salem die Basilika, das Schloß und die weltbekannte Schule. Danach fahren Sie über Mühlhofen-Uhldingen nach Meersburg, übersetzen mit der Bodenseefähre nach Staad, von dort Weiterfahrt zur Blumeninsel Mainau. Nach Besichtigung der Mainau radeln Sie zurück über Staad, fahren nach Konstanz, überschreiten die deutsch-schweizerische Grenze und radeln den Rhein entlang nach Gottlieben. Am Abend erfreut Sie Familie Schraner im Romantik Hotel »Krone« in Gottlieben mit einem Feinschmecker-Menü. Tageskilometer ca. 30.

2. Tag: Nach dem guten Schweizer Frühstücksbuffet Abfahrt, am Untersee entlang nach Stein am Rhein, dort besehen Sie sich die wunderbaren Fresken, Erker und Malereien in der Altstadt von Stein, dann laden Sie Ihren Drahtesel auf ein Kursschiff der Schiffahrtgesellschaft Untersee und Rhein und lassen sich gemütlich den romantischen Rhein aufwärts in den Untersee zur Gemüseinsel Reichenau fahren. Für fleißige Radler gibt es die Alternative am deutschen Ufer entlang auf zum Teil landeinwärts gelegenen Straßen über Ohningen, Wangen, Gaienhofen, Itznang, Radolfzell, zur Mettnau zu fahren und von dort aus mit dem Schiff sich zur Gemüseinsel Reichenau übersetzen zu lassen. Auf der Reichenau besehen Sie sich die riesigen Gemüse- und Salatfelder, die großen Treibhausanlagen und natürlich die streng romanischen Kirchen Obermittel und Unterzell. Am Abend wird Sie Familie Winkelmann im Romantik Hotel »Zur Seeschau« mit einer köstlichen Speisenfolge,

bestehend aus einer Vielfalt regionaler Spezialitäten, verwöhnen. Gottlieben-Stein ca. 25 km, Stein-Mettnau ca. 35 km.

3. Tag: Nach dem reichhaltigen Reichenauer Frühstück fahren Sie über Wollmatingen zum höchstgelegenen Punkt unserer Tour: das ehemalige Kloster St. Katharina auf dem Bodanrück. Hinunter Richtung Mainau nach Staad. Mit dem Kursschiff setzen Sie über nach Meersburg, dem Heimatort von Annette von Droste-Hülshof. Burg und Schloß von Meersburg sind sehenswert. Entlang dem Überlinger See geht die Fahrt dann zu den Pfahlbauten nach Unteruhldingen und endet wieder im »Hecht« in Überlingen, Tageskilometer ca. 30.

Pauschalpreis mit Kartenmaterial, Unterbringung in Zimmern mit Dusche und WC, Fahrradmiete, inkl. MwSt. und Service: 410,– DM pro Person. Sollten Sie Ihr eigenes Fahrrad dabei haben, pro Person 390,– DM. Sollten die Romantikhäuser ausgebucht sein, so ist die Unterbringung in Hotels mit der gleichen Ausstattung der Zimmer gewährleistet. Gepäcktransfer wegen Grenzüberschreitung leider nicht möglich.

Buchung bei:

Romantik Hotel »Hecht«
D–7770 Überlingen/Bodensee
☎ (0 75 51) 63 33 33

Kurverwaltung Überlingen
D–7770 Überlingen/Bodensee
☎ (0 75 51) 8 72 91

Romantik Hotels und Restaurants
D–8757 Karlstein am Main
☎ (0 61 88) 50 20

Romantik Hotel + Restaurant „Seeschau" · Insel Reichenau

Direkt am See mit einem herrlichen Blick auf die nahe-gelegene Schweiz liegt das Romantik Hotel »Seeschau« auf der Insel Reichenau. Die Grundsteine stammen schon aus dem siebten Jahrhundert und seit 1922 wird es von der Familie Winkelmann-Roser geführt. Während die »Seeschau« früher eher ein Ausflugslokal war, hat sie sich in den letzten Jahren zu einem Geheimtip für Genießer entwickelt. Horst Winkelmann, der als Patron der Küche vorsteht, hat sich sehr auf die lokalen Produkte konzen-triert und das sind Bodenseefische und Reichenau-Gemüse, die er köstlich zuzubereiten weiß. Seine Fach-kenntnisse hat er während verschiedener Aufenthalte in der Schweiz, Frankreich, Italien, Schweden stets erwei-tert, um sie dann in seinem Hause zu verwirklichen. Seine Frau leitet in einer Umsicht den Service, daß man sich wirklich wohl fühlt. Die meisten Zimmer haben Seeblick und außerdem gibt es einige Appartements im Neubau. Die »Seeschau« ist nicht nur ein idealer Ort sich zu er-holen, sondern auch als Standort für Ausflüge in die nahe Schweiz, zum Rheinfall bei Schaffhausen und natürlich zur Insel Mainau. Da die Reichenau keine Berge hat, ist sie sehr gut für Wanderungen oder Fahrradtouren zu den schönen Kirchen und durch die Gemüsefelder geeignet. Im Frühjahr und Herbst bietet die »Seeschau« spezielle Kurzurlaube für Wanderer und Radfahrer an.

Right on the lake with a wonderful view of nearby Switzer-land lies the Romantik Hotel "Seeschau" on the island of Reichenau. The foundations date from the 7th century and it has been run by the Winkelmann-Roser family since 1922. Previously a restaurant for outings, in recent years it has become a byword amongst epicures. Horst Winkel-mann, who is in charge of the kitchen, has concentrated particularly on local products and these include fish from Lake Constance and Reichenau vegetables, which he prepares deliciously. He has broadened his expertise during various stays in Switzerland, France, Italy and Sweden to put it into practice in his hotel. His wife keeps her eye on the service, to ensure one's comfort. Most of the rooms have a view of the lake and there are also ap-partments in the new building. The "Seeschau" is not only an ideal place for relaxation, but also a centre for trips to nearby Switzerland, to the Rhine Falls at Schaffhausen and, of course, to the Island of Mainau. As Reichenau has no mountains, it is well suited for walking or cycle tours to the beautiful churches and through agricultural country. In Spring and Autumn the "Seeschau" offers special recu-peration holidays for walkers and cyclists.

Directement en bordure du Lac de Constance, avec une vue magnifique sur la Suisse toute proche, vous trouvez l'Hôtel Romantik «Seeschau» dans l'île de Reichenau. Ses premières pierres datent du VIIème siècle et la fa-mille Winkelmann-Roser le dirige depuis 1922. Alors que le «Seeschau» était autrefois plutôt un point de restauration touristique, il est devenu dans les dernières années un restaurant que les connaisseurs se recomman-dent entre eux. Horst Winkelmann, qui patronne la cui-sine, s'est beaucoup concentré sur les produits locaux, à savoir les poissons du Lac de Constance qu'il prépare à merveille. Il est du reste allé parfaire ses connaissances gastronomiques durant différents séjours en Suisse, en France, en Italie, en Suède pour les mettre en pratique dans son propre établissement. Sa femme, elle, dirige le service de telle sorte qu'on se sente vraiment bien chez eux. Les Chambres sont pour la plupart avec vue sur le Lac et il existe en outre quelques appartements dans l'aile nou-velle de l'Hôtel. Le «Seeschau» constitue à la fois un lieu idéal pour se reposer et un excellent point de départ pour des excursions dans la Suisse voisine, aux Chutes du Rhin à Schaffhouse et bien entendu dans l'île de Mainau.

L'île de Reichenau ne comprenant pas de montagne, elle convient très bien pour des promenades et randonnées à bicyclette jusqu'aux belles églises et au travers des champs de légumes. Au printemps et en automne, le «Seeschau» offre des séjours de vacances conçus spécialement pour promeneurs et amateurs de randonnées cyclistes.

H. Winkelmann
An der Schiffslände 8, 7752 Insel Reichenau
☎ 0 75 34 / 2 57

1
2 bis 18 Uhr

1. 11. – 15. 12.   22
2. 1. – 20. 1.

12

60 – 75 DM

110–150 DM

10

Konstanz
12 km

15 km

Französische Küche verbunden mit Schwäbischer Gastlichkeit ist wohl der Traum eines Feinschmekkers, und im „Waldhorn" in Ravensburg wird dieser Traum Wirklichkeit. Es ist seit 1860 in der gleichen Familie und war immer für die hohe Qualität der Küche bekannt. Heute zählt es zu den besten Restaurants in Deutschland. Täglich kommt nur Frisches vom Markt und vom eigenen Fischer vom Bodensee auf den Tisch. Auch Mittelmeer- und Atlantikfische werden außergewöhnlich zubereitet und mit köstlichen Beilagen arrondiert. Besondere Spezialitäten des Waldhorn sind Gerichte vom Lamm, Fisch, Wild und Geflügel. Auch Obst und Beeren werden hier selbst eingeweckt. Sie werden, wie die frischgepflückten, zu Träumen von Desserts. Pilze bringen die Bauern aus den nahen Wäldern. Das Restaurant im altdeutschen Stil vermittelt eine selten gemütliche Atmosphäre. Das „Waldhorn" ist eines der ältesten Häuser von Ravensburg, einer alten Stadt voller interessanter historischer Gebäude.

French cuisine combined with Swabian hospitality is definitely a gourmet's dream and at the "Waldhorn" in Ravensburg that dream has come true. Run by the same family since 1860, it has always been known for its high standard of cuisine. Manageress Vroni Bouley-Dressel and her husband constantly pamper their guests and have still found time to remodel as well as expand the facilities of their hotel. Only the original "Storchennest" (stork's nest) with its cosy little rooms has remained unchanged and is accessible by crossing the roof-balcony from where one seems to have a view over the rooftops of Paris. The "Waldhorn" is one of the oldest houses in Ravensburg, which is full of interesting historic buildings.

La cuisine franconienne alliée à l'hospitalité souabe est un rêve pour un gourmet et ce rêve se réalise à l'hôtel «Waldhorn». La direction de l'établissement est assumée par la même famille depuis 1860. Elle a toujours été une maison dont la réputation culinaire et gastronomique est traditionelle. Vrony Bouley-Dressel et son mari sont constamment à s'occuper du bien-être de leurs hôtes en restaurant et transformant toute la maison. Seul, l'original «Storchennest» (nid de cicognes), avec ses jolies petites pièces n'a pas été rénové. Très poétiques, ces petites chambres ne sont accessibles que par un balcon sur le toit d'où l'on jouit d'une vue prestigieuse, «comme depuis les balcons de Paris».
Bien que la façade soit simple en apparence, le «Waldhorn» fait partie des plus vieilles maisons de Ravensburg riche en bâtiments historiques.

Fam. Bouley-Dressel
Marienplatz 15
7980 Ravensburg
☎ 07 51/1 60 21
Telex: 7 32 311 W HORN D

Neu: Erweiterungsbau mit Brücke verbunden »Hotel in der Schulgasse« Stadtzentrum, ruhige Lage, Hotelappartements und großzügige Einzel- und Doppelzimmer ideal für Schlemmerwochenenden.
15 km von Ravensburg entfernt, Bad Waldsee, befindet sich einer der schönsten Golfanlagen (18 Loch). Für Golfer bieten wir Wochen- und Wochenendpauschale inklusiv green-fee und Halbpension.

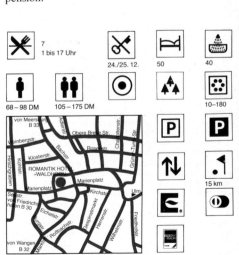

Romantik Hotel „Alte Post" · Wangen

Wangen ist eine sehr schöne Stadt und wird das Tor zu den Allgäuer Alpen genannt. Hier können Sie sich an der herrlichen Landschaft der Bergregion von Süddeutschland erfreuen sowie am Bodensee oder der »Oberschwäbischen Barockstraße« mit all ihren architektonischen Bauwerken. Tagesausflüge nach Österreich oder der Schweiz können von hier genauso leicht unternommen werden wie Spaziergänge und verschiedene Arten von sportlichen Betätigungen. Die »Alte Post« und ihre »Hotelvilla« sind genau richtig, um seine Ferien in dieser historischen Stadt zu verbringen. Das Stammhaus liegt in zentraler, ruhiger Lage an der Fußgängerzone. Lassen Sie sich durch die schlichte Fassade des Hotels nicht beirren, sie versteckt nur die Harmonie des Inneren. Frau Veile hat dieses schöne Haus stilvoll selbst gestaltet. Herr Veile jun. ist für die Delikatessen aus der Küche verantwortlich. Noch mehr Schönheit erwartet Sie in der 400 Meter entfernten »Postvilla« im Park, Sie werden sich sicher wünschen, in diesem Hotel einige unvergeßliche Tage zu verbringen.

Wangen is a very beautiful town and is called the Gate to the Allgäuer Alps. Here you can enjoy the wonderful landscape of Southern Germany's mountain region, both at the Lake of Constance and the "baroque street of Oberschwaben" with all its architectural buildings. It is just as easy to make excursions during the day to Austria and Switzerland from here as to take a walk or do various kinds of sports activities. The "Alte Post" and its "hotel villa" are just right for spending one's holiday in this historical town. The main building is situated in the central, quiet area on the pedestrian zone. Don't be misled by the plain facade of the hotel, it only conceals the harmony inside. Mrs. Veile has decorated this beautiful house with style herself. Mr. Veile jun. is responsible for the delicacies of the kitchen. Even more beauty awaits you in the "Post villa" in the park 400 metres away, you would certainly like to spend a few unforgettable days in this hotel.

Wangen est une jolie ville surnommée «La porte des Alpes de l'Allgäu». Vous pouvez jouir du magnifique paysage montagneux de l'Allemagne du Sud, du Lac de Constance et de la «Route baroque de la Haute Souabe» jalonnée de nombreuses curiosités architecturales. A partir de Wangen, il est aisé d'entreprendre une excursion d'un jour en Autriche ou en Suisse, de se promener et de se livrer à diverses activités sportives. L'«Alte Post» et votre «Hotelvilla» sont les lieux rêvés pour passer ses vacances dans cette ville historique. L'hôtel même se trouve au centre de la ville, dans la zone piétonnière et jouit d'un site calme. La façade de l'hôtel n'en impose pas et cache le charme de l'intérieur. Mme Veile a personnellement arrangé avec goût cette jolie demeure. M. Veile fils est responsable des spécialités culinaires. A 400 m de là, la «Postvilla» du parc vous propose une plus grande beauté encore. Il ne fait pas de doute que vous voudrez passer quelques jours inoubliables dans cet hôtel.

W. Veile
Postplatz 2
7988 Wangen / Allgäu
☎ 0 75 22/40 14

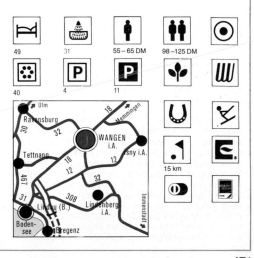

Garmisch-Partenkirchen, international bekannter Kurort, Austragungsort der Olympiade '36 und der Alpinen Ski-WM '78, befindet sich im herrlichen Gebirgsland unterhalb der Zugspitze (2964 m). Clausings Posthotel, das zentral am Marienplatz liegt, besitzt eine einzigartige, vielbewunderte Fassade. Seit fünf Generationen ist es im Besitz der Familie Clausing.
Wegen seiner vielen Kulturschätze wird es der Bezeichnung »Werdenfelser Schatzkasterl« gerecht. Es besitzt viele originelle sowie überaus seltene Antiquitäten, die hier diese einmalige und urgemütliche Atmosphäre bestimmen. Heute bietet die überdachte »Glasterrasse« wahres Boulevard-Vergnügen. Im behaglichen »Stüberl« und in der gemütlichen »Klause« ist der Gast von dezenter oberbayerischer Eleganz und Kultur umgeben. Hier speist man nach der Karte »Für den Gourmet«. Im »Post-Hörndl« mit seinem Biergarten ist es dagegen immer rustikal bayrisch und gesellig. Tanz und volkstümliche Musik erfreuen hier die Gäste. Dementsprechend ist die Küche typisch bayrisch. Clausings Posthotel ist eine Romantikreise wert – zu jeder Jahreszeit.

Garmisch-Partenkirchen, an international health resort, where the Olympic Winter Games were held in 1936 and the World Alpine Ski Championship in 1978, lies in a magnificent mountainous district below the Zugspitze Peak (2964 m). Clausing's Posthotel, located centrally on Marienplatz, has a unique, much admired facade. The Hotel has been owned by the Clausing family for five generations.
Because of its many cultural treasures the Hotel lives up to its reputation as the "little jewel box of the Werdenfels District". It contains many extremely rare genuine antiques which produce an incomparable and thoroughly intimate atmosphere. Now the roofed "glass terrace" affords the pleasures of a boulevard. In the comfortable "Stüberl" and the cosy "Klause" the guest is surrounded by the dignified elegance and culture of Upper Bavaria. Here the gourmet can dine à la carte. In contrast, at the "Post-Hörndl" with its beer garden, things are always rural Bavarian and sociable. Here the guests enjoy dancing and folk music. The cuisine is typically Bavarian to match. Clausing's Posthotel is worth a romantic trip at any season.

Le ville thermale mondialement connue de Garmisch-Partenkirchen, centre des Jeux Olympiques de 1936 et des championnats du monde de ski alpin en 1978, se trouve au pied de la Zugspitze (2964 m), au coeur d'une magnifique région montagneuse. Le Clausings Posthotel est situé au centre de la ville sur la Marienplatz et présente une façade unique et admirable. La famille Clausing possède cet hôtel depuis cinq générations. Les nombreux trésors culturels lui ont valu l'appellation de «petit écrin de Werdenfels». La ville présente de nombreux objets d'art originaux et, qui plus est, rares lui conférant une atmosphère unique et très

chaleureuse. De nos jours, la «Glasterrasse» couverte offre les plaisirs authentiques des Grands Boulevards. Elégance simple de la Haute Bavière et culture entourent le visiteur dans la charmante «Stüberl» et l'agréable «Klause». La «Carte de gourmet» vous est présentée pour le repas. Le «Post-Hörndl» avec sa terrasse de verdure garde par contre son caractère rustique, bavarois et sociable. Danse et musique populaire font la joie des visiteurs. Et la cuisine est également typiquement bavaroise. Le Clausings Posthotel justifie un voyage Romantik, quelle que soit la saison.

Heinrich Michael Clausing
Marienplatz 12
8100 Garmisch-Partenkirchen
☎ 0 88 21/5 80 71
Telex 5·9 679

60	30	95–110 DM	110–200 DM	direkt im Zentrum
10–25	P	Biergarten		

500 Meter   8 km

Romantik Hotel „Die Meindelei" · Bayrischzell

53

Am Ende eines der schönsten und ursprünglichsten Gebirgstäler Oberbayerns liegt am Südhang des Wendelsteins ruhig und mit freiem Blick auf den Bilderbuchort Bayrisch Zell das Landhotel „Die Meindelei" mit ihren gemütlichen Bungalows geeignet für Familien mit Kindern.

Die Speisekarte wechselt zweimal wöchentlich und enthält eine kleine Auswahl an Gerichten der „Neuen Küche" aus den frischesten und besten Produkten der Saison.

Wir arbeiten daran, die bayrische Landesküche zu kultivieren und können unseren Gästen Bachforellen aus dem Leitzachtal, Bachsaiblinge, Wild aus heimischer Jagd sowie Käse und Butter von Almbauern anbieten.

Das Ferienangebot des Ortes beginnt mit dem Tennisplatz, dem beheizten Alpenfreibad, Minigolfanlage und den schönsten Wanderwegen direkt neben der Meindelei.

Im Winter erschließen 20 Lifte, eine Zahnradbahn sowie eine Luftseilbahn die Pisten des berühmten Skigebietes über Bayrischzell und 45 km gut präparierte Traumloipe im wahrsten Sinne des Wortes warten auf den Langläufer.

At the end of one of the loveliest and oldest mountain valleys in Upper Bavaria on the south slope of the Wendelstein, with a clear view over the picture-book village of Bayrischzell lies the quiet rural hotel "Die Meindelei".

The menu is changed twice a week and consists of a small selection of dishes from the "nouvelle cuisine" with the freshest and best products in season.

We strive to cultivate the Bavarian country cooking and can offer our guests trout from the Leitzach valley, river char, game from our own reserves, as well as cheeses and butter from the mountain farms.

Holiday attractions in the village include tennis courts, heated open-air mountain swimming pool, minigolf course and the loveliest walks right by the Meindelei.

In winter 20 lifts, a rack railway and a cable car lead to the slopes of the famous ski region above Bayrischzell and 45 km of well-prepared, wonderful loipe in the truest sense of the word, await cross-country skiers.

Vous trouvez en bout d'une des plus belles et plus pittoresques vallées de la Haute Bavière, sur la pente sud du Wendelstein, dans un emplacement tranquille et jouissant du panorama sur la ville de Bayrischzell, digne des livres d'images, l'hôtel de campagne «die Meindelei».

La carte des menus change deux fois par semaine et contient dans «la cuisine nouvelle» composée des meilleurs produits frais de la saison, une petite sélection de mets saisonniers.

Nous sommes en train de cultiver les spécialités rurales bavaroises et pouvons offrir à nos hôtes truites du Leitzachtal, saumons de rivière, gibier de nos chasses ainsi que fromages et beurre des pâturages des alpages.

Les aménagements sportifs existant sur place juste à côté du Meindelei comprennent court de tennis, piscine alpine en plein air, minigolf et les plus beaux sentiers de promenade.

L'hiver, 20 remonte-pentes, un chemin de fer à crémaillère, un téléférique conduisent aux pistes de la célèbre station de ski au-dessus de Bayrischzell et sur 45 km, des loipes bien préparées et véritablement fantastiques attendent le skieur de fond.

Familie Schwerdtfeger
Michael Meindl Str. 15
8163 Bayrischzell
☎ (0 80 23) 3 18

Restaurant mittags geschlossen außer Sonn- und Feiertage		Ende Okt. bis Ende Dez. 1 Woche nach Ostern
36	16	85 DM · 130 DM

173

Landshut gehört mit zu den schönsten gotischen Städten Bayerns und ist über die Landesgrenzen hinaus bekannt durch die »Fürstenhochzeit«. Dies ist eines der größten und imposantesten historischen Schauspiele Europas und findet alle 4 Jahre statt. So wieder 1985 vom 22. Juni bis 14. Juli.

Nicht weit vom Zentrum entfernt liegt das Romantik Hotel »Fürstenhof«, das vor wenigen Jahren aus einer alten Jugendstilvilla in ein Hotel umgewandelt worden ist. Dies ist mit sehr viel Liebe und Gespür für das Detail geschehen und läßt beim Gast sofort das Gefühl der Behaglichkeit aufkommen, das man auf Reisen oft sucht und so selten findet.

Herta Sellmair, die Gastgeberin und ihre freundlichen Mitarbeiter vervollständigen diesen ersten Eindruck. Dazu paßt auch die sehr gute Küche, die in zwei stilvollen Restaurants – das eine elegant und das andere bayerisch-tirolerisch, genossen werden kann: eine Mischung aus deftig und fein, bayerisch und französisch, klassisch und neu.

Der »Fürstenhof« wird während der Woche gerne von Geschäftsreisenden aufgesucht und am Wochenende von Kurzurlaubern, die die schöne Stadt Landshut und die herrliche Umgebung erleben möchten.

Out of an attractive house in art nouveau style, the Sellmair family has created a tasteful and comfortable hotel with much attention to detail, which attracted a loyal circle of regular guests within only a few months.

The charming rooms, the small „Fürstenzimmer" with art nouveau furnishings and the attractive old Bavarian country style „Herzogstuberl" immediately give a feeling of cosiness which is often sought on one's travels but rarely found.

A small but very good selection of dishes rounds off the harmony of the "Fürstenhof", so that it was not difficult for this concern, which only became a hotel in March 1981, to join the Romantik Group.

In Landshut the „Fürstenhof" has rapidly made its name with business travellers and for small conferences and meanwhile has become a byword for visitors to Landshut who are either passing through or spending a weekend or short holiday in this beautiful historic town. Landshut is famous for the "Ducal Wedding" ("Fürstenhochzeit") which takes place every 4 years, next time in 1986.

Dans une ravissante maison de style Art Nouveau, la famille Sellmair a installé avec beaucoup de savoir-faire jusque dans les petits détails, un hôtel confortable et de bon goût qui a su se faire en quelques mois déjà un cercle d'hôtes fidèles.

Que ce soit dans les chambres accueillantes, dans la petite salle des princes «Fürstenzimmer» au style Art Nouveau ou dans la salle des ducs «Herzogstube» meublée en rustique bavarois ancien, on est tout de suite gagné par l'impression de bien-être et de quiétude qu'on recherche si souvent lorsqu'on voyage mais qu'on trouve hélas rarement.

Un petit assortiment de très bons mets vient parfaire l'harmonie du «Fürstenhof» si bien que cet établissement devenu hôtel seulement en mars 1981 put être admis sans difficulté dans le groupe Romantik.

A Landshut, le «Fürstenhof» a très vite acquis une bonne réputation auprès des gens en déplacement et pour les sessions ou séminaires en petits groups. Entre temps, c'est aussi un hôtel qu'on recommande volontiers à ses amis de passage à Landshut et qui veulent visiter cette merveilleuse ville historique ou y passer quelques jours de vacances. Landshut est renommé pour son «Mariage princier» traditionnel qui a lieu tous les 4 ans et dont le prochain se tiendra en 1986.

H. Sellmair
Stethaimer Straße 3
8300 Landshut
☎ 08 71 / 8 20 25 – 8 20 26

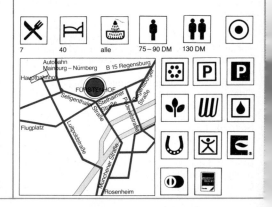

Romantik Hotel „Bierhütte" · Bierhütte

„Bierhütte" ist ein Name, bei dem man etwas ganz anderes erwartet, als das Romantik Hotel „Bierhütte", das die Familie Störzer aus einer alten Glashütte und Bierbrauerei erstehen ließ. Aber was wäre dieses schöne behäbig-barocke Gebäude ohne seine von Ludwig Störzer selbst geführte Küche. Kein Wunder, daß die „Bierhütte" für Feinschmekker so etwas wie eine Bastion im bayerischen Osten geworden ist. Sie liegt im Bayerischen Wald zwischen Freyung und Grafenau, gleich unterhalb von Hohenau, nahe dem ersten deutschen Nationalpark, der allein mit seinen über 200 km langen Wanderwegen ein einzigartiges Erholungsgebiet darstellt. Ausflugsmöglichkeiten gibt es von der „Bierhütte" aus ins Donautal mit seinen vielen Sehenswürdigkeiten von Regensburg bis Passau, nach Österreich und über die tschechische Grenze nach Böhmen, Pilsen und Prag. Sportbegeisterte brauchen gar nicht so weit auszuholen, denn Schwimmen, Fischen, Trimmen und Wandern im Sommer, Skiwandern und Langlauf im Winter geht auch ohne Auto. Golf, Tennis, Reiten und Abfahrtslauf gibt es in der näheren Umgebung.

The name "Bierhütte" (beer-hut) really gives the wrong impression of the hotel when you see what has been created by the owner out of this former glassworks and brewery. But what would this beautiful building be without its marvellous cuisine? Within a very short time the "Bierhütte" has acquired an excellent reputation, otherwise it would not be a Romantik Hotel. Don't expect to find the town of Bierhütte unless you have a very good map. It lies near Hohenau which is about half way between Grafenau and Freyung in the Bavarian Forest. This unspoilt area of Southern Germany with its nature parks and reserves is an ideal choice for a relaxing holiday. Possible excursions include trips to Passau, Regensburg and even Salzburg in Austria, and for the sports enthusiast there is free fishing in the hotel's own pond whilst swimming, golf, tennis and walking are all within easy reach of the hotel.

Le nom «Bierhütte» n'éveille pas la curiosité chez le touriste, pourtant le propriétaire a su d'une main de maître transformer cette vieille brasserie délabrée en un véritable petit joyau. Mais que serait cet hôtel cossu sans une cuisine de grande classe, En l'espace de 3 ans, l'hôtel «Bierhütte» a réussi à se faire une réputation dans toute la région. La Forêt bavaroise est le paradis des voyages non organisés. Le parc national avec ses animaux et ses sentiers marqués sur plus de 200 km où en pleine saison vous ne croisez que quelques randonneurs dégustant la nature pas à pas, est pour l'amateur de la nature un lieu certain de détente et de repos.

Un grand nombre de lieux d'excursion: Passau, Regensburg, Salzburg, le «Mühlviertel» autrichien, les collines de la Forêt bavaroise avec sec sites prestigieux. Possibilités de très belles promenades. Pêche gratuite dans l'étang de la maison (truites), golf, tennis, établissement thermal dans le voisinage, tout cela offre bien des distractions et loisirs au touriste. Et enfin vous pouvez respirer le grand air pur.

Fam. Störzer
8351 Bierhütte 10
Post Hohenau
☎ 0 85 58/3 15 + 3 16

Österreich
Austria – Autriche

Romantik Reisen
Österreich/Südtirol

Österreichreise I: Vorarlberg und Südtirol

1. Tag: Anreise ins zauberhafte **Lech** am Arlberg, wo Sie das Romantik Hotel »**Post**« empfängt. Damit Sie nicht nur das Hotel, sondern insbesondere die zauberhafte Bergwelt im Frühjahr, Sommer oder Herbst genießen können, bleiben Sie auch den **2. Tag** in Lech.

3. Tag: Üblicherweise fährt man durch das Inntal in Richtung Innsbruck, doch wir möchten Ihnen einmal die außerordentlich reizvolle Route entlang des Lech empfehlen, um dann über Reutte und den Fernpaß nach **Imst** ins Romantik Hotel »**Post**« zu fahren.

4. Tag: Diesen Tag sollten Sie zu einem Ausflug durch das romantische Pitzbachtal nutzen oder sich auf der Hotelwiese ausruhen.

5. Tag: Wenngleich Südtirol zu Italien gehört, möchten wir Sie heute nach Südtirol über das Timmelsjoch nach Meran und weiter über Bozen nach **Völs am Schlern** geleiten, wo Sie vom Romantik Hotel »**Turm**« begrüßt werden.

6. Tag: Auch hier bleiben Sie zwei Nächte, denn das Schlerngebiet muß man einfach erlebt haben. Am **7. Tag** reisen Sie dann wieder heim oder gehen Ihren anderen Urlaubsplänen nach, vielleicht in Form einer Kombination mit einer weiteren Romantik Kurzreise.

Preis pro Person im Doppelzimmer mit Bad/Dusche und WC, inkl. Romantik Frühstück, Reisekarte und Paß. 6 Übernachtungen 3215 öS (ca. 460 DM), Einzelzimmer 3875 öS (ca. 555 DM).

Österreichreise II: Tirol

1. Tag: Reisen Sie in die Olympiastadt **Innsbruck**, wo Sie das Romantik Hotel »**Schwarzer Adler**« kulinarisch verwöhnen wird.

2. Tag: Auch auf dieser Reise möchten wir Sie nach Südtirol entführen, denn es gehört zu Tirol, auch wenn es heute zu Italien gehört. Im Romantik Hotel »**Stafler**« in **Mauls** bei Sterzing haben wir zwei Nächte für Sie vorgesehen, damit Sie vielleicht einmal einen Ausflug nach Brixen machen können.

4. Tag: Durchs reizvolle Pustertal führt Sie der Weg nach **Lienz** in Osttirol in das Romantik Hotel »**Traube**«, wo Sie wiederum zwei Nächte bleiben.

6. Tag: Über den Großglockner oder durch den Felbertauerntunnel fahren Sie nach **Kitzbühel** ins Romantik Hotel »**Tennerhof**«, um dann am **7. Tag** diese Reise zu beenden.

Preis pro Person im Doppelzimmer mit Bad/Dusche und WC, inkl. Romantik Frühstück, Reisekarte und Paß. 6 Übernachtungen 3455 öS (ca. 495 DM), Einzelzimmer 4330 öS (ca. 620 DM).

Österreichreise III: Im Salzburger Land

1. Tag: Reisen Sie zunächst nach Salzburg, der schönen Mozart-Stadt. Südlich finden Sie Anif mit dem Romantik Hotel »Schloßwirt«.

2. Tag: Durch das Salzachtal fahren Sie zunächst nach Werfen, um die »Eisriesenwelt« kennenzulernen, und dann weiter nach **Badgastein** ins Romantik Hotel »Grüner Baum«. Hier haben wir zwei Nächte für Sie vorgesehen.

4. Tag: Durch den Tauerntunnel kommen Sie nach Kärnten, wo Sie zunächst Spittal und dann **Villach** mit dem Romantik Hotel »Post« erwarten.

5. Tag: Zwischen Villach und Klagenfurt liegen die berühmten Kärntener Seen, doch wenn Sie etwas besonders Reizvolles suchen, würden wir unbedingt die Route über Finkenstein und St. Jakob empfehlen, um nach **Klagenfurt** ins Romantik Hotel »Musil« zu reisen.

6. Tag: Unentdecktes romantisches Österreich erleben Sie auf der Weiterfahrt über Maria Sall, St. Michael, St. Veit und Friesach. Bei Scheifling fahren Sie dann westwärts nach **Schladming** ins Romantik Hotel »Alte Post«.

Preis pro Person im Doppelzimmer mit Bad / Dusche und WC, inkl. Romantik Frühstück, Reisekarte und Paß. 6 Übernachtungen 3420 öS (ca. 490 DM), Einzelzimmer 4190 öS (ca. 600 DM).

Österreichreise IV: Salzkammergut – Steiermark – Wien

1. Tag: Wer kennt nicht das **»Weiße Rössl«** am **Wolfgangsee,** das Romantik Hotel, das für diese Reise am Anfang steht.

2. Tag: Weniger bekannt, doch als echter Geheimtip gehandelt, gilt da schon das Romantik Hotel **»Almtalhof«** in **Grünau,** für das wir zwei Nächte vorgesehen haben.

4. Tag: Heute erleben Sie Österreich, wie es nur wenige Besucher kennen. Wir empfehlen Ihnen, über Michelsdorf, Windischgarsten und Eisenerz nach Leoben zu fahren, um dann weiter über Bruck an der Mur und Fronleiten nach **Weiz bei Graz** zu fahren. Hier werden Sie zwei Nächte im Romantik Hotel **»Modersnhof«** bleiben, einem liebreizenden kleinen Hotel inmitten zahlreicher Obstbäume.

6. Tag: Heute ist Ihr Ziel **Wien,** und hier wiederum das Romantik Hotel **»Römischer Kaiser«.** Wir haben in dieser Reise eine Nacht eingeplant, doch können Sie gerne weitere Nächte in Wien reservieren lassen.

Preis pro Person im Doppelzimmer mit Bad / Dusche und WC, inkl. Romantik Frühstück, Reisekarte und Paß. 6 Übernachtungen 3455 öS (ca. 495 DM), Einzelzimmer 4155 öS (ca. 595 DM).

Romantik Hotel „Post" · Imst/Tirol

Das Romantik Hotel POST Schloß Sprengenstein ist ein feinbürgerliches Haus, in dem Historisches und moderner Komfort zu einer Einheit geworden sind. Die nicht alltägliche Atmosphäre vermittelt dem Gast sofort das Gefühl der Geborgenheit. Abgerundet wird das Besondere, das dieses Haus bietet, durch seine gute Küche und durch die persönliche Betreuung jedes Gastes. Nicht umsonst rühmt der bereits zum Tiroler-Volksgut gewordene Mundartspruch: Z'IMSCHT AUF DER POSCHT DA GIBT'S A GUATE KOSCHT seit vielen, vielen Jahren die Leistungen dieses Hauses.
Im Sommer laden die blumengeschmückte Veranda und in der kälteren Jahreszeit die gemütlichen Stuben zum längeren Verbleiben ein. Etwas Besonderes ist noch das schöne Hallenbad, welches, im 10 000 qm großen Hotelpark gelegen, dem Gast zur Verfügung steht.
Die Bezirksstadt IMST liegt im Westen Tirols, am Schnittpunkt der Nord-Süd-Straße MÜNCHEN – MERAN bzw. ST. MORITZ und der Ost-West-Straße, die von ZÜRICH über IMST nach Innsbruck bzw. SALZBURG führt.

The Romantik Hotel „Post" Castle Sprengenstein is a highclass house in which history and modern comfort are combined. There is a special atmosphere which immediately makes the guest feel cossetted and this is enhanced by the good cooking and the personal attention paid to every guest. It isn't for nothing that the Tirolese vernacular proverb: Z'IMSCHT AUF DER POSCHT DA GIBT'S A GUATE KOSCHT (IN IMST AT THE "POST" CHOICE FOOD IS A MUST) has praised the accomplishments of this house for many many years. The flower decorated veranda in summer and the cosy rooms in colder seasons invite you to stay for a while. Something special is the beautiful indoor swimming pool which is situated in the 10,000 sq.m. hotel park and which is at the guests' disposal. The district town of IMST is situated in the western part of the Tirol at the intersection of the North-South highway from MUNICH to MERANO and ST. MORITZ respectively and the East-West highway from ZÜRICH via IMST to INNSBRUCK and SALZBURG respectively.

L'Hôtel Romantik „Post" Schloß Sprengenstein est une maison patricienne où l'histoire et le confort moderne s'allient harmonieusement. Dans cette Maison au caractère particulier, les hôtes sont immédiatement envahis d'une impression peu commune de bien-être et de quiétude. A cela s'ajoute une bonne cuisine et un accueil personnel pour chaque hôte. Ce n'est pas pour rien que le proverbe populaire A IMST, A L'HOTEL DE LA POSTE ALLER, BON IL Y FAIT MANGER déjà devenu apanage tyrolien, vante depuis de très nombreuses années les mérites de cette maison. La véranda fleurie en été et les salles agréables durant la saison fraîche vous invitent à un séjour prolongé. La jolie piscine couverte constitue également une sensation inhabituelle: elle se trouve dans le parc de l'hôtel recouvrant 10.000 m², et est à la disposition des hôtes. IMST, le chef-lieu de canton, se trouve dans le Tyrol occidental, à l'intersection de l'axe nord-sud MUNICH–MERANO/ST. MORITZ et de l'axe ouest-est conduisant de ZÜRICH à Innsbruck ou SALZBOURG via IMST.

Fam. Singer
Postplatz 3 · 6460 Imst/Tirol
☎ 0 54 12/25 54

15. 10.–15.12.   77

26   14   500 ÖS   800 ÖS

30

Lech am Arlberg ist als mondäner Wintersportplatz des Jet-Sets bekannt und deshalb wissen nur wenig Leute, wie schön es hier im Sommerurlaub sein kann. Herrliche Spazierwege und erstklassige Bergpfade, die man mit Liften erreichen kann, bieten dem Kletterer wie dem Freizeitwanderer unzählige Gebirgswege. Das Romantik Hotel „Post" bietet erstklassige Küche und es kommt nicht von ungefähr, daß hier berühmte Persönlichkeiten ihren Urlaub verbringen, seit die Familie Moosbrugger den historischen Charakter des Hauses mit ihrem eigenen Charm verbunden haben. Das Hotel hat selbstverständlich einen Swimmingpool und wenn Sie Ihren Urlaub im höchstgelegenen Romantik Hotel verbringen möchten, dann ist die „Post" in Lech genau das Richtige für Sie.

Lech am Arlberg is known as a fashionable winter sports resort frequented by the jet set and, because of this, very few people know how lovely it is for summer holidays. Excellent walks and first class alpine paths, which can be reached by lifts, offer innumerable mountain walks both for the climber and the more leisurely walker. The Romantik Hotel "Post" offers first class cuisine and it is not without reason that famous personalities spend their holidays here, since the Moosbrugger family have combined the historic character of the house with their own personal charm. It goes without saying that the hotel has a swimming pool and, if you would like to holiday in the highest Romantik Hotel, the "Post" in Lech am Arlberg is the one for you.

Lech am Arlberg est une station d'hiver mondaine connue du Jet Set, aussi peu de touristes savent que c'est un coin merveilleux pour y goûter le repos le plus bénéfique. Grâce aux remontées mécaniques, des possibilités infinies de promenades, excursions ou ascensions permettent la découverte intégrale d'une région tant pour le montagnard chevronné que pour le promeneur et le flâneur. L'Hôtel Romantik «Post» vous offre en gastronomie tout ce dont le savant gourmet rêve et ce n'est pas en vain que nombre de personnages illustres y passent leurs vacances car la famille Moosbrugger a su allier le caractère historique de la maison à son charme personnel. Cet hôtel dispose naturellement d'une piscine et celui qui désire passer des vacances dans un des plus grands hôtels romantiques sera séduit par le charme du «Gasthof Post».

F. Moosbrugger
6764 Lech am Arlberg · ☎ 0 55 83/2 20 60
Telex: 5 239 118

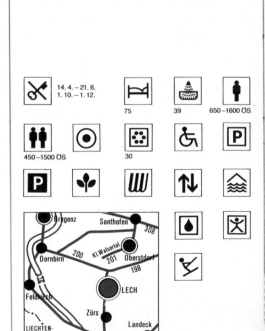

14. 4. – 21. 6.
1. 10. – 1. 12.

75   39   650–1600 ÖS

450–1500 ÖS   30

Romantik Hotel
„Gasthof Post" · Lech am Arlberg

Therapiere die Gesundheit!

5 Tage Aufbautraining mit Toni Mathis, der weit mehr ist als nur ein Heilmasseur!
Betreuer vieler bekannter Sportler, wie Weltmeister Nelson Piquet, John Watson, Andy – Hanni Wenzel, Hubert Neuper, Franz Beckenbauer, Hans Krankl – und Persönlichkeiten aus Politik und Wirtschaft!
22.–29. Juni 1985 und 21.–27. September 1985

Der goldene Weg zwischen Bewegung und Ernährung. *Ein Spezialtraining für überforderte und stark beanspruchte Leute jeden Alters – auch für Anfänger.*
Entschlacken ohne Hunger · Vollwertnahrung · Ausdauertraining · Kreislauftraining · Atemtherapie · Beweglichkeits- und Muskeltests · Wirbelsäulenprogramm · Entspannungstraining · Täglich frische Luft · Wandern · Tennis · Stretching · Schwimmen.
Preis pro Kurs und Person: 2700,– öS · Zimmerkategorie nach Wunsch · Einbettzimmer: 850,– öS · Doppelzimmer: 700,– öS · Jägerzimmer: 850,– öS · Postillion: 900,– öS · Postmeister: 980,– öS · Preise pro Person/Tag für Halbpension!

Therapy for Health!

Five days development training with Toni Mathis, who is far more than merely a masseur!
Physical Adviser to many well know sports personalities such as World Champion Nelson Piquet, John Watson, Andy – Hanni Wenzel, Hubert Neuper, Franz Beckenbauer, Hans Krankl and leading figures in politics and the economy!
22–29 June 1985 and 21–27 September 1985

The golden way between activity and nutrition. *A special training programme for overworked and heavily people of every age – for beginners too!*
Slimming without hunger · Comprehensive diet · Endurance training · Circulation training · Breathing therapy · Activity and muscle tests · Spinal programme · Relaxation training · Daily fresh air · walking · tennis · stretching · swimming.
Price per course and per person: ÖS 2,700 · Choice of category of rooms: Single room ÖS 850,– · Double room ÖS 700,– · Hunter's room ÖS 850,– · Postillion room ÖS 900,– · Postmaster's room ÖS 980,– · Prices per person per day for half board!

Soigner sa santé!

5 jours d'entrainement constructif avec Toni Mathis, qui est bien plus qu'un kinésithérapeute normal. Il suit en effet de nombreux sportifs connus tels que le champion du monde Nelson Piquet, John Watson, Andy – Hanni Wenzel, Hubert Neuper, Franz Beckenbauer, Hans Krankl ainsi que des personnalités du monde politique et économique!
du 22 au 29 juin 1985 et du 21 au 27 septembre 1985

Le juste milieu entre activite physique et alimentation. *Un entrainement spécial pour surmenés et superactifs de tout âge – y compris pour débutants!*
Epurer son corps sans souffrir la faim · Nutrition complète · Entrainement d'endurance · Entrainement du système cardio-vasculaire · Thérapie de l'appareil respiratoire · Tests des muscles et de la souplesse · Programme pour colonne vertébrale · Entrainement à la détente · Tous les jours de l'air frais · de la promenade · du tennis · du stretching · de la natation.
Prix par cours et par personne: 2700 schilling autr. · Catégorie de chambre au choix: chambre à une personne: 850,– schilling autr. chambre à deux personnes: 700,– schilling autr. · chambre «chasseur»: 850,– schilling autr. · chambre «postillon»: 900,– schilling autr. – chambre «maitre de poste»: 980,– schilling autr. · Prix par personne et par jour en demi-pension!

Romantik Hotel
„Schwarzer Adler" · Innsbruck

In der historischen Olympiastadt Innsbruck mit seinem weltberühmten „Goldenen Dachl" werden Sie das Romantik Hotel „Schwarzer Adler" finden, ein wunderschönes Hotel mit Tiroler Stuben, eindrucksvollen Kellergewölben und reizenden Zimmern. Es liegt sehr zentral und bietet eine ausgezeichnete Tiroler und internationale Küche. In Innsbruck kann man alle Arten von Sport ausüben, Wandern, Bergsteigen, Schwimmen, Tennis, Golf und Skifahren, was sogar das ganze Jahr über auf dem Stubaier Gletscher möglich ist. Für den kulturellen Geschmack ist in Innsbruck ebenfalls gesorgt, den bieten das Theater und zahlreiche Konzerte. Innsbruck ist auch ein idealer Ausgangspunkt für lange und kurze Ausflüge, z. B. die Tiroler Hochalpentäler sind ein unübertreffliches Erlebnis; es ist leicht, einen Tagesausflug über die Brenner-Autobahn nach Südtirol zu unternehmen oder wie wäre es mit einem Besuch in Garmisch-Partenkirchen, das nur 1 Stunde entfernt ist.

In the historic Olympic city of Innsbruck with its world famous "Golden Roof" you will find the Romantik Hotel "Schwarzer Adler", a beautiful hotel with Tyrolean-style rooms, impressive vaulted cellar and charming bedrooms. It is centrally situated and offers excellent Tyrolean and international dishes. There are all kinds of sporting activities availabe in Innsbruck, including mountain walks, swimming, tennis and golf and skiing is even possible all the year round on the Stubai glaciers. Innsbruck also offers a range of cultural interests with theatres and concerts.
However, not only does Innsbruck itself offer plenty of variety, it is also an ideal starting point for excursions, long and short. For example the Tyrolean alpine valleys are outstanding beautiful; it is easy to arrange a day trip to South Tyrol over the Brenner-Autobahn; or what about visiting Garmisch-Partenkirchen, which is only one hour's drive away?

C'est dans la ville historique et olympique d'Innsbruck connue pour son fameux «toit d'or» que se trouve l'Hôtel romantique «Schwarzer Adler». C'est dans cet hôtel plein de charme avec ses pièces tyroliennes, sa cave voûtée, ses chambres plaisantes que vous y dégusterez les meilleures spécialités culinaires tyroliennes.
A Innsbruck, les amateurs de sport y trouveront: natation, promenades et excursions variées en montagne, court de tennis, golf et tout un complexe sportif, ainsi que le ski de fond. Les skieurs passionnés trouvent la possibilité de faire skier

même en étè devant la porte de la ville, sur les glaciers des „Alpes de Stubai". Aux aléntours immediats de la ville, possibilité de nombreuses promenades dans les vallées, ou dans la montagne. Innsbruck est également le point de départ d' excursions réalisables dans la journée. Pour vos loisirs, Innsbruck vous offre un choix de manifestations culturelles où le théathre et les concerts prennent une place prédominante.

H. Ultsch
Kaiserjägerstr. 2
6020 Innsbruck
☎ 0 52 22/2 71 09, 3 24 86

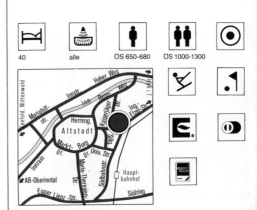

| 40 | alle | ÖS 650-680 | ÖS 1000-1300 |

Romantik Hotel „Tennerhof" · Kitzbühel/Tirol

Ländliche Tradition, internationale Atmosphäre, landschaftliche Schönheit, dies alles vereint nicht nur das Kitzbüheler Städtchen, sondern bietet im besonderen das Romantik Hotel „Tennerhof". Kitzbühel ist nicht nur ein bekannter Wintersportort, seine vielen Bergbahnen, Golf- und Tennisplätze, der warme Schwarzsee, machen es gerade auch für den Sommergast besonders begehrt. Das Interieur des Tennerhof, im warmen Tiroler Stil mit anheimelnden Bauernmöbel und vielen alten Kostbarkeiten, hell und freundlich, ist so richtig einladend, um darin lange zu wohnen. Das Hotel bietet all das, was Sie eventuell wünschen, beheiztes Hallenbad sowie Freibad, Sauna, Massage, Tischtennis, großer ruhiger Park und Terrasse, ein Restaurant für Gourmets. Die Küche ist mit einer Kochhaube ausgezeichnet, laut Gault/Millau.
Die Zimmer haben Bad und Telefon. Sie erholen sich in Ruhe, keine Busse, keine Reisegruppen stören den Tagesablauf.

Kitzbühel is not only a popular winter sports resort, the numerous cable cars and chair lifts, walkes and a warm lake for swimming, make it to an ideal summer resort. The old little town became a center for climbers and those holiday makers who enjoy recreations such as tennis, golf, squash and sightseeing. The Romantik Hotel "Tennerhof" situated on the sunny side of the town, surrounded by a quiet, sunny park, offers everything you may desire. The genuine, cosy atmosphere, not disturbed by groups or busses, becomes completed by an heated outdoor and indoor-swimmingpool, sauna, massage, table tennis, TV-room and cocktail lounge. All rooms have private bath and telephone. Gourmets enjoy in the restaurant the outstanding cuisine, but you may as well relay on the daily menu with lots of Austrian specialities.

Kitzbühel est une station de ski par excellence, mais c'est aussi un centre principal montagnard d'été. Aux sportivs, elle offre un réseau de promenades balisées et de parcours en montagne avec remontées mécaniques rendant accessibles à tous les sites les plus prestigieux, golf, courts de tennis et aux cutistes ses fameux bains de boue, autant d'activités sportives faisant de Kitzbühel un lieu exceptionel de vacances. Celui qui veut jouer et qui en a les moyens peut tenter sa chance au casino de Kitzbühel. Le «Tennerhof» est un hôtel romantique, 80 lits, construit dans un style plein de charme. Une maison dans un grand jardin fleuri, calme et ensoleilée, avec tout le confort dans une ambiance et tradition Tyrolienne. Cuisine pour gourmets. Cliente individuelle seulement, aucun bus ni groupes. Piscine chauffée

en plein air, piscine couverte, solarium, sauna, massage, bar, restaurant, terrasse, ping-pong.

L. v. Pasquali
Griesenauweg 26
6370 Kitzbühel/Tirol · ☎ 0 53 56/31 81
Telex: 5 11 8 426

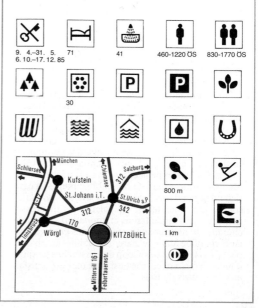

9. 4.–31. 5.
6. 10.–17. 12. 85

71

41

460-1220 ÖS

830-1770 ÖS

30

800 m

1 km

Das Romantik-Jagdhotel „GrafRecke", ein ehemaliger Jagdherrensitz, geführt von Graf und Gräfin Recke, am Südhang fünf Gehminuten vom Ort gelegen, bietet einen weiten Blick auf das Pinzgauer Tal im Salzburger Land. Tradition und moderner Komfort zeichnen Gästezimmer und Jägerappartements aus. Die gemütliche Hausbar und das elegante Restaurant mit Spezialitäten des Landes aus Jagd und Fischerei runden die besondere Atmosphäre dieses Hauses ab. Ein bestsortierter Weinkeller sorgt für gemütliche Kerzenabende. Breitgefächert ist die Palette von Freizeitangeboten: Tennis- und Reitsport, 50 km Spazierwege, geführte Wanderungen erschließen die Welt der Pflanzen und Gesteine. Im Park ein geheiztes Schwimmbad, Jagdmöglichkeiten und Forellenfischerei. Im Winter 30 schneesichere Großlifte zwischen 1.600–2.200 m, 40 km Langlaufloipe, Schlittenfahrten, Tanz und Geselligkeit garantieren einen unvergeßlichen Urlaub.

Dr. G. Graf v. d. Recke"
5742 Wald im Pinzgau / Österreich
☎ 06565 4 17 · Telex: 06 6659

The Oberpinzgau region of the Salzburger Land, at the foot of the Hohe Tauern National Park offers plenty of holiday activities amidst a beautiful landscape. These include a heated swimming pool, tennis, a riding school, minigolf, alpine tours, chamois hunting, trout fishing, walking, over 50 km of excursions by alpine three-wheeler and winter sports facilities, for relaxation and variety. In the heart of this landscape in the quiet village of Wald you will find the Romantik Hotel "Graf Recke". This old family property has been converted into a hotel which offers an excellent cuisine and a selection of good wines. The personal touch, pleasant atmosphere, cosy rooms, hunting apartments and roof terrace penthouse all combine to make this a hotel to please everyone.

L'Hôtel Romantik «Graf Recke» est un ancien manoir de chasse, Il est dirigé par le comte et la comtesse Recke et se troucäve à 5 minutes du village. Le panorama qu'il offre sur la vallée du Pinzgau, dans le pays de Salzbourg est très vaste. Les chambres et les appartements «style chasseur» allient la tradition au confort moderne. L'élégant restaurant servant des spécialités locales de la chasse et de la pêche contribuent à l'atmosphère de cet établissement. La cave riche des meilleurs vins vous assurera d'agréables soirées aux chandelles. La palette des divertissements est très large: tennis et équitation, 50 km de chemins de promenades, promenades guidées, piscine chauffée dans le parc, possibilité de chasse, pêche à la truite et beaucoup de possibilités de sport d'hiver. Vous voyez, c'est est un hôtel qui satisfait aux exigences de tous.

1. Okt.–19 Dez.
10. Jan.–4. Febr.
11. März–19. Mai

50   20   10

450 ÖS   840 ÖS

44 km

Romantik Kurhotel „Grüner Baum" · Badgastein

Romantik Kurhotel »Grüner Baum«, 50 km von Autobahn Werfen, ist ein Hoteldorf, bestehend aus 5 Häusern im Salzburger Stil und liegt mitten im Naturschutzgebiet von Badgastein, 2 km vom Ortszentrum entfernt.

Es war früher ein Jagdgasthof, um die Jahrhundertwende ein beliebtes Ausflugsziel der kaiserlichen und königlichen Kurgäste. Heute bietet es seinen Gästen ein Thermal-Hallenschwimmbad, 32° mit einer Kurabteilung, die Thermalbäder in allen Häusern, ein geheiztes Freischwimmbad, 24°, Bocciabahnen, Kegelbahnen, Eisstockbahn, Ski-Übungslift, die berühmte, 4 km ebene Himmelwand-Langlaufloipe direkt vom Hotel weg und zum Hotel zurück, ein wöchentliches Unterhaltungsprogramm und viele gemütliche Aufenthaltsräume. Golfplatz und Reitclub in 5 Minuten Entfernung.

Die Besonderheit der Küche liegt in der liebevollen Pflege der Wiener = österreichische Mehlspeisen in vollendeter Form. Apfelstrudel, Topfenstrudel, Powidltascherl, aber auch der berühmte „Tafelspitz", ein Gasteiner Hirschsteak oder die Forelle aus dem nahen Bach sind konkurrenzlos gut.

The Romantik Hotel "Grüner Baum" consists of 5 Salzburg-style houses and is situated at an altitude of 1,100 metres, only 3 km from Badgastein. It was originally an old hunting lodge, but today it offers modern accommodation and even a spa with a thermal swimming pool, sports facilities, skilift, golf and riding. The specialities of the kitchen include "Tafelspitz", fresh mountain trouts, venison and various other Austrian dishes, as well as exquisite pastries, as apple strudel and apricot dumplings.

A 1100 m d'altitude, à 50 km de l'autoroute Werfen et à 3 km de Bad Gastein se trouve l'Hôtel Romantik climatique «Grüner Baum», dans le style de Salzbourg. A l'origine vieille auberge de chasse, il offre aujourd'hui à ses hôtes non seulement divers nouveaux bâtiments mais également une maison de cure avec piscine couverte thermale, installations de sport, remonte-pentes, Ski des fonds, 4 km, de la porte de l'hôtel et retour, terrain de golfe et possibilité d'équitation. Les spécialités culinaires sont le fameux «Tafelspitz», le gibier, les truites du ruisseau voisin ainsi comme les entremêts typiquements Viennois, les «Topfenknödel», «Apfelstrudel» le «Kaiserschmarrn» et beaucoup des autres plats Autrichiens. La patisserie au Grüner Baum est renommée pour le qualité.

Fam. Linsinger-Blumschein
5640 Badgastein
☎ 0 64 34 / 2 51 60
Telex: 6 75 16

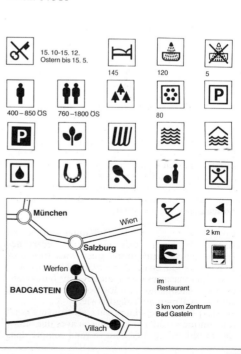

15. 10-15. 12.
Ostern bis 15. 5.

145 120 5
400 – 850 ÖS 760 –1800 ÖS 80

2 km

im Restaurant

3 km vom Zentrum
Bad Gastein

München
Wien
Salzburg
Werfen
BADGASTEIN
Villach

Lienz, das kleine Dolomitenstädtchen, vermittelt dem Besucher einen ersten Hauch des Südens. Fernab vom großen Touristentrubel bietet es im Sommer wie im Winter ideale Voraussetzungen für erholsame Urlaubstage und eine große Anzahl von attraktiven Ausflügen zum Großglockner, zu den Kärntner Seen, nach Cortina, Bozen oder Venedig, in die Dolomiten oder zu den ursprünglichen Osttiroler Bergdörfern.

Am verträumten Hauptplatz steht das Romantik Hotel »Traube«, ein Haus von einzigartigem Reiz. In jedem Detail offenbart sich dem Gast die Liebe der Besitzer zu schönen, alten Dingen. Dabei entspricht dieses Hotel modernstem Standard – es besitzt ein Hallenbad am Dach mit herrlichem Blick auf Alpen und Dolomiten, eine Sauna, großzügige Aufenthaltsräume, Tagungsräume, Kinderspielzimmer, Hotelbar, Tirolerstube und Tanzlokal.

Die ausgezeichnete Küche, ein ungewöhnlich reich sortierter Weinkeller, das hauseigene Unterhaltungsprogramm und kulinarische Höhepunkte bilden den gehobenen Rahmen für unterhaltsame Tage in angenehmer Gesellschaft im Romantik Hotel »Traube«.

Lienz, the little town in the Dolomites, offers the visitor a certain flavour of the south. There you find ideal conditions for relaxing holidays as well as for a lot of attractive excursions as to the Großglockner, to Cortina, Venice, the Carinthian lake district, to Alps and Dolomites.

On the drowsy main square there is the Romantik Hotel »Traube«, a house of unique charme. The guests feel in every detail the love of the owners for nice and antique things. Yet, this hotel holds the most modern standard – it has a swimming pool on the roof, offering a splendid view of Alps and Dolomites, further on it has a sauna, conference rooms, children's playroom, TV-room, hotelbar, cafeteria, Tyrolian inn and a dancing in the cellar. The hotel's entertaining program, culinary highlights and a pleasant company in the hotel guarantee a successful holiday.

Lienz, petite ville dans les Dolomites annonce au visiteur l'ambiance méridionale. A l'écart des grands mouvements touristiques vous trouverez en hiver comme en été des conditions idéales pour passer des vacances reposantes et pour faire beaucoup des excursions dans les Dolomites, les Alps, en Italy, Kärnten où Yougoslawie.

Sur le pittoresque Hauptplatz se trouve l'hôtel romantique «Traube», une maison avec une atmosphère séduisante. Le client se rend compte dans

chaque detail de l'amour des propriétaires pour les belles choses, leur sens de l'art et de la tradition. En outre, cet hôtel de grand standing possède une piscine couverte sur le toite, offrant un panorama splendide sur les Alps et les Dolomites, un sauna, des salles de séjour, une pièce reservée aux jeux des enfants, un restaurant très connu, un hôtelbar, un café et un dancing en cave.

Günther und Darinka Wimmer
Hauptplatz 14
9900 Lienz/Osttirol
☎ 04852/2551 · Telex: 046515

Romantik Hotel „Traube" · Lienz

Der gehobene Rahmen für unterhaltsame Tage in angenehmer Gesellschaft

»Zwischen Dolomiten und Alpen«
Das Bergerlebnis für jung und alt

Wochenaufenthalt mit drei ungefährlichen Wanderungen, die sowohl für ältere Menschen als auch für Familien mit Kindern bestens geeignet sind. Trotzdem vermitteln sie eine sehr intensive Bekanntschaft mit der vom Tourismus noch nicht überrannten Bergwelt von Dolomiten und Alpen in Osttirol.

● **Europa-Panoramaweg**
(zwischen 2000 m und 2300 m)
Ein bequemer Höhenweg zwischen den Bergstationen der Kalser und Matreier Bergbahnen mit einem unvergleichlichen Ausblick auf 60 Dreitausender.
(Wegzeit $2^1/_2$ bis 3 Stunden)

● **Großglockner und Pasterzengletscher**
Die berühmte Hochalpenstraße bis an den Fuß des höchsten Berges der Ostalpen; Fahrt mit der Gletscherbahn bis zum Pasterzengletscher.

● **Dolomitenhütte (1620 m) – Laserzsee – Karlsbaderhütte (2260 m)**
Eine atemberaubende Dolomitenwanderung bis zur Karlsbaderhütte. Diese liegt in einem prächtigen Bergkessel, der von 22 selbständigen Gipfeln gebildet wird.
(Wegzeit $1^1/_2$ Stunden pro Weg)

Preis pro Person (7 Übernachtungen) im Doppelzimmer inkl. Halbpension, die obigen Ausflüge und verschiedene Unterhaltungsangebote: ÖS 4900,–.

Eine Winterwoche für Nichtschifahrer

● Begrüßungsabend mit österreichischem Vorspeisen- und Nachspeisenbuffet.
● Festliche Weinprobe mit dem Hausherrn.
● Gesellige Rodelpartie für jung und alt.
● »Eisstockschießen« – ein alpenländisches Vergnügen in der frischen Luft.
● Romantische Pferdekutschenfahrt.
● »Der Küchenchef lädt ein« –
zu einem Schnaps und einem Plauderstündchen in die Küche.
● »Romantik-Diner« bei Kerzenlicht und dezenter Musik.

Preis pro Person (7 Übernachtungen) im Doppelzimmer inkl. Halbpension und obigem Programm: ÖS 4200,–.
Zuschlag für Weihnachten und Silvester: ÖS 1120,–.

Dolomiten-Schi-Pauschale

● Obiges Programm, erweitert um den
● Lienzer Schipaß für die Schigebiete Hochstein, Zettersfeld und Leisach.
(Entfernung vom Hotel etwa zwei Kilometer, kostenloser Schibusservice)

Preis pro Person (7 Übernachtungen) im Doppelzimmer inkl. Halbpension: ÖS 4450,–.
Zuschlag für Weihnachten und Silvester: ÖS 1980,–.

Die „Historische Gaststätte" liegt am südlichen Stadtrand von Salzburg und ist mit dem Auto leicht zu erreichen. Das Romantik Hotel „Schloßwirt" war seit 1607 das Gasthaus von Schloß Anif und ist ganz im Biedermeier-Stil der frühen viktorianischen Zeit eingerichtet. Heimo Graf ist die Art Gastwirt, die man sich wünscht und dies ist auch der Grund, daß so viele bekannte Leute zum „Schloßwirt" kommen und zwar nicht nur während der Salzburger Festspiele. Salzburg selbst ist eine wunderschöne Stadt, als Mozarts Geburtsort sehr berühmt, und ein Zentrum der Kunst und Musik. Es ist besonders außerhalb der Festspielzeit interessant, denn dann haben Sie viel mehr Muße, die Sehenswürdigkeiten dieser schönen Stadt und ihrer Umgebung zu bewundern. Der Schloßwirt ist immer bestrebt, altösterreichische Spezialitäten auf der Speisekarte zu haben. Probieren Sie sie, damit Ihnen Salzburg und der Schloßwirt in Erinnerung bleiben.

H. Graf
5081 Anif b. Salzburg
☎ 06 2 46/21 75
Telex 6 31 169

Anif lies just south of Salzburg and is easily reached by car. The Romantik Hotel "Schlosswirt" was the guest house of Anif Castle as long ago as 1607. It is furnished entirely in Biedermeier style of the early Victorian period. Heimo Graf is the sort of landlord you would wish for and this is why so many well-known people visit the "Schlosswirt", not only during the Salzburg Festival. Salzburg itself is a beautiful city, famous as Mozart's birthplace and a centre of music and art. It is particularly attractive outside the Festival season as then you can admire the sights of this wonderful city and its surroundings at your leisure. Try the famous "Salzburger Nockerl" (a delicious soufflé type dessert) at the "Schlosswirt" and you will always remember Salzburg and this Romantik Hotel.

Anif se trouve à la périphérie Sud de Salzbourg, facilement accessible par voiture. L'Hôtel romantique «Schlosswirt» qui a conservé son véritable style Biedermeier est, depuis 1607, l'auberge du château d'Anif. Heimo Graf par son intelligence, son audace et son talent a su faire de cette auberge un restaurant de qualité n'attirant pas seulement les touristes pendant les festivals, mais des notabilités viennent périodiquement se laisser choyer. Salzbourg, ville fascinante, connue mondialement en tant que ville de Mozart, est le lieu de rencontre des musiciens célèbres et des mélomanes. Pourtant, c'est peut-être hors des festivals que la ville retrouve tout son romantisme car le touriste a alors le loisir de se laisser séduire par toutes ses beautés sans oublier de déguster les fameux «Nockerln».

Februar	55	33	490 – 620 ÖS	780 –1020 ÖS
	20			

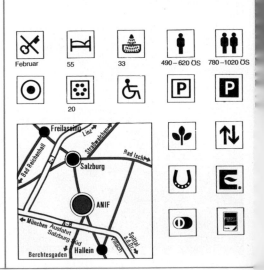

Romantik Hotel „Almtalhof" · Grünau im Almtal

Das Almtal in Oberösterreich ist eines der wenigen Täler, das noch nicht vom Massentourismus entdeckt worden ist. Im Süden begrenzt von den Nordwänden des Toten Gebirges, mit dem idyllisch gelegenen Almsee, ist es mit seinen ausgedehnten Wäldern ein ideales Wandergebiet zu jeder Jahreszeit. Grünau bietet alles, was ein verwöhnter Gast im Urlaub erwartet.
Besonderheiten wie z. B. der Cumberland-Wildpark, in dem man alle Bergtiere einschließlich der Braunbären finden kann, oder das Kriminalmuseum im nachbarlichen Schloß Scharnstein, das einzige in seiner Art, laden zum Besuch ein.
Das Romantik Hotel „Almtalhof" ist eines der reizendsten und komfortabelsten Hotels, das man sich vorstellen kann. Die Zimmer sind alle sehr sorgfältig und mit gutem Geschmack eingerichtet, so daß es sehr leicht ist, sich auf den ersten Blick in dieses wunderschöne Hotel zu verlieben.

The Almtal in Upper Austria is one of the few valleys which have not yet been "discovered" by mass tourism. Bordered to the south by the north wall of the "Toten Gebirge" and with the idyllically situated Lake Alm it is the ideal hiking area in all seasons with its vast forests. Grünau offers everything a spoiled guest would want while on holiday.
Special features like for instance the Cumberland Wildlife Park, in which all mountain animals, including the brown bear, may be found, or the criminal museum in the near-by Scharnstein Castle, the only one of its kind, invite a visit.
The Romantik Hotel "Almtalhof" is one of the most charming and comfortable hotels imaginable. The rooms are all furnished with care and good taste, so that it is easy to fall in love at first sight with this delightful hotel.

La vallée de l'Alm en Haute-Autriche fait partie des quelques vallées autrichiennes encore privilégiées et inconnues du tourisme de masse. Blotti au sud contre le versant nord des Totes Gebirge, près de l'idyllique lac de Alm, cet hôtel entouré de vastes forêts se situe dans une région de promenade idéale, quelle que soit la saison. Grünau offre au vacancier comblé tout ce qu'il peut attendre des vacances.
Les curiosités locales que sont le parc Cumberland, regroupant tous les animaux sauvages y compris l'ours brun, ou le musée de criminologie unique dans le proche château de Scharnstein n'attendent que votre visite.
L'Hôtel Romantik «Almtalhof» est certainement

l'un des plus plaisants et confortables hôtels que l'on puisse imaginer. Dès que vous arrivez dans cet établissement vous en tombez amoureux car vous êtes immédiatement saisi par le charme de la maison, les pièces et les chambres étant meublées et aménagées avec tant de goût qu'il est bien difficile de ne pas céder à la tentation d'y séjourner.

Karl Leithner
4645 Grünau i. Almtal
☎ 07616/8204.0

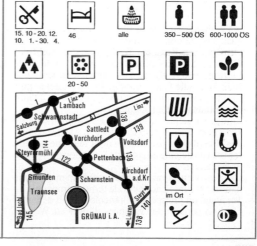

Im Weissen Rössl am Wolfgangsee, da steht das Glück vor der Tür!
Dieses Lied zieht besonders im Sommer viele Menschen nach St. Wolfgang.
Die Familie Peter, in deren Besitz das Hotel nun schon in der dritten Generation ist, hat es verstanden den Hotelgast vom Ausflugstrubel abzuschirmen.
Alle Aufenthaltsräume und Freizeiteinrichtungen stehen ausschließlich den Gästen des Hauses zur Verfügung und so entsteht mitten im geschäftlichen Treiben St. Wolfgangs ein Ort der Ruhe und Erholung.
Für Tagesbesucher empfiehlt sich die Kaiserterrasse im 1. Stock mit ihrem herrlichen Blick über den See, wo schon Kaiser Franz Josef speiste.
Ein besonderer Tip sind die Winterferien im schneeweißen Rössl, eine neue Art den Winter zu genießen.

"The White Horse Inn on the Wolfgangsee, Happiness stands at the door there!"
This song attracts many people to St. Wolfgang, especially in summer.
The Peter family, who have owned the hotel for three generations, know to shield the hotel guest from the hurly-burly of trippers.
All the public rooms and leisure facilities are kept exclusively for the house guests and in the midst of the bustle of St. Wolfgang there is an oasis of peace and quiet.
For day visitors the Kaiser Terrace on the first floor can be recommended, with its wonderful view over the lake, where Kaiser Franz Josef once dined.
A special tip is to spend a winter holiday in the snow-White Horse, a new way of enjoying the winter.

A l'Auberge du Cheval Blanc, sur les rives du Lac Wolfgang, le bonheur vous attend!
«Im Weissen Rössl am Wolfgangsee, da steht das Glück vor der Tür», cette chanson attire une foule de touristes à St-Wolfgang, tout particulièrement l'été.
Mais la famille Peter, propriétaire de l'hôtel depuis déjà trois générations, sait mettre ses hôtes à l'abri des grands flux touristiques.
Toutes les salles de sèjour et les équipements de sport et de loisir sont exclusivement à la disposition des hôtes de la Maison qui est donc telle une oasis de repos et de détente au cœur de l'agitation qui règne à St-Wolfgang.
Celui qui vient la journée peut jouir d'un magnifique panorama sur le Lac depuis la terrasse impériale au 1er étage où l'Empereur François-Joseph déjeuna.
Un bon conseil: des vacances d'hiver au Weisses

Rössl, à l'Auberge du Cheval Blanc sous la neige, un nouvel art d'apprécier et de goûter l'hiver.

Familie Peter
5360 St. Wolfgang am See
☎ 06138/2306 · Telex 068148

4. November – 20. Dezember   120   65   2   490–670 ÖS

680–1240 ÖS   85

See   9 km

Romantik Hotel
„Im Weissen Rössl" · St. Wolfgang am See

Winterferien im schneeweissen Rössl, da steht ein Winter nach Wunsch vor der Türe.
Schneesichere Pisten und Loipen, Schlittenbahnen, Reithalle, Winter-Golfschule, Tennishalle, Eisstockbahnen und herrliche Winterwanderungen durch das nebelfreie Wolfgangtal. Ausflüge ins verschneite Salzkammergut, die Festspielstadt Salzburg und die Kaiserstadt Bad Ischl.
Alles ohne Rummel, in stimmungsvoller Tradition österreichischer Gastlichkeit.
Wäre das nicht eine neue Art für die Winterferien oder ein paar Urlaubstage zwischendurch?
Familie Peter freut sich darauf, Ihnen die ruhigste und wettermäßig schönste Jahreszeit im Luftkurort St. Wolfgang vorzustellen.

A winter break at the (snow) White Horse Inn, with the winter you want at the door!
You can be sure of snow on the ski slopes and prepared long distance tracks and enjoy toboggan runs, riding and winter golf schools, indoor tennis courts, curling rinks and magnificent winter walks through the mist-free Wolfgangtal Valley. Or take trips to the snowy Salzkammergut area, the Festival City of Salzburg and the Imperial Spa of Bad Ischl.
All undisturbed, in the atmospheric tradition of Austrian hospitality.
Wouldn't that be a new kind of winter vacation or a couple of holiday days taken off?
The Peter family looks forward to introducing you to the quietest season with the best weather in the year at the climatic spa of St. Wolfgang.

Vacances d'hiver à l'Auberge du Cheval Blanc sous la neige: l'annonce d'un hiver réussi.
Pistes de descente et de fond enneigées, pistes de luge, manège d'équitation, école hivernale de golf, court couvert de tennis, curling et magnifiques promenades hivernales dans la vallée exempte de brume de St. Wolfgang.
Excursions dans la région enneigée du Salzkammergut, à Salzbourg, la ville du festival, et à la ville impériale de Bad Ischl.
Le tout dans le calme, dans la plus pure tradition de l'hospitalité autrichienne.
N'est-ce point une nouvelle manière de passer ses vacances hivernales ou de prendre de temps en temps quelques jours de repos?
La famille Peter se fait un plaisir de vous présenter la saison la plus calme et la plus belle de la station climatique de St. Wolfgang.

Möchten Sie in warmen Seen unter südlicher Sonne baden, segeln, rudern oder fischen? Möchten Sie in der frischen Luft der Berge und Almen der südlichen Alpen neue Lebenskraft sammeln? Möchten Sie auf den zahlreichen mit Seilbahnen und Liften erschlossenen Skipisten rund um Villach erholsamen Wintersport betreiben, ohne lange Wartezeiten hinnehmen zu müssen? Dann ist Villach genau der richtige Ort für Ihren Urlaub.

Der Kurort Villach, bekannt durch seine Thermalquellen, liegt umgeben von wunderschöner Berglandschaft in Kärnten. Im Zentrum von Villach liegt das Romatik Hotel „Post". Dieses historische, aber sehr komfortabel eingerichtete Haus mit seinen ruhigen, gartenseitig gelegenen und gemütlichen Zimmern verbindet die Vorteile eines Stadthotels, dessen Küche weithin bekannt ist, mit der Möglichkeit, die Ausgangspunkte für große und kleine Bergtouren, Wanderungen sowie für Skiabfahrten in wenigen Autominuten zu erreichen. In der Nähe von Villach laden fünf herrliche Seen zum Wasserskilauf, schwimmen, segeln oder fischen, sowie 28 genußreiche, schneesichere Skiabfahrten und 15 Langlaufloipen zum Wintersport ein.

Neben herkömmlich guter Küche haben wir auch leichte Naturküche.

You want to swim in warm lakes in southern sunshine, sail, row, ride or fish? You want to regather strength and vitality in the open air of mountains and meadows? You want to relax, tank up energy at a hot spring spa to be fit for everyday life again? Well then, Villach is just the right place for your holiday! The spa of Villach lies amidst in the wonderful mountainous landscape of Carinthia and in the very centre of Villach is the Romantik Hotel "Post". This historic but comfortably furnished house with its quiet and cosy rooms and agreeable atmosphere combines the advantages of a town hotel, whose cuisine is renowned for miles around, with the possibility of reaching starting points for long and short mountain tours and walks in only a few minutes by car. In the vicinity of Villach five beautiful lakes offer water-skiing, swimming, sailing and fishing. On the Ossiachersee the "Post" has its own private bathing beach which is free of charge for residents.

Villach bénéficie d'un environnement exceptionnel favorisant le repos et la détente et hormis les attraits de ses lacs chauds sous un soleil méridional, elle offre aux sportifs voile, rowing, équitation, pêche; aux surmenés elle donne le climat idéal et vivifiant de ses montagnes et alpages et aux curistes elle fournit les bienfaits de sa station thermale. C'est le lieu de vacances idéal.

Villach est blottie dans cette partie merveilleuse des Alpes orientales en Carinthie et au centre de Villach

se trouve l'Hotel romantique «Post». Cette maison historique, meublée d'une simplicité raffinée d'où se dégage une atmosphère agréable, met à votre disposition des chambres plaisantes et tranquilles. D'autre part, cet établissement dont la cuisine est renommée à des lieux à la ronde vous offre tous les avantages d'un hôtel citadin puisque de là vous pouvez atteindre en voiture et en quelques minutes des points de départ des petites et grandes excursions en montagne et des promenades pédestres. Les 5 lacs entourant Villach vous invitent à la baignade, au ski nautique, à la voile, au rowing mais aussi à la pêche. L'Hôtel Post a, au lac Ossiacher, sa propre plage mise gracieusement à la disposition de ses hôtes.

Unser besonderes Angebot

Unsere mit dem Zug ankommenden Gäste werden von uns abgeholt und zum Hotel gebracht.

Dr. F. Kreibich
Hauptplatz · 9500 Villach/Kärnten
☎ 0 42 42/2 61 01 · Telex: 045 723

88

  420–500 ÖS 660–840 ÖS

 20/30

 Sauna

Salzburg von Deutschland

Italiener Str. HOTEL POST

10.-Okt.-Str.

Haupt-platz

Bahnhofstr.

Drau

von Italien

Ossiacher Zeile

Klagenf. Str.

von Wien von Klagenfurt

 20 km

Romantik Hotel „Post" · Villach/Kärnten

Romantisches unentdecktes Kärnten
Das südliche Bundesland Österreichs bietet abseits von den Touristenrouten eine Fülle von echter Romantik. Dieses zu entdecken ist Inhalt unseres 7-Tage-Programmes.
HP Vor- und Nachsaison öS 2800 p. P. HP Hochsaison 1. 6. bis 30. 9. öS 3300.

Romantische Wege und Steige in Kärnten
ist unser Programm für Wanderfreudige. Auf Tal- und Almwanderungen ebenso wie auf Gipfelbesteigungen, vor allem im Frühjahr und im Herbst, erleben Sie in der Umgebung Villachs die unberührten Schönheiten Kärntens. Preisangebot siehe oben.

Der Sonnenskizirkus Villach
mit 28 Skiliften, Langlaufloipen und Rodelbahnen in schneesicherer Lage ist ein Geheimtip für Wintersportler, welche den Rummel überfüllter Skiorte meiden und nebenbei einen sehr preisgünstigen Winterurlaub verbringen wollen. 7 Tage HP mit Skipaß für alle Lifte öS 3500.

Wintersportregion Villach·Kärnten
Thermalheilbad Warmbad · Villacher Alpe · Heiligengeist · Gerlitzen Alpe · Kanzelhöhe · Verditz · Dreiländereck

Romantic undiscovered Carinthia
The southern Federal Province of Austria, away from the tourist routes, offers genuine romance in plenty. Its discovery forms the subject of our 7 day programme. Part board early and late season Austrian schillings 2800 per person.
Part board high season 1st June – 30th September Austrian schillings 3300 per person.

Romantic roads and paths in Carinthia
is our programme for walkers. On valley and alpine meadow rambles and also when you climb peaks, particularly in spring and autumn, you experience the virgin beauties of Carinthia in the neighbourhood of Villach. For prices: see above.

The Villach Sunshine Ski Circus
with 28 ski lifts, prepared long-distance tracks and toboggan runs in a location certain of snow is the right place for winter sports to those in the know who want to avoid the bustle of crowded ski resorts while spending a very cheap winter holiday.
7 days part board with ski pass for all lifts Austrian schillings 3500.

Carinthie romantique et inconnue
A l'écart des routes touristiques, cette province méridionale de l'Autriche offre d'innombrables sources de plaisirs romantiques. Notre programme de 7 jours se propose de vous faire découvrir cette région.
Demi-pension avant et après-saison ÖS 2800 par personne. Demi-Pension haute saison du 1/6 au 30/9 ÖS 3300.

Chemins et sentiers romantiques de Carinthie
constituent notre offre pour les passionnés de la randonnée pédestre. Découvrez les beautés inviolées de la Carinthie dans les environs de Villach en vous promenant dans les vallées et les alpages ou en faisant de l'escalade. Prix, voir plus haut.

Le cirque blanc ensoleillé de Villach
et ses 28 téléskis, ses pistes de ski de fond et ses pistes de luge dans une station toujours enneigée constituent un lieu rêvé pour les amateurs de sports d'hiver souhaitant éviter les foules des stations et profiter d'un séjour à bon prix.
7 jours en demi-pension, y compris forfait pour l'ensemble des remontées mécaniques ÖS 3500.

Klagenfurt ist eine alte fast adlige Stadt am Wörthersee im Zentrum des Sommergartens von Österreich – in Kärnten. Die Auswahl der Ferienvergnügen ist entsprechend groß. Man kann in den Seen baden, reiten, Tennis spielen, Golf spielen und herrliche Wanderungen machen. Im Romantik Hotel „Musil" Ferien machen ist ein Erlebnis, das man nicht missen sollte. Sie werden nicht nur sehr schön geschmückte Restaurants finden, angefangen vom gemütlichen Jägerzimmer bis zum südländischen überdachten Innenhof, sondern auch von der Küche besonders beeindruckt sein sowie von dem bekannten Musiler Konfekt und dem Café. Sie werden dem nicht widerstehen können.

Klagenfurt is an old, almost noble, town on the Wörther See – that is, in the centre of the so-called "summer garden" of Austria – in Carinthia.
The choice of holiday amusements is correspondingly large. There is bathing in the lakes, riding, tennis, golf and wonderful walking. Holidaying at the Romantik Hotel Musil is an experience not to be missed. You will not only like the attractively decorated restaurants – from a cosy hunting room to a southern-influenced covered courtyard – but will also be particularly impressed by the cuisine and – last but not least – by the famous Musil Confectionery and Café. You will not be able to resist them!

B. Musil
10.-Oktober-Straße 14
9020 Klagenfurt/Kärnten
☎ 0 42 22/51-16-60
Telex: 42.2110

Sur les rives du lac de Wörther, Klagenfurt, vieille ville aristocratique se situe au cœur de la région appelée les jardins d'été de l'Autriche: la Carinthie. Distractions: baignade dans des lacs enchanteurs équitation, tennis, golf et promenades à pied variées dans des chemins balisés.
Il est difficile de ne pas céder au charme du cadre et ne manquez donc pas de séjourner à l'Hôtel Romantik «Musil». Vous serez séduit par les diverses salles de restaurant différemment décorées, le salon de chasse accueillant et confortable, la plaisante cour intérieure couverte en plein Sud, mais vous serez aussi délicieusement surpris par la cuisine raffinée et la pâtisserie du Musil.

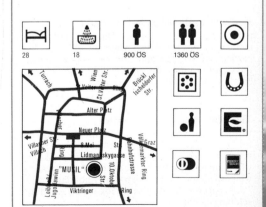

28   18   900 ÖS   1360 ÖS

Romantik Hotel „Musil" · Klagenfurt

ROMANTIK HOTEL MUSIL

Entdecken Sie 2000 Jahre Geschichte im Umkreis von 30 km mit unserem 7-Tage-Spezialprogramm

1. Tag: Maria Saal · Magdalensberg · Hochosterwitz. Besichtigung der gotischen Wehrkirche (15. Jh.) in dem bekannten Wallfahrtsort, der keltisch-romanischen Ausgrabungen auf dem Magdalensberg und der besterhaltenen Burg des deutschen Sprachraums.
2. Tag: Seenrundfahrt. Ossiacher See mit Stift Ossiach – Afritzsee – Brennsee – Millstätter Sec – Faaker See.
3. Tag: Adelsberger Grotte. Besuch der berühmten Tropfsteinhöhle in Postojna/Jugoslawien.
4. Tag: St. Veit · Gurker Dom. Besuch der ehemaligen Landeshauptstadt und des berühmten Gurker Doms.
5. Tag: Minimundus · Maria Wörth · Pyramidenkogel. Lernen Sie Klagenfurts nähere Umgebung kennen!
6. Tag: Warmbad Villach · Tarvis · Wildpark Rossegg. Besuch der Thermalquelle, des bekannten Tarviser Marktes und ein Spaziergang durch den Wildpark Rossegg.
7. Tag: Stadtrundgang · Caféshow. Erkundung der Altstadt, anschließend Verkosten von Kaffee und Mehlspeisen nach altösterreichischer Tradition in unserer berühmten Konditorei.
Bitte fordern Sie unser ausführliches Detailprogramm an!

Discover 2000 years of history within a radius of 30 km with our special 7-day programme

Day 1: Maria Saal · Magdalensberg · Hochosterwitz. A visit to the fortified gothic Church (15th Century) in the well-known place of pilgrimage, the elto-Roman excavations on the Magdalensberg Hill, and the best preserved castle in the German-speaking lands.
Day 2: Trip round the lake. Ossiach Lake with Ossiach Priory – Afritz Lake – Brenn Lake – Millstätter Lake – Faak Lake.
Day 3: Adelsberg Cave. Visit to the famous stalactite cave at Postojna/Yugoslavia.
Day 4: St. Veit · Gurk Cathedral. Visit to the former Provincial Capital and famous Gurk Cathedral.
Day 5: Minimundus · Maria Wörth · Pyramidenkogel. Get to know the immediate surroundings of Klagenfurt!
Day 6: Villach Thermal Spa · Tarvis · Rossegg Game Park. Visit to the Thermal spring, the well-known market at Tarvis, and take a walk through Rossegg Game Park.
Day 7: Sightseeing in the City · café cabaret. Explore the old part of the City, and then enjoy coffee and pastries in the old Austrian tradition at our famous Pastry Shop.
Please request our detailed programme!

Profitez de nos séjours spéciaux de 7 jours pour découvrir 2000 ans d'histoire dans un rayon de 30 km

1er jour: Salle Marie · Magdalensberg · Hochosterwitz. Visite de l'église gothique fortifiée (XVème siècle) dans le célèbre lieu de pèlerinage, des fouilles gallo-romaines sur le mont Magdalensberg et du château-fort le mieux conservé des pays germanophones.
2ème jour: Promenade sur le lac. Lac d'Ossiach et le couvent d'Ossiach – lac Afritz – Brennsee – Millstätter See – Faakersee.
3ème jour: La Adelsberger Grotte. Visite de la célèbre grotte à stalactites de Postojna/Yougoslavie.
4ème jour: St. Veit · Cathédrale de Gurk. Visite de l'ancienne capitale régionale et de la célèbre cathédrale de Gurk.
5ème jour: Minimundus · Maria Wörth · Pyramidenkogel. Découvrez les proches environs de Klagenfurt!
6ème jour: Piscine chauffée de Villach · Tarvis · parc de Rossegg. Visite de la source thermale, du célèbre marché de Tarvis et promenade dans le parc de Rossegg.
7ème jour: Visite de la ville · visite d'une pâtisserie. Découverte de la vieille ville suivie d'une dégustation de café et de gâteaux dans une grande pâtisserie selon la pure tradition autrichienne.
Demandez notre programme détaillé complet!

Nur eine Autostunde südöstlich von Salzburg – inmitten des Bergstädtchens Schladming gelegen, ist das Romantik Hotel „Alte Post" wohl der traditionsreichste Gastbetrieb der Dachstein-Tauern-Region.

Bereits 1618 urkundlich erwähnt wurde die „Alte Post" in den Jahren 1980/81 mit viel Liebe zum Detail renoviert. Die gemütlichen Zimmer sind nun alle mit Bad oder Dusche, WC etc. ausgestattet, die Betten haben sogar eigene Gesundheitsmatrazen. In heimeligen Gaststuben werden von freundlichem Personal heimische und internationale Speisen, sowie gepflegte Getränke serviert.

Seit der Schi-WM 1982 ist Schladming ein Begriff für gepflegten Wintersport – nur 3 Gehminuten vom Romantik Hotel „Alte Post" entfernt liegt das Planai-Schistadion.

Im Frühjahr, Sommer und Herbst ist die Dachstein-Tauern-Region mit ihrer herrlichen Bergwelt ein beliebtes Ziel für naturverbundene Menschen.

Und für alle Gäste, die eine persönliche Betreuung schätzen, bietet sich das Romantik Hotel „Alte Post" ganz besonders an.

Only one hour's drive south-east of Salzburg – in the middle of the little mountain town of Schladming is the Romantik Hotel "Alte Post", easily the guest-house richest in tradition in the Dachstein-Tauern region.

Originally mentioned in documents in 1618, the "Alte Post" was renovated with loving attention to detail in 1980/81. The comfortable rooms now all have bath or shower, WC etc., the beds even have health mattresses.

In the cosy dining rooms local and international dishes, as well as select drinks, are served by the friendly personnel.

Since the World Ski Championships of 1982, Schladming has become a byword for a well-appointed winter sports region – only 3 minutes walk from the Romantik Hotel "Alte Post" is the Planai ski stadium.

In spring, summer and autumn the Dachstein-Tauern region is a favourite destination for nature lovers for its wonderful mountains.

And for all guests who appreciate personal attention the Romantik Hotel "Alte Post" offers something special.

Située à une heure d'autoroute seulement au Sud-Est de Salzbourg, au centre de la petite ville montagnarde de Schladming, l'Hôtel Romantik «Alte Post» est sans doute l'auberge la plus riche en traditions de la région Dachstein-Tauern. En effet, évoquée sur documents dès 1618, l'Alte Post fut restauree en 1980/81 jusque dans les moindres details et avec beaucoup d'amour. Les chambres confortables maintenant possedent toutes WC, salle de bains ou douche etc. ... les ists sont même équipés d'excellents matelas à structure renforcée pour un repos optimum. Dans les salles d'hôtes qui rappellent le bien-être du chez-soi, un personnel aimable sert des mets locaux et internationaux accompagnés de boissons soignées.

Aux championnats mondiaux de ski 82, Schladming s'est fait un nom comme belle station de sport d'hiver. L'Alte Post se trouve à 3 minutes à pied du stade de ski de Planai. Au printemps, en été et à l'automne, la région Dachstein-Tauern et ses magnifiques montagnes attirent ceux aiment la nature.

Et à tous les hôtes qui apprécient un accueil personnel, on ne peut que recommander chaleureusement l'Hôtel Romantik Alte Post.

Direktor Günther Huber
Hauptplatz 10 · A - 8970 Schladming
☎ 0 36 87 / 2 25 71 · Telex 3 8 282

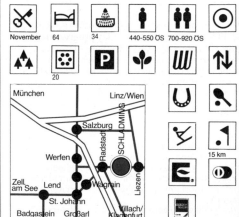

Romantik Hotel „Modersnhof" · Weiz

Wir haben lange gesucht, in der Steiermark ein passendes Romantik Hotel zu finden, bis wir mit dem „Modersnhof" in Weiz „fündig" wurden. Dieses kleine reizvolle Haus, das von der Familie Maier durch totalen Umbau ihres alten Hofes erneuert wurde, ist ein Hort geruhsamer Erholung wie man es sich wünscht. Die Betreuung durch die Familie, gastronomische Spitzenleistung, die die schweizerische Schule vom Junior erkennen läßt, und nicht zuletzt die wenigen aber sehr komfortablen Zimmer ergeben eine Harmonie, wie man sie sehr selten findet. Dieses Hotel in der Oststeiermark lädt ein zum Genießen und Erholen und hier stimmt auch das oft mißbrauchte „Zuhause-Gefühl" wirklich noch.

We looked for a long time to find a suitable Romantik hotel in the Steiermark before we discovered the "Modersnhof" in Weiz. This charming small hotel, which the Maier family renovated by completely rebuilding their old farmstead, is a refuge for restful relaxation – just as you would wish. The hospitality of the family, top class gastronomy, which is evidence of the Swiss training of the son and, not least, the few but very comfortable rooms produce a rarely found harmony. This hotel in East Steiermark offers gastronomic pleasures and recreation – here you can truthfully say you "feel at home".

Nous avons longtemps essayé de trouver dans le Steiermark un hôtel Romantik digne de ce nom jusqu'au moment où nous avons découvert à Weiz le «Modersnhof». Jadis vieille ferme que son propriétaire, la famille Maier, a complètement transformée pour en faire une maison ravissante, un gîte havre de paix pour se reposer. L'hospitalité de la famille, une gastronomie de pointe – où l'on devine la formation en Suisse de M. Maier junior – sans oublier les chambres, peu nombreuses mais trés agréables, tout cela est d'une composition harmonieuse qu'on trouve rarement. Cet hôtel du Steiermark invite à la dégustation et à la détente. Et, alors que cette expression fait l'objet d'abus fréquents, on peut dire, ici à juste titre, qu'au «Modernshof», on se sent vraiment «chez soi».

Familie Maier
8160 Weiz b. Graz (Ortsteil Büchl)
☎ 0 31 72/37 47

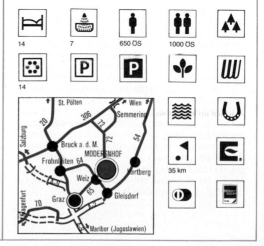

Wien – eine der schönsten Städte Europas und Geburtsort des Wiener Walzers – hat bis heute seine eigene persönliche Atmosphäre behalten. Der Grund dafür ist nicht nur die eindrucksvolle Architektur vergangener Zeiten,sondern auch das vielseitige kulturelle Leben dieser Stadt und nicht zuletzt der berühmte Charme der Wiener. Im Zentrum der alten Stadt zwischen dem Stephansdom und der Oper liegt das Romantik Hotel „Römischer Kaiser". Das Gebäude im Barockstil aus dem Jahre 1684 steht unter Denkmalschutz wegen seiner wunderschönen Fassade. Die geschmackvolle Einrichtung des Hotels und sein Wiener Kaffeehaus spiegeln die Atmosphäre dieser Stadt wieder. Alle Zimmer haben Radio, Telefon, Minibar und Farbfernsehen. Autozufahrt Krugerstraße.

Vienna – one of Europe's most beautiful cities and birthplace of the Vienna Waltz has been able to keep her own individual atmosphere until today. It is not only the imposing architecture of bygone days which is responsible for this, but also the rich cultural life of the city and not least the famous charm of the Viennese people. In the centre of the old town, between the cathedral of St. Stephan and the Opera, lies the Romantik Hotel "Römischer Kaiser". The building in the baroque style, dating from 1684, is under a historic protection order because of its wonderful facade. The tasteful decor of the hotel and its Viennese coffee house reflect some of the atmosphere of this city. All rooms have radio, telephone, minibar and, on request, television.

Dr. G. Jungreuthmayer
Annagasse 16 · 1010 Wien 1
☎ 0222/527751–52 [512 77 51]
Telex: 1 13 696

Vienne, l'une des plus belles capitales d'Europe, berceau des valses viennoises, a pu conserver jusqu'à nos jours son caractère aristocratique. Ce n'est pas simplement dû à son patrimoine architectural de ces derniers siècles, mais aussi à la vie culturelle intense de la ville, sans oublier d'y ajouter le charme particulier des Viennois. En plein cœur de la vieille ville, entre la cathédrale St-Etienne et l'Opéra se trouve l'Hôtel romantique «Römischer Kaiser». Ce bâtiment, de style baroque, construit en 1684 est, de par sa façade artistique, protégé au titre des Monuments Historiques. Le «Römischer Kaiser» délicieusement meublé et décoré avec goût avec son salon de thé typiquement viennois essaie de refléter un peu de l'atmosphère de cette Vienne romantique. – Toutes les chambres ont la radio, le téléphone, un mini-bar et sur demande la télévision.

46   27   980 ÖS   1650 ÖS

Romantik Hotel garni „Römischer Kaiser" · Wien

 15

ROMANTIK in WIEN

3 Übernachtungen mit Frühstück in Romantik Hotel RÖMISCHER KAISER.
Stadtrundfahrt.
Theaterbesuch einer Wiener Operette.
Entree in das »Cercle-Wien« Spielcasino.
3-Tage Netzkarte, gültig auf allen öffentlichen Verkehrsmitteln.
PAUSCHALPREIS für 4 Tage/3 Nächte pro Person: öS 2490,–; Saisonzuschlag 1. April bis 15. November: öS 460,–.
Verlängerungstag und Einbettzuschlag auf Anfrage.

ROMANTISCHE STÄDTE AN DER DONAU
Wien – Budapest

5 Tage/4 Nächte mit 1 Nacht in Budapest (mit Bus) November bis März öS 3700,–.
8 Tage/7 Nächte mit 2 Nächten in Budapest (mit Bus/Schiff) 15. Juni bis 31. August öS 6720,–.
Bitte schreiben Sie uns, wir senden Ihnen gerne die ausführlichen Programme.

ROMANTIK in VIENNA

3 nights including breakfast at Romantik-Hotel RÖMISCHER KAISER (ROMAN EMPEROR).
SIGHTSEEING TOUR OF THE CITY.
Visit to a theatre playing a Viennese operetta.
Entrée in the "Cercle-Wien" casino.
3-day area season ticket, valid for all public transportation.
ALL-INCLUSIVE PRICE for 4 days/3 nights per person: öS 2490.00.
Extra seasonal charge, 1 April to 15 November: öS 460.00.
Inquire about charges for extra days and single rooms.

ROMANTIC CITIES ON THE DANUBE
Vienna – Budapest

5 days/4 nights with 1 night in Budapest (by bus) November–March öS 3700.00.
8 days/7 nights with 2 nights in Budapest (by bus/boat) 15 June–31. August öS 6720.00.
Please write us, we would be glad to send you the complete programme.

3 nuitées avec petit déjeuner à l'hôtel Romantik RÖMISCHER KAISER,
TOUR DE LA VILLE,
représentation d'une opérette viennoise,
entrée au casino «Cercle-Wien»,
forfait de 3 jours, valable sur l'ensemble du réseau des transports en commun.
PRIX FORFAITAIRE pour 4 jours/3 nuitées, par personne: öS 2490,00; supplément de öS 460,00 du 1.4 au 15. 11.
Journée supplémentaire et majoration de prix pour chambre individuelle, sur demande.

VILLES ROMANTIQUES SUR LE DANUBE
Vienne – Budapest

5 jours/4 nuitées dont 1 nuit à Budapest (en car) Novembre – Mars öS 3700,00.
8 jours/7 nuitées dont 2 nuits à Budapest (en car/bateau) 15 Junin – 31 Aout öS 6720,00.
Ecrivez-vous. C'est avec plaisir que nous vous enverrons les programmes complets.

Schweiz
Switzerland – Suisse – Svizzera

Romantik Reisen Schweiz

Die Schweiz ist ein Wunschziel für unzählige Menschen. Auf kleinem Raum erlebt man Landschaften unterschiedlichsten Charakters. Die Spannweite, die Gegensätzlichkeit der Regionen erstaunt immer wieder. Mit diesen 3 Programmen für attraktive Kurzreisen zeigt sich die Schweiz von ihrer schönsten Seite.

Schweizreise I

1. Tag: Anreise nach Solothurn und weiter ins Romantik Hotel »**Gasthof Sternen**« im nahen **Kriegstetten**. Gelegenheit, das wunderschöne mittelalterliche Stadtbild der Ambassadorenstadt Solothurn zu besichtigen.

2. Tag: An den Genfer See – Fahrt über Bern, Fribourg, Lausanne nach Genf. Übernachten im Romantik Hotel »**Chateauvieux**« in **Satigny** außerhalb von Genf. Sie erleben wunderschöne, alte Städte und die einzigartige Landschaft des Genfer Sees.

3. Tag: Von Genf über Sion nach **Zermatt**. Übernachten im Romantik Hotel »**Julen**« (2 Nächte). Fahrt am französischen Ufer des Genfer Sees entlang und durch das herrliche Bergland Wallis. Mit dem Auto bis Täsch und von dort mit der Bergbahn ins autofreie Zermatt.

4. Tag: In Zermatt – Tag zur freien Verfügung im Gletscherdorf. Möglichkeit zur Fahrt mit den Bergbahnen zu den Gipfeln.

5. Tag: Zermatt, Visp und a) über den Simplonpaß, Domodossola (Italien), Centovalli, Locarno nach Lugano oder b) über die Pässe Furka und Gotthard, über Bellinzona nach **Lugano.** Übernachten im Romantik Hotel »**Ticino**« (2 Nächte). Vom Hochalpinen zu den Palmen der Südschweiz.

6. Tag: In Lugano – Schiffahrt, Spaziergänge in den herrlichen Parkanlagen.

7. Tag: Rückreise, evtl. über den San Bernadino durch Graubünden.

Preis pro Person im Doppelzimmer mit Bad / Dusche und WC, inkl. Romantik Frühstück, Reisekarte und Paß, 6 Übernachtungen 490 SFr. (ca. 605 DM), Einzelzimmer 710 SFr. (ca. 875 DM).

Schweizreise II

1. Tag: Anreise nach Bern. Übernachten im Romantik Hotel »**Löwen**« in **Worb,** außerhalb von Bern. Besichtigung der romantischen Schweizer Hauptstadt Bern.

2. Tag: Von Worb über Langnau (Emmental), Entlebuch, Wolhusen nach **Luzern.** 2 Nächte im Romantik Hotel »**Wilden Mann**«. Sie fahren durch die wichtigsten Gebiete der Schweizer Käseherstellung (»**Emmentaler**«).

3. Tag: In Luzern – Fahrt zum Pilatus oder zur Rigi, Seefahrt, Verkehrshaus.

4. Tag: Von Luzern, dem Vierwaldstätter See entlang über Weggis, Vitznau, Brunnen, Altdorf nach **Amsteg.** Übernachten im Romantik Hotel »**Stern & Post**«. Die Innerschweiz des Wilhelm Tell.

5. Tag: Von Amsteg durch die Schöllenen-Schlucht über Andermatt, Oberalppaß, Disentis, Flims nach **Chur.** Übernachten im Romantik Hotel »**Stern**«.

Herrliche Paßfahrt zum Vorderrhein. Besichtigung der Churer Altstadt.

6. Tag: Rückreise.

Preis pro Person im Doppelzimmer mit Bad / Dusche und WC, inkl. Romantik Frühstück, Reisekarte und Paß, 5 Übernachtungen 380 SFr. (ca. 470 DM), Einzelzimmer 430 SFr. (ca. 530 DM).

Schweizreise III

1. Tag: Anreise nach Konstanz/Kreuzlingen und weiter nach **Gottlieben** ins Romantik Hotel **»Krone«.** Kulinarischer Auftakt für eine schöne Reise.

2. Tag: Von Gottlieben über Romanshorn, Arbon, St. Gallen nach **Appenzell.** Übernachten im Romantik Hotel **»Säntis«.** Dem Bodensee entlang zur Klosterstadt St. Gallen (Besichtigungen) weiter durch das reizvolle Appenzeller Land.

3. Tag: Von Appenzell über Urnäsch, Schwägalp, Nesslau, Wildhaus, Werdenberg, Buchs, Vaduz, Maienfeld, Landquart nach **Klosters.** Übernachten im Romantik Hotel **»Chesa Grischuna«** (2 Nächte). Besichtigungen: Städtchen Werdenberg, Vaduz (Fürstentum Liechtenstein), Heidilandschaft Maienfeld.

4. Tag: In Klosters – Spaziergänge in dieser alpinen Landschaft oder Fahrt mit Bergbahnen.

5. Tag: Von Klosters über den Wolfgangpaß, Davos, Flüelapaß, Susch nach **Bad Scuol.** Übernachten im Romantik Hotel **»Guardaval«** (2 Nächte). Die schöne Paßfahrt ins Engadin.

6. Tag: In Bad Scuol – Besichtigung der typischen Dörfer des Engadins und Besuch des Nationalparks.

7. Tag: Rückreise über St. Moritz, Julierpaß und Chur.

Preis pro Person im Doppelzimmer mit Bad / Dusche und WC, inkl. Romantik Frühstück, Reisekarte und Paß, 6 Übernachtungen 455 SFr. (ca. 560 DM), Einzelzimmer 495 SFr. (ca. 610 DM).

Romantik Hotel
„Auberge de Chateauvieux" · Satigny/Genève

Endlich ist es gelungen, auch in der „Welsch"-Schweiz ein Romantik Hotel zu finden, was sich bisher als nicht sehr einfach erwiesen hat.

Mit der „Auberge de Chateauvieux" in dem winzigen Ort Peney-Dessus in der Nähe von Satigny bei Genf ist jedoch eine Perle gefunden worden, die sicherlich so manchen Romantik-Freund begeistern wird. Obgleich nicht ganz einfach zu finden – man muß den Ort Peney-Dessus schon etwas suchen – lohnt sich diese Mühe, denn wenn man dann zur „Auberge de Chateauvieux" – inmitten einer herrlichen Landschaft gelegen und umgeben von Weinbergen – kommt, dann findet man einen historischen Landsitz aus dem 15. Jahrhundet, der in sehr geschmackvoller und großzügiger Art in ein ausgezeichnetes Hotel verwandelt worden ist.

Das rustikal elegante Restaurant bietet eine Spitzenküche, wie man sie für die Westschweiz erwartet, während die Zimmer den ganzen Charme eines alten Landsitzes durch seine komfortable und elegante Einrichtung widerspiegelt. Die Familie Bosotto hat hier wirklich ein gastronomisches Kleinod geschaffen.

At last it has been possible to find a Romantik hotel in the French region of Switzerland, which was not easy up to now.

However, in the "Auberge de Chateauvieux", in the minute hamlet of Peney-Dessus near Satigny outside Geneva, we have found a pearl which will surely delight many Romantik friends. Although it is not really easy to find – you have to search for the village of Peney-Dessus – it is worth the trouble, because when you reach the „Auberge de Chateauvieux", in the midst of beautiful countryside and surrounded by vineyards, you find an historic country house dating from the 15th century, which has been transformed tastefully and with no expense spared into an excellent hotel.

The elegant rustic restaurant offers a first-class cuisine such as one expects in Western Switzerland, whilst the rooms reflect the charm of an old manor house with its comfortable and elegant furnishings. The Bosotto family have really made this a gastronomic gem.

Nous sommes enfin parvenus à découvrir dans la Suisse de l'Ouest un hôtel digne des Hôtels Romantik : L'Auberge de Chateauvieux, une perle au cœur de la petite localité Peney-Dessus dans les environs de Satigny, près de Genève, qui devrait enthousiasmer bon nombre d'amis des Hôtels et Restaurants Romantik. Elle n'est pas très facile à trouver, l'Auberge de Chateauvieux, même Peney-Dessus est déjà à l'écart – mais cela vaut la peine de chercher

car, lorsqu'on arrive à l'Auberge de Chateauvieux, au cœur d'un magnifique paysage et entourée de vignobles, on y découvre une maison de campagne historique datant du XVème siècle transformée avec beaucoup de goût en un excellent hôtel.

Dans l'élégant restaurant de style rustique, on sert une cuisine de grande classe qui fait honneur à la gastronomie de la Suisse de l'Ouest et les chambres reflètent grâce à leur aménagement confortable et élégant tout le charme d'une villa de campagne.

La famille Bosotto a créé ici un vrai joyau noble gastronomique.

Fam. Alfred Bosotto
Peney-Dessus
1242 Satigny/Genève
☎ 022 - 53.14.45

 7 – ab 18.00 Uhr
1

 21. 7. – 6. 8.
20. 12. – 10. 1.

 21

 12

 70 - 90 Sfr.

 110 Sfr.

 15

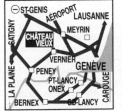

Kriegstetten ist eine kleine Ortschaft mit ländlichem Charakter. Das Romantik Hotel Sternen liegt mitten im Ort zwischen der Kirche und dem wunderschönen Pfarrhaus. Hinter der blumengeschmückten Fassade des Sternen laden verschiedene Räumlichkeiten mit wohlabgestimmten Einrichtungen aus früheren Zeiten und mit viel privater Atmosphäre zum behaglichen Verweilen und kulinarischen Genießen ein. An warmen Tagen kann sich der Gast zudem im schattigen Gartenrestaurant mit Park verwöhnen lassen. Auf der Speisekarte liest man: »Grüess Euch – es freuen sich Margrit und Jörg Bohren, Sie bedienen zu dürfen«. Und die jungen Wirtsleute tun es mit viel Engagement.

Die ruhige Lage der mit allem Komfort eingerichteten – im heimeligen Biedermeierstil gehaltenen – Gästezimmer garantiert einen angenehmen Aufenthalt an diesem so zentral gelegenen Ausgangspunkt.

The hamlet of Kriegstetten with its countrified character is well known among gourmets; no less than three inns offer the visitor hospitality according to his taste and pocket. The Romantik Hotel "Gasthof Sternen" lies half-way between the village church and the impressive rectory. You will rarely find an inn with a more homely and personal atmosphere and behind the attractive facade of the "Sternen" various charming public rooms invite small or large groups to enjoy the hospitality and cuisine of the hosts. Every guest is a special guest with Margrit and Jörg Bohren. There are excellent parking facilities and a large garden restaurant.

The quiet situation of the very comfortably appointed guest rooms furnished and decorated in the homely Biedermeier (early 19th Century style) guarantees a pleasant stay at this very central holiday base.

Kriegstetten est une petite localité à caractère rural bien connue des gourmets; en effet, au centre du village, 3 auberges accueillent chaque hôte selon son goût. L'Hotel Romantik «Gasthof Sternen» se trouve entre l'église qu'on aperçoit de très loin et le site splendide du presbytère. La façade fleurie du «Sternen» vous invite à entrer dans cette auberge où règne une atmosphère personnelle qui rappelle le chez-soi et comme il s'en trouve bien peu hélas au jour d'aujourd'hui. Différentes salles peuvent recevoir des groupes (peu ou très nombreux). Dans la Salle du jardin, une plantureuse carte des menus vous accueille avec l'inévitable «Gruess Ech» le salut de la région. Les aubergistes Margrit et Jörg

Bohren s'efforcent toujours de soigner individuellement chacun de leurs hôtes comme l'indiquent les mots suivants inscrits sur un lampadaire: «L'aubergiste est pour ses hôtes ce que l'arbre est pour ses branches». En été, un vaste parc avec un restaurant en plein air accueillant et soigné invitent à la détente. Les chambres louis-philippardes où l'on se sent chez-soi présentent tout le confort moderne et vous garantissent dans ce site calme un séjour agréable. Voilà un lieu central idéal pour sillonner la région.

J. Bohren-Vögtli
4566 Kriegstetten
☎ 065/35 61 11

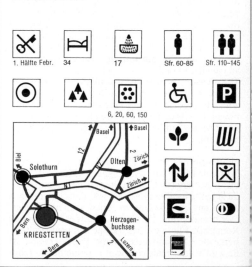

Romantik Hotel „Sternen" · Kriegstetten

Entspannungsurlaub und Ausgangspunkt für eine *Stern-Fahrt* durchs Schweizer Mittelland

Kurzurlaub: 3 Tage (2 Nächte) in ruhigem Doppelzimmer mit Bad, Welcome-Drink und 1 Gourmet-Menu. Preis: Fr. 180.–/Person, Fr. 200.– im Einzelzimmer.
Genießen Sie die Ruhe unseres Hauses und den schönen Park.
Ideale Gegend für den Fahrrad-Freund; Ausflug auf den Weissenstein (Jura); Solothurn; Bundesstadt Bern-Aare.
Sternfahrt-Urlaub 3 bis 6 Tage. Mindestens 3 Nächte, Verlängerung tagweise möglich. Übernachtung in ruhigem Doppelzimmer mit Bad. Preis Fr. 60.–/Person und Nacht, Einzelzimmer Fr. 70.–.
Sternfahrts-Vorschläge:
Jura: Delsberg / Vue des Alpes / Neuenburg
Westschweiz: Greyerz / Vevey / Lausanne
Oberland: Interlaken / Grindelwald
Zentralschweiz: Luzern / Flüelen / Rigi
Basel: Passwang / Basel / Hauenstein
... und abends heim nach Kriegstetten.

A relaxing holiday and starting point for a *Star Trip* through Switzerland's central region

Short holiday 3 days (2 nights) in a quiet double room with bath, welcome drink and 1 gourmet menu. Price: 180 Swiss francs per person. 200 Swiss francs in single room.
Enjoy the calm of our Hotel and the beautiful park.
An ideal district for cyclists.
Excursion to the Weissenstein (Jura) – Solothurn – Federal Capital Berne-Aare.
Star Trip holiday 3 to 6 days. At least 3 nights, can be extended by day or days. Night spent in a quiet double room with bath. Price 60 Swiss francs per person and night Single room 70 Swiss francs.
Star Trip suggestions:
Jura: Delsberg / Vue des Alpes / Neuenburg
Western Switzerland: Greyerz / Vevey / Lausanne
Oberland: Interlaken / Grindelwald
The Original Switzerland: Lucerne / Flüelen / Rigi
Basel: Passwang / Basel / Hauenstein
... and in the evening, home to Kriegstetten.

Vacances detendues et point de depart d'excursions dans le Mittelland

Minivacances: 3 jours (2 nuitées) en chambre double et calme, avec bain, apéritif de bienvenue et 1 repas gastronomique. Prix: sfr 180,00 par personne, sfr 200,00 en chambre individuelle.
Profitez du calme de notre maison et de son joli parc. Région idéale pour les passionnés de bicyclette.
Excursion au Weissenstein (Jura) – Soleure – Bern, la capitale de la Confédération, l'Aar.
Vacances et excursions, de 3 à 6 jours. 3 nuitées minimum, prolongation du séjour possible au jour le jour. Hébergement en chambre double et calme, avec bain. Prix: sfr 60,00 par personne et par nuitée. Chambre individuelle sfr 70,00.
Proposition d'excursions:
Jura: Delémont / Vue des Alpes / Neufchâtel
Suisse Occidentale: Greyerz / Vevey / Lausanne
Oberland: Interlaken / Grindelwald
Suisse centrale: Lucerne / Flüelen / Rigi
Bâle: Passwang / Bâle / Hauenstein
... et retour le soir à Kriegstetten.

Über Zermatt braucht man nichts zu schreiben, denn wer kennt nicht diesen herrlichen Ort ohne Autos. Berühmt als Winterparadies und beliebt als Sommerskiort und Bergwanderdomizil.

Dafür lohnt es sich, über das Romantik Hotel „Julen" einiges zu sagen. Es ist in den 30er Jahren gebaut worden, doch entschloß sich die Familie Julen, es 1981 total umzubauen, damit es den heutigen Anforderungen entsprechen kann. Daraus ist eine vorbildliche Hotelrenovierung geworden, die die Tradition dieses schönen Hotels voll erhält, ja vielleicht sogar noch besser hervorgehoben hat, als dies vorher der Fall war.

Sehr gemütliche Restaurants, wie man sie sich in Zermatt nur wünschen kann und eine sehr gute Küche haben das Hotel zu einem Begriff werden lassen. Sehr komfortable Zimmer – teilweise natürlich mit Blick auf das Matterhorn – sowie Sauna und Solarium lassen den Ferienaufenthalt oder den Kurz-Urlaub zu einem Erlebnis werden.

Das alles wird zu Preisen geboten, die man für Zermatt kaum für möglich hält.

It is not necessary to write about Zermatt, for who does not know of this lovely town without cars. It is famous as a winter paradise and loved as a summer ski resort and centre for mountain walkers. It is, however, worth saying something about the Romantik Hotel «Julen». It was built in the Thirties, but the Julen family decided in 1981 to rebuild it completely to bring it up to modern day requirements. This has resulted in an exemplary restoration, but fully retaining the tradition of this lovely hotel and, indeed, even enhancing it further.

Very comfortable restaurants, such as one could only wish for in Zermatt, and excellent cuisine have given the hotel a new status. Luxurious rooms, some naturally with a view to the Matterhorn, as well as sauna and solarium make a holiday or a short stay something special.

All this for a price that would not seem possible when one thinks of Zermatt.

Inutile de décrire ici Zermatt, cette magnifique et fameuse ville sans autos. Paradis pour les amateurs de sport d'hiver, appréciée comme station de ski en été et comme domicile pour ceux qui aiment les promenades en montagne.

Par contre, il vaut la peine d'en dire un peu plus long sur l'Hôtel Romantik «Julen». Bien que construit seulement dans les années 30, la famille Julen décida de le transformer complètement en 1981 pour qu'il réponde aux exigences d'aujourd'hui. Cette rénovation parfaitement réussie conserve à ce bel hôtel sa tradition, la mét peut-être encore plus en valeur qu'avant.

Grâce à ses restaurants accueillants tels qu'on les aime aussi à Zermatt et à sa très bonne cuisine, l'Hôtel Romantik «Julen» s'est fait un nom. Des chambres confortables – avec naturellement en partie vue sur le Mont Cervin – une sauna et solarium complètent l'agrément de grandes vacances ou d'un séjour de voyage. Et tout cela à des prix surprenants pour Zermatt!

Paul Julen
Steinmatte
CH–3920 Zermatt
☎ 0 28 / 67 24 81 · Telex 4 72 111

72   36   50 – 100 sfr.   90 – 180 sfr.

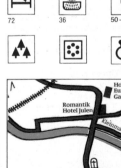

Hotel Europe Garni

Romantik Hotel Julen

Kleinmatterhorn

Romantik Hotel „Julen" · Zermatt

Mit Glacier Express zu den Romantik Hotels (Chur – Zermatt – Chur) sfr. 590,– pro Person
6 Tage-Arrangement mit HP und Fahrt Glacier-Express/ EZ-Zuschlag sfr. 60,–/Bahnzuschlag 1. Klasse sfr. 60,–
1. Tag: Ankunft in Chur/Gratisabholdienst am Bahnhof Chur mit Oldtimer »Buick 1933«/Begrüßungstrunk im Romantik Hotel Stern/zum Nachtessen ein typisches Bündner Menu / Unterbringung im heimeligen Doppelzimmer mit Arvenholz (DWC oder BWC, Telefon-Direktwahl, Radio mit Weckruf).
2. Tag: Reichhaltiges Romantik-Frühstücksbuffet / Fahrt mit dem Glacier Express nach Zermatt / Ankunft im Romantik Hotel Julen / reichhaltiges Abendessen, dazu offerieren wir eine Flasche »Heida« (berühmter Gletscherwein aus dem höchstgelegenen Weinbaugebiet Europas) / Unterbringung in komfortablen Doppelzimmern mit Bad, WC, Radio, Direktwahlteleton und Balkon.
3. Tag: »Romantisches« Frühstücksbuffet / anschließend Ausflug auf den berühmten Gornergrat, 3130 m (wunderbare Aussicht auf die zahlreichen Viertausender der Walliser Alpen mit Gletschern) / nachmittags Bummel durch das romantische Alt-Zermatt / Nachtessen und Übernachtung im Romantik Hotel Julen.
4. Tag: Wahlweise Fahrt auf das Kleine Matterhorn (3820 m) mit der höchsten Seilbahn Europas oder Pferdekutschenfahrt durch Zermatt und in die reizvolle Umgebung / nachmittags Besuch des Zermatter Alpinen Museums / Nachtessen und Übernachtung im Romantik Hotel Julen.
5. Tag: »Romantisches« Frühstücksbuffet / Tag zur freien Verfügung / Nachtessen und Übernachtung im Romantik Hotel Julen.
6. Tag: »Romantisches« Frühstücksbuffet, Rückfahrt nach Chur mit dem Glacier Express / Bummel durch die Churer Altstadt / Besichtigung unserer permanenten Ausstellung Schweizer Pferdekutschen aus der Jahrhundertwende / Nachtessen und Übernachtung im Romantik Hotel Stern.
7. Tag: Romantik-Frühstücksbuffet / Rückfahrt.
Die Ausflüge in Zermatt sind nicht im Pauschalpreis enthalten.

Take the Glacier Express to the Romantik Hotels (Chur – Zermatt – Chur) sfr. 590,– per person
6-days-arrangement with half-board and Glacier Express ticket. Surcharge for single room sfr. 60,–/surcharge 1st class train ticket sfr. 60,–.
1st day: Arrival at Chur / Free collection at Chur station with "Buick 1933" oldtimer / Welcoming drink in the Romantik Hotel Stern / Typical Bünden supper / Accomodation in cosy double rooms panelled with Swiss stone pine (shower or bathroom with WC, telephone with through connection, radio alarm clock).
2nd day: Extensive Romantik breakfast buffet / Glacier Express trip to Zermatt / Arrival at Romantik Hotel Julen / Extensive supper, we offer you a bottle of "Heida" (famous glacier wine from the highest vineyards in Europe) / accomodation in comfortable double rooms with bathroom, WC, radio, through connection telephone and balcony.
3rd day: "Romantic" breakfast buffet / Followed by excursion to the famous Gornergrat 3130 m (magnificent view over the numerous 4000-meter-mountains and glaciers of the Valais Alps) / In the afternoon, stroll through romantic Old Zermatt / Supper and overnight stay in the Romantik Hotel Julen.
4th day: Either trip to the Kleine Matterhorn (3820 m) with the highest cable railway of Europe or horse-and-carriage trip through Zermatt and its charming surroundings / In the afternoon, visit to the Zermatt Alpinen Museum / Supper and overnight stay in the Romantik Hotel Julen.
5th day: "Romantic" breakfast buffet / Free day at your disposal / Supper and overnight stay in the Romantik Hotel Julen.
6th day: "Romantic" breakfast buffet, return to Chur with the Glacier Express / Stroll through the old town of Chur / Visit to our permanent exhibition "Swiss carriages from the turn of the century" / Supper and overnight stay in the Romantik Hotel Stern.
7th day: Romantik breakfast buffet / Departure.
The excursions in Zermatt are not included in the package price.

Vers les hôtels Romantik de Coire et de Zermatt en empruntant le Glacier Express, sfr. 590,–
Programme de 6 jours, en demi-pension et voyage avec le Glacier Express, supplément pour chambre individuelle sfr. 60,–, supplément pour billet en 1ère classe sfr. 60,–
1er jour: Arrivée à Coire. Transfert gratuit en «Buick 1933» de la gare à l'hôtel. Apéritif de bienvenue à l'hôtel Romantik Stern. Dîner typique des Grisons. Hébergement en chambre double en pin alvier où l'hôte se sent chez lui (douche/WC ou bain/WC, téléphone automatique, radio-réveil).
2ème jour: Petit déjeuner copieux à prendre au buffet. Excursion à Zermatt en empruntant le Glacier Express. Arrivée à l'hôtel Romantik Julen. Copieux dîner, une bouteille de «Heida» (célèbre vin des glaciers, provenant du plus haut vignoble européen) vous est offerte. Hébergement en chambre double confortable avec bain, WC, radio, Téléphone automatique et balcon.
3ème jour: Petit déjeuner romantique à prendre au buffet. Excursion au célèbre Gornergrat 3130 m (vue magnifique sur les nombreux sommets de plus de quatre mille mètres des alpes valaisanes et les glaciers. L'après-midi, promenade dans la vieille ville romantique de Zermatt. Dîner et hébergement à l'hôtel Julen.
4ème jour: Selon votre choix, montée au Petit Mont Cervin (3820 m) par le plus haut téléphérique d'Europe ou promenade en calèche dans Zermatt et ses magnifiques environs. Visite du musée alpin de Zermatt l'après-midi. Dîner et hébergement à l'hôtel Julen.
5ème jour: Petit déjeuner romantique à prendre au buffet. Journée libre. Dîner et hébergement à hôtel Romantik Julen.
6ème jour: Petit déjeuner romantique à prendre au buffet. Retour à Coire en empruntant le Glacier Express. Promenade dans la vieille ville de Coire. Visite de notre exposition permanente sur les calèches suisses de la fin du siècle dernier. Dîner et hébergement à l'hôtel Romantik Stern.
7ème jour: Petit déjeuner Romantik à prendre au buffet. Retour.
Le prix forfaitaire ne comprend pas les excursions à Zermatt.

Ein Symbol echter Schweizer Gastkultur ist der „Wilde Mann" aus sieben historischen Häusern der romantischen Altstadt zu einem kleinen Juwel der Hospitalität zusammengefügt. Fritz Furler, ein traditionsbewußter Hotelier, legt besonderen Wert auf gepflegte Küche in seinen beiden Restaurants. Originell ist die holzgetäfelte „Burgerstube", voll Charme die „Liedertafelstube" mit ihren künstlerischen Darstellungen von Alt Luzern. Über der gemütlichen Bar und attraktiven Bankett-Räumen für 10 – 100 Personen im 1. Stock liegen die Zimmer (mit Bad), sehr stilvoll der behaglichen Note des Hauses angepaßt. In dieser Stadt findet der kulturell interessierte Feriengast, aber auch der Naturliebhaber und Sportler gleichermaßen Erholung und Spaß rund um den Vierwaldstättersee. Parkhaus Kesselturm in unmittelbarer Nähe.

The Romantik Hotel "Wilden Mann" is situated in the heart of the historical old town of Lucerne; Lucerne, the famous beauty-spot of Central Switzerland. This charming hotel is a symbol of true Swiss hospitality with a long history dating back to 1517. Mr. Fritz Furler, a traditional hotelproprietor set great store by updating the house with every possible comfort as two restaurants of world-wide reputation, a cozy bar, various congress-rooms and tastefully appointed bed-rooms. The friendly staff is trained to spoil the guests with a first-class service.
To stay at the "Wilden Mann" and visit the many places of interest in the city as well as the numerous surrounding mountains (Pilatus, Rigi, Bürgenstock, Titlis, to mention just a few) or to take a boat trip on Lake Lucerne is to enjoy a typical and unforgettable Swiss holiday, both for the nature lover and the culture seeker.

L'hôtel «Wilden Mann» se trouve au cœur de la vieille ville historique de Lucerne, la métropole touristique de réputation mondiale. Cet hôtel charmant et confortable est un véritable symbol de l'hospitalité Suisse dont l'histoire remonte à 1517. Son propriétaire, M. Fritz Furler, décendent d'une famille hôtelière bien connue depuis 150 ans, a réunis les sept anciennes maisons que représentent aujourd'hui le «Wilden Mann» et les a aménagées et décorées d'un goût exquis. Deux restaurants offrent des spécialités régionales de même que la haute cuisine française. Les chambres d'une ambiance romantique, les salles de séjour pleines d'antiquités ainsi qu'un petit bar marient le cadre médiéval au confort de nos jours.
Résider à l'«hôtel du sauvage» et admirer toutes les curiosités de la ville, jouir d'une promenade en bâteau sur le Lac de 4 Cantons ou faire des excursions dans les montagnes à proximité, laissent au voyageur des souvenirs inoubliables de ses vacances passées en Suisse.

Fritz Furler
Bahnhofstr. 30 · 6003 Luzern
☎ 0 41/23 16 66 · Telex 78 233

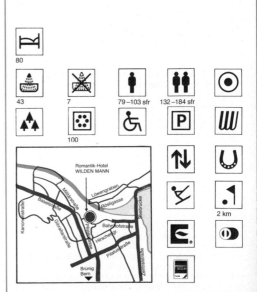

Romantik Hotel „Zum Löwen" · Worb

Die kleine Stadtgemeinde Worb vor den Toren Berns spiegelt den einfachen Stil der Berner Landschaft wieder, genau wie der „Löwen", der seit seiner Gründung vor über 600 Jahren die wahre Tradition der alten Tavernen aufrecht erhält. Hier ist alles echt und authentisch, was auf die Tatsache zurückzuführen ist, daß dieser herrliche Berner Gasthof seit 11 Generationen von der Familie Bernhard geführt wird. Hier fühlt sich der Einheimische bei seinem Glas Bier genauso wohl wie prominente Gäste, sei es die Königin von Niederlande, der Dirigent Furtwängler, der Chirurg Prof. Sauerbruch, der Tenor Gigli oder Astronaut Duke, sie alle waren schon hier. Die Küche bietet auch regionale Spezialitäten. In den neuen Hotelzimmern zu wohnen macht den Aufenthalt zu einem schönen Erlebnis.

The small township of Worb standing at the gateway to Berne, beautifully reflects the unpretentious style of the Bernese landscape, as does the „Löwen", which since its establishment over 600 years ago has maintained the true tradition of the old taverns. Everything here is "genuine" and authentic, which can be attributed to the fact that this beautiful Bernese inn has been managed by eleven generations of the family Bernhard. Here the local inhabitant feels at home in front of his glass of beer, as does the prominent guest, be it the Queen of the Netherlands, the conductor Furtwängler, the surgeon Prof. Sauerbruch, the tenor Gigli or the astronaut Duke, all of whom have been here. The cuisine also includes regional specialities.
The new hotel rooms make your stay an enjoyable experience.

La petite ville de Worb aux portes de la ville de Berne reflète merveilleusement bien le style pur du paysage bernois. Il en est de même pour le restaurant «Löwen» vieux de 600 ans qui, depuis cette époque, a su conserver la tradition des tavernes d'antan. Ici, tout est «authentique», rien n'est faux, probablement parce que c'est déja la onzième génération de la Famille Bernhard qui en assume la direction. Les gens du pays, avec leur verre de bière, se sentent aussi à l'aise que les hôtes de marque tels que la Reine de Hollande, le chef d'orchestre Furtwängler, le chirurgien Prof. Sauerbruch, le ténor Benjamin Gigli ou l'astronaute Duke qui y sont tous descendus. Ils sont tous séduits par le charme discret de cet établissement, l'excellence de son accueil et de son service. La cuisine offre aussi des spécialités régionales.
Loger dans ses chambres d'hôtel neuves complète encore l'agrément du séjour.

Fam. H. P. Bernhard-Auer
Enggisteinstr. 3 · 3076 Worb bei Bern
☎ 0 31/83 23 03

Emmental

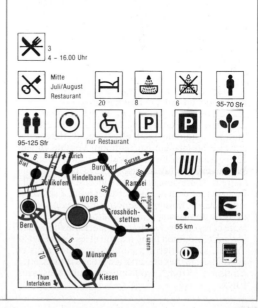

Das Romantik Hotel „Krone" in Dietikon, die schönste historische Gaststätte des Limmattals mit ihren bekannten Spezialitätenrestaurants liegt vor den Toren Zürichs. Es lohnt sich, die Autobahn zu verlassen, um in diesem geschichtsträchtigen Hause zu gastieren. Alle Zimmer haben Bad oder Dusche/WC und Selbstwahltelefon. 1259 wurde die „Krone" Dietikon von Rudolf von Habsburg an das Kloster Wettingen verkauft und ist seit 1873 im Besitze der Familie Gstrein. Holztäfer, weiche Spannteppiche, Stichbogenfenster mit Wappenscheiben vermitteln eine heimelige Atmosphäre. Der hausgeräucherte Lachs und Trois Filets St. Tropez sind neben vielen anderen Köstlichkeiten die großen Spezialitäten dieses Hauses. Alle Desserts stammen aus der eigenen Konditorei. Sie bedeuten neben den auserlesenen Weinen die Krönung jedes festlichen Mahles.

I. Segabinazzi + W. Hirzel
Zürcherstraße 3
8953 Dietikon/ZH
☎ 01 / 7 40 60 11

The „Krone" is the most beautiful historical tavern in the Limmat-Valley just outside of Zurich. It is well worth making a detour from the motorway to enjoy the hospitality of this ancient house as well as its exquisite cuisine. Sold in 1259 by the later King Rudolf of Habsburg to the monastery of Wettingen, the inn has been in the possession of the Gstrein family since 1873. Wooden panelling, rich wall-to-wall carpeting, arched windows with glass coats-of-arms provide a homely atmosphere. All rooms have bath or shower, WC and direct-dial-phones. From among the culinary specialities of the house the home-smoked salmon and the Trois Filets St Tropez deserve specially to be mentioned. All wines are carefully selected and the desserts freshly made at the „Krone's" own confectioner's shop to top an unforgettable meal.

L'hôtel „Krone" à Dietikon, la plus belle taverne historique du val de Limmat, avec son célèbre restaurant aux spécialités, se trouve aux portes de Zurich. Il vaut bien la peine de faire un crochet ou de quitter l'autoroute pour être acceuili dans cette auberge hospitalière par tradition. Vendue en l'an 1259 par Rudolf de Habsbourg au monastère de Wettingen, elle fut acquise en 1873 par la famille Gstrein. Toutes les chambres sont équipées de salle de bains ou douche, WC et téléphone à sélection automatique. Boiserie et fenêtres arquées aux vitres décorés de blasons rendent l'atmosphère accueillante et reposante. Les grandes spécialités de la maison sont le saumon fumé maison et les Trois Filet St Tropez, sans parler des nombreux autres mets et vins délicieux. Les desserts, crées dans la pâtisserie/confiserie „Krone", couronnent tout repas sans pareil.

Romantik Hotel „Säntis" · Appenzell

Nur einen Katzensprung von den Grenzen der Bundesrepublik, Österreichs und des Fürstentums Liechtenstein entfernt, im Herzen der Ostschweiz, findet sich ein Schatz: das Appenzellerland. Hier ist die Welt noch in Ordnung. Denn Land und Leute sind noch unverfälscht, bilden zusammen eine intakte Einheit. Alles, was die Schweiz liebenswert macht, findet sich hier auf kleinstem Raum, sozusagen im engsten Familienkreis. Und noch viel mehr! Denn hier hängen die Bewohner nicht nur an der Folklore und ihren Bräuchen um des Tourismus willen, sondern pflegen sie aus Überzeugung weiter.
Doch was wäre ein Schatz ohne Kronjuwelen – was wäre Appenzell, der Ort, der dem Ländchen den Namen gab, ohne das Romantik-Hotel „Säntis". Seine Fassade, ein Gütezeichen ersten Ranges für appenzellische Kunstfertigkeit und innerrhodische Freude an Farben und Formen, blickt direkt auf den Landsgemeindeplatz.
Das Hotel Säntis mit 60 Betten bietet Ihnen alle Vorzüge eines Romantik-Hotels. Vor allem jene eines Familienbetriebes, dessen oberste Devise die Pflege der appenzellischen Gastfreundschaft ist.

Only a stone's throw from the frontiers of the Federal Republic of Germany, Austria and the Principality of Liechtenstein, right in the heart of Europe, there lies a treasure – the region of Appenzell. Here "God's in his heaven, all's right with the world" because the land and people are still unspoilt and form a closely-knit unit. Everything that constitutes the charm of Switzerland can be found here within a small area, within the family so to speak. Even more, because here people do not cling to their customs and traditions for the tourists' sake but for their own. To imagine a treasure without its crown jewels would be to imagine Appenzell – the place that gave the region its name – without the Romantik Hotel "Säntis". Its facade, a first-class example of Appenzell craftmanship and love of colour and form, overlooks the Landsgemeinde Square.
The "Säntis"-Hotel with its 60 beds offers all the advantages of a Romantik Hotel together with those of a family enterprise whose aim is to uphold the traditional Appenzell hospitality.

A deux pas des frontières d'Allemagne, d'Autriche et du Liechtenstein, au coeur de la Suisse orientale, se cache un trésor: le pays d'Appenzell. Le paysage et ses habitants forment un ensemble sans failles. Tout ce qui est renommé en Suisse se retrouve ici sur une plus petite échelle, pour ainsi dire en famille. Et bien plus encore!

Les Appenzellois tiennent à leurs coutumes et à leur folklore, non pas uniquement pour le plaisir du touriste, mais ils les pratiquent pour eux-mêmes avec enthousiasme.
Mais que serait un trésor sans joyaux, que serait Appenzell, la localité qui a donné son nom au pays, sans le Romantik hôtel «Säntis».
Sa façade, la carte de visite du savoir-faire artisanal local et de son exubérance dans les formes et les couleurs, est tournée sur la place de la Landsgemeinde. L'hôtel «Säntis», avec ses 60 lits, vous offre tous les avantages d'un hôtel du «bon vieux temps», et surtout celui d'un établissement familial dont la devise est l'hospitalité.

Familie J. Heeb
9050 Appenzell
☎ 071 / 87 26 44
Telex 71 826

8.1. – 8.2.

60   33   65 – 85 Sfr   110–150 Sfr

1

Die Krone in Gottlieben wird vom individuellen Gast besonders geschätzt. Ihre wunderbare Lage am ruhig dahinfließenden Seerhein, inmitten des idyllisch verträumten Gottlieben, bringt der Krone viele Gäste, Urlauber und Feinschmecker.
Die Krone ist berühmt als luxuriöses Hotel mit allem Komfort, für die stilvoll eingerichteten Räume und die herrliche Seeterrasse. Hier finden Sie ein Paradies von seltener Schönheit, gelegen im Naturschutzgebiet des Untersees. In den behaglichen Restaurants und Sälen genießen Sie exquisite Tafelfreuden einer feinen französischen Küche und einen gepflegten Weinkeller.
Von hier aus können Sie den See genießen, spazierengehen, an Bootausflügen auf dem Bodensee teilnehmen, oder auf der Seeterrasse bei einem Glas Wein dem fröhlichen Treiben auf dem See zusehen.

The "Krone" in Gottlieben caters for discriminating guests. Its beautiful situation on the peaceful "Seerhein", in the middle of idyllically secluded Gottlieben attracts many visitors, holidaymakers and gourmets.
The "Krone" is renowned as a luxury hotel with every comfort, for its elegantly furnished rooms and the lovely lakeside terrace. This is a paradise of rare beauty, situated in a nature reserve on the lower lake. In the comfortable restaurants you can sample the delights of fine French cooking and an excellent cellar. From here you can enjoy the lake, go for walks, take boat trips on Lake Constance or watch the lively activity on the water whilst sitting with a glass of wine on the terrace.

Le «Krone» à Gottlieben est particulièrement apprécié de l'hôte individuel. Le site splendide en bordure du Rhin au cours tranquille dans le Lac inférieur, au cœur de Gottlieben paisiblement idyllique, attire au «Krone» de nombreux hôtes, vacanciers et gourmets.
Le «Krone» est célèbre en tant qu'hôtel luxueux tout confort pour ses salles dont l'aménagement a vraiment du style et pour sa magnifique Terrasse sur le lac. Ce que vous trouvez là, c'est un paradis d'une rare beauté, situé dans la réserve naturelle du Lac inférieur. Vous y goûtez, dans les restaurants et salles confortables, les joies exquises d'une table française raffinée et d'une cave à vins soignée.
Depuis le «Krone» vous pouvez profiter du Lac, faire des promenades, prendre part à des excursions en bateau sur le Lac ou tout simplement, assis devant un verre de vin, assister en spectateur à l'activité vivante et gaie qui se déploie sur le Lac de Constance.

G. + J. Schraner-Michaeli
8274 Gottlieben/Bodensee
☎ 072/69 23 23

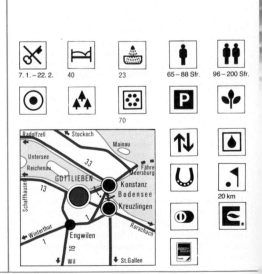

Romantik Hotel „Krone" · Gottlieben

Kurzurlaub für Feinschmecker

Die »Krone« in Gottlieben gehört sicherlich zu einer der besten Küchen der Schweiz und das schon seit einigen Jahren. Ein kulinarischer Kurzurlaub an den Gestaden des See-Rheins ist daher für Körper und Seele ein Vergnügen, das man sich hin und wieder einmal gönnen sollte.

Tagsüber bietet der See oder das schöne Thurgau unzählige Möglichkeiten der Entspannung, ob mit dem Boot, dem Fahrrad oder zu Fuß. Am Abend erwartet den Kurzurlauber dann ein Gourmet-Menü, das nach den strengen Regeln der neuen französischen Küche zubereitet wird. Dazu dann eine Flasche Wein und der Genuß wird vollkommen.

Ein Kurzurlaub für Feinschmecker mit zwei Übernachtungen, einem Gourmet-Menü und einem à la carte Diner kostet 250.– Sfr. pro Person. Und zur Begrüßung werden die Gäste mit einem Glas Champagner empfangen.

Wer eine Festlichkeit im kleinen Rahmen mit hohem Niveau durchführen möchte, hat in der »Krone« schon sehr oft den richtigen Ort gefunden. Geburtstage oder Familienfeiern, ein Essen mit wichtigen Gästen oder Kunden oder im geselligen Kreis mit Freunden, dafür bietet das Romantik Hotel »Krone« den geeigneten Rahmen und die Qualität von Küche und Service. Lassen Sie sich ein spezielles Angebot für Ihre wichtige Veranstaltung ausarbeiten.

Lachsforellenfilet mit Rieslingsauce und feinen Gemüsen

Gefüllte Wachtel mit Trüffelsauce

Lammcarré gebraten mit Kräutern der Provence

Die »Chesa Grischuna« in Klosters ist ein geschmackvoll eingerichtetes Bündnerhaus und genießt einen weltweiten Ruf. Das Hotel hat viel Atmosphäre und strahlt den besonderen Geschmack guten Lebensstandards aus. Ein wunderschönes Inneres, jedes Detail liebevoll in Arvenholz geschnitzt, ganz einfach ein Haus, in dem alles harmonisch aufeinander abgestimmt ist. Ausgezeichnete leichte Küche und vorzügliche Weine sind in dieser Umgebung selbstverständlich, genau wie der Firstclass-Service und die Gastlichkeit. Es ist nicht überraschend, daß eine internationale Gästeschar zur Stammkundschaft gehört, und sich immer wieder gerne von Familie Guler verwöhnen läßt.

Klosters ist ein bekannter Kurort im Sommer als auch im Winter. Ideales Höhenklima, geheiztes Schwimmbad, Tennisplätze, vier Luftseilbahnen (weltbekannt Gotschna-Parsenn, Madrisa), Ausgangspunkt für schöne Wanderungen und Ausflüge.

Familie Guler
7250 Klosters
☎ 0 83/4 22 22
Telex 74 248

The "Chesa Grischuna" in Klosters is a tastefully furnished "Bündener-Home" and has a worldwide reputation. The hotel is full of atmosphere and radiates the distinctive flavour of good living, just how one would imagine a genuine Grisons house to be. A wonderful interior, carved from old Swiss pine wood, every detail lovingly authentic – in short, a house in which everything harmonises. Excellent cuisine and exquisite wines belong in these surroundings like the first class service and hospitality. It is not surprising that numerous members of the world's aristocracy stay here and are given every attention by Hans Guler and his wife in a very personal way.
Klosters is a very popular resort thanks to its ideal mountain climate.
Heated outdoor swimmingpool, tennis-courts, 4 cable-cars (famous Gotschna-Parsenn, Madrisa) a good starting point for interesting excursions.

La »Chesa Grischuna« à Klosters est un hôtel très agréable et est réputé mondialement. Son intérieur typiquement grisonais apporte une ambiance agréable vous invitant à y séjourner longuement. Sa cuisine est soignée et le service est de première classe. Il ne faut donc pas être surpris que des têtes couronnées ou non aiment s'y retrouver et se laisser choyer par Hans Guler et sa femme.
Des vacances parfaites en été et en hiver grâce au climat d'altitude idéal. Piscine chauffée, courts de tennis, 4 téléphériques (fameux Gotschna-Parsenn/Madrisa) station idyllique et romantique aussi pour des excursions.

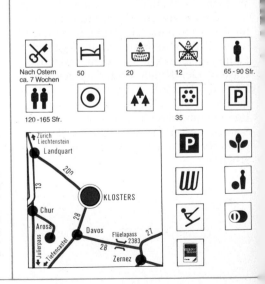

Nach Ostern ca. 7 Wochen   50   20   12   65 - 90 Sfr.

120 -165 Sfr.   35

Romantik Hotel „Chesa Grischuna" · Klosters

Das einmalige Wandererlebnis in Graubünden
Romantik-Kurzurlaub in Klosters

1. Tag: Nach dem Willkommens-Cocktail servieren wir Ihnen in unserem berühmten Restaurant ein fünfgängiges Gourmet-Dîner. Übernachtung im gemütlichen Doppelzimmer mit Bad oder Dusche/WC.

2. Tag: Nach dem reichhaltigen Frühstück starten Sie zu einem Ausflug ins wild-romantische Vereina-Tal (1945 m), eines der herrlichsten Hochtäler Graubündens. Hinfahrt mit lizensiertem Kleinbus, erlebnisreiche Rückwanderung. Gemütliches Abendessen, Übernachtung.

3. Tag: Frühstück vom Buffet, kleiner Morgenspaziergang durch unser typisches Bündner Dorf. Wir verabschieden uns von Ihnen mit einer »Bündner Platte« und einem Glas Veltliner Wein.

2-Tage-Spezialarrangement Sfr. 210,– pro Person, Einzelzimmerzuschlag Sfr. 20,–. Inbegriffen sind: Willkommens-Cocktail, Gourmet-Dîner, Abendessen, 2 Übernachtungen, Frühstücksbuffet, Busfahrt ins Vereina-Tal (Hinfahrt), Abschiedsimbiß. Verlängerung Sfr. 55,– pro Person, inkl. Frühstück. Angebot nur gültig in der Sommersaison.

The unique walking holiday experience in the Grisons:
Romantik mini-holiday in Klosters

Day 1: After the welcoming cocktail, we serve you a 5-course gourmet dinner in our famous restaurant. Overnight in a comfortable double room with bath or shower/WC.

Day 2: After an abundant breakfast we start out on an excursion to the wild romantic Valley of Vereina (1945 m), one of the loveliest mountain valleys in the Grisons. Drive up in a licensed minibus, then an impressive walk down.
Leisurely dinner, overnight.

Day 3: Breakfast from the buffet, a gentle stroll through our typical Grisons village. We bid you farewell with a special Grisons cold plate and a glass of Veltliner wine.

Two-day special terms: SFrs 210 per person. Single room supplement SFrs 20. Inclusive of welcoming cocktail, gourmet dinner, evening meal, two overnights, buffet breakfast, bus to the Vereina Valley, farewell snack.
Extension: SFrs 55 per person including breakfast. Special terms only applicable in the summer season.

Randonnée inoubliable dans les Grisons
Journées intenses de vacances Romantik à Klosters

1er jour: Après un cocktail de bienvenue, nous vous servons dans notre célèbre restaurant un dîner de gourmet comptant cinq plats.
Vous dormez dans une confortable chambre à deux personnes, avec WC/salle de bains ou douche.

2ème jour: Après un copieux petit déjeuner, excursion dans la vallée sauvage et romantique de la Vereina (à 1945 m d'altitude), l'une des plus belles vallées alpines des Grisons. A l'aller, c'est un minibus muni d'une autorisation spéciale qui vous y conduit et vous faites le retour à pied pour admirer à loisir la beauté du paysage.
Un bon repas du soir vous attend à l'hôtel où vous passez la seconde nuit.

3ème jour: Petit déjeuner à notre buffet. Courte promenade matinale dans un village typique des Grisons. Nous prenons congé de vous avec un «Plateau grison» et un verre de vin du Valtellina.

Arrangement spécial de deux jours: 210,– Frcs suisses. Supplément pour chambre à 1 personne: 20,– Frcs suisses. Sont inclus dans le prix indiqué: cocktail de bienvenue, dîner de gourmet, repas du soir, 2 nuits à l'hôtel, petit-déjeuner au buffet, voyage en minibus dans la vallée de la Vereina (aller), en-cas à votre départ.
Prolongation: 55,– Frcs suisses par personne, petit-déjeuner compris.
Offre valable seulement pendant la saison d'été.

Romantik Hotel
„Guardaval" · Bad Scuol-Tarasp

Eines der prachtvollsten historischen Häuser des Unterengadins, das Schweizer Gastlichkeit im richtigen Rahmen bietet. Das »Guardaval« will keine Luxusherberge sein, aber es ist ein Haus, das die örtliche Kultur mit Firstclass Service, Unterkunft und Küche verbindet. Bad Scuol-Tarasp-Vulpera mit seinen weltbekannten Heilquellen liegt auf 1250 Metern im Inntal; im Norden geschützt von der Silvrettagruppe, im Süden sich dem Schweizerischen Nationalpark öffnend. Hier mag man mit der Familie gerne wohnen, sei es für einen Kur-, Wander- oder Wintersportaufenthalt, für Tennis- oder Golfferien, kurz ein Erholungsparadies mit einem gesunden Bergklima. Bad Scuol und das Romantik Hotel Guardaval: ein Ort, wo die Welt noch in Ordnung ist.

One of the most splendid historic houses in the Lower Engadine, which offers Swiss hospitality in the right surroundings. The "Guardaval" does not claim to be a luxury hotel, but it is a house which combines local culture with first-class service, accommodation and cuisine. Bad Scuol-Tarasp-Vulpera with its world-famous mineral springs lies at 1250 metres in the valley of the Inn; to the north it is sheltered by the Silvretta range and opens on to the Swiss National Park in the south. One can stay here happily with the family, whether it is for a cure, a walking or a winter sports holiday, or for tennis or golf – in short, a paradise for recuperation in a healthy mountain climate. Bad Scuol and the Romantik Hotel "Guardaval": where all's right with the world.

Un des plus superbes établissements historiques de la Basse-Engadine qui vous offre l'hospitalité helvétique dans un cadre digne d'elle. Le «Guardaval» ne prétend pas être une auberge de luxe mais c'est un établissement qui offre service, hébergement et gastronomie de toute première classe dans l'harmonie d'une culture régionale. Bad Scuol-Tarasp-Vulpera, avec ses sources médicinales mondialement connues, se situe dans la Vallée de l'Inn à 1250 m d'altitude, protégé au Nord par le massif Silvrettagruppe et s'ouvrant au Sud sur le Parc National Helvétique. Il fait bon y loger aves sa famille, que ce soit pour y faire une cure, pour s'adonner à la promenade ou aux sports d'hiver, pour y passer des vacances en faisant tennis ou golf, en un mot, c'est un paradis reposant dans un climat de montagne sain. Bad Scuol et l'Hôtel Romantik «Guardaval»: havre de paix avec les bienfaits de la civilisation mais sans les folies du monde moderne.

Fam. P. A. + M. Regi
7550 Bad Scuol-Tarasp
☎ 0 84 / 9 13 21 / 22

Golf-, Tennisplatz und -Halle in Vulpera.

15. 4. – 1. 6. 85
21. 10. – 20. 12. 85

80

23

4

75 Sfr.

140 Sfr.

12

Schonkost

3 km

Romantik Hotel „Guardaval" · Bad Scuol-Tarasp

Lieber Bergfreund,

das Unterengadin braucht praktisch keine Werbung, um die Gäste auf die herrliche Wintersaison aufmerksam zu machen. Schnee, gesunde Luft, Sonnenschein und keine Wartezeiten an den Litten, das sind unsere Stärken. Daß wir aber auch im Frühling ein paar Leckerbissen zu bieten haben, wissen bis jetzt nur Eingeweihte. Der Bergfrühling mit seiner Blumenkraft, dem satten Grün der ausschlagenden Lärchen, der Ruhe, die heute jeder zur vollkommenen Erholung braucht, dies alles sollten auch Sie sich nicht entgehen lassen. Naturfreunde kommen wieder einmal in den Genuß, selten gewordene Tiere in freier Wildbahn aus nächster Nähe zu beobachten. Wanderungen im und um den Schweizerischen Nationalpark (dem einzigen in der Schweiz) mit seiner Vielfalt an Blumen, Gesteinen und Tieren werden zu einem unvergeßlichen Erlebnis. Schauen Sie sich die typischen Engadinerhäuser im 300 Jahre alten Dorfkern an, lassen Sie sich durch das Unterengadiner Heimatmuseum führen, besichtigen Sie das Schloß Tarasp, Sie werden begeistert sein.

Auch aktive Gäste kommen nicht zu kurz, Bad Scuol ist ein Paradies für Fischer, der Golfplatz in Vulpera läßt jedes Sportlerherz höher schlagen, Tennisplätze inmitten rauschender Tannenwälder. Auch eine Tennishalle steht für allfällige Regentage zur Verfügung.

Streßgeplagte und gesundheitlich angeschlagene Leute sollten sich durch die wohltuende Wirkung unserer Kohlensäurebäder und Trinkquellwasser verwöhnen lassen. Unsere Heilquellen mit ihrem hohen Gehalt an natürlicher Kohlensäure eignen sich vorzüglich zu einer Bade- oder Trinkkur. Sie haben sich seit alters her als Wundermittel bei Störungen des Herzens und Kreislaufs, Leber- und Gallenleiden sowie Rekonvaleszenz vielfach bewährt.

Für Spezialarrangements in den Vor- und Nachsaisonszeiten fragen Sie bitte direkt im Romantik Hotel nach, denn: Bad Scuol und das Guardaval sind eine Reise wert.

Der „Stern" in Chur ist ein geschichtsträchtiger, 300 Jahre alter Gasthof, in dem Sie aber keinen Komfort vermissen müssen, den der heutige Gast erwarten darf. Seit 1969 hat der Besitzer, Emil Pfister, – ein Gastgeber, wie ihn die Schweizer Hotellerie seit über einem Jahrhundert geprägt hat – sein Haus umgebaut und den heutigen Erfordernissen angepaßt, ohne aber den Bündner Stil und die Gastlichkeit der jahrtausende alten Bündner Hauptstadt zu verleugnen. Als leidenschaftlicher Feinschmecker und hervorragender Kenner der fruchtigen Bündner Weine hat er in der Ferienecke der Schweiz, Graubünden, ein rätisches kulinarisches Zentrum geschaffen. In seinen Bündner Stuben werden Gäste verwöhnt, die ein Großmutter-Rezept aus dem Engadin oder den Südtälern dieses vielschichtigen Kantons zu schätzen wissen. Außerdem finden Sie Seminar- und Tagungsräume mit modernster Einrichtung für 12 – 60 Teilnehmer. Emil Pfisters „Stern" eignet sich für Passanten und Feriengäste, welche die entzückende Altstadt lieben, aber auch gern einen Katzensprung in die berühmten Wintersportorte Arosa, Bad Scuol, Flims, Klosters, Laax, Lenzerheide, Savognin oder St. Moritz wagen. Gratisabholdienst mit Hotelwagen – Buick 1933 – ab Bahnhof Chur.

The "Stern" in Chur is now 300 years old, but since 1st May 1969 it has begun to sparkle anew. This was when Emil Pfister, a man who can only be described as a passionate epicure, bought this delightful place and gradually began to turn it into an excellent hotel with an outstanding cuisine. He is known as a pioneer of the old Grison specialities to which he is dedicated. When you are there, try these Grison dishes rather than the international ones. After you have tasted them, along with the excellent wines from his own cellar, you will always want to return to the "Stern". Chur itself is a delightful town on the upper reaches of the Rhine and an ideal starting point for trips to Arosa, Davos, St. Moritz or the San Bernardino, the Grison Oberland, to Liechtenstein or Lake Constance.

Depuis le 1er mai 1969 le «Stern» à Coire, vieux de 300 ans a commencé à retrouver ses splendeurs d'antan. C'est en effet ce jour là qu'Emil Pfister a acheté ce magnifique bâtiment et petit à petit l'a restauré et aménagé en un hôtel accueillant vous offrant une cuisine choisie. Emil Pfister s'est dévoué corps et âme à rechercher les vieilles spécialités culinaires grisonnaises auxquelles il a redonné un nom. En allant chez lui profitez-en pour les goûter et les savourer tout en dégustant les vins exquis de ses pro-

pres caves. Le «Stern» restera pour vous un lieu de prédilection.

Coire est une petite ville ravissante au bord du Rhin et le point de départ des voies d'accès aux centres touristiques d'Arosa, Davos, St. Moritz, San Bernardino, le «Grison Oberland», le Liechtenstein et le lac de Constance.

Emil und Dolores Pfister
Reichsgasse 11 · 7000 Chur
☎ 081/22 35 55 · Telex 7 4198
Permanente Ausstellung von Schweizer Pferdekutschen aus der Jahrhundertwende.

Romantik Hotel „Stern" · Chur

STERN TIP 2: MIT DEM POSTAUTO ZUM WANDERWEG UND ZUM WINTERSPORT

Sfr. 580.– p. P. Walk and ride – ride and walk
(7 Tage Halbpension / EZ-Zuschlag Sfr. 70.–)

Gratisabholdienst am Bahnhof Chur mit Oldtimer »Buick 1933« / Begrüßungstrunk / 7 Nachtessen / 1 Flasche »Romantik-Wein« / »Probierbrettli« (fünf ausgesuchte Weine aus Graubünden) und kleines Weinseminar / Übernachtungen im Doppelzimmer mit DWC oder BWC / reichhaltiges Frühstücksbuffet / Stadtführung / geführte Besichtigung unserer permanenten Ausstellung Schweizer Pferdekutschen aus der Jahrhundertwende / freier Eintritt in das Rätische Museum / ... und selbstverständlich romantik-würdige Betreuung!
Kombinierte Fahrten per Postauto und Bahn: Lenzerheide-Rothorn, Arosa, St. Moritz, Flims-Laax-Crap Sogn Gion, Savignon, Bivio, Splügen, Nationalpark (Richtpreis ca. Sfr. 160.– pro Person).
Auf Wunsch Romantik Lunchpaket à Sfr. 15.–.

Es freuen sich auf Ihren Besuch im 300 Jahre jungen
ROMANTIK HOTEL STERN
Emil und Dolores Pfister
Bitte verlangen Sie weitere attraktive »Stern Tips«:
Stern Tip 1   »Churer Wochenende«
Stern Tip 3   »3 Tage Tapetenwechsel«
Stern Tip 4   »Mit Glacier Express zu den Romantik Hotels (Chur - Zermatt)«
Stern Tip 5   »Romantik Hotels, Berg und Bahn«
Stern Tip 6   »Vorweihnachts-Arrangement«
Stern Tip 7   »Oster-Arrangement«
Stern Tip 8   »1 Woche Chur im Sommer«
Stern Tip 9   »1 Woche Chur im Winter«

BY MAIL BUS TO RAMBLERS' PATHS AND WINTER SPORTS

580 Swiss francs per person. Walk and ride – ride and walk
(7 days part board/extra for single room 70 Swiss francs)
Picked up free of charge at Chur Railway Station by "Buick 1933" old timer / welcoming drink / 7 dinners / 1 bottle of "Romantik" wine / wine-tasting (five select wines from the Grisons) and small wine seminar / 7 nights in double room with shower and WC or bath and WC / generous buffet breakfast / guided tour of the town / guided visit to our permanent exhibition of Swiss horse-drawn carriages from the turn of the century / free admittance to the Raeti Museum / ... and of course service worth of Romantik!
Combined trips by mail bus and rail: Lenzerheide-Rothorn, Arosa, St. Moritz, Flims-Laax-Crap Sogn Gion, Savognin, Bivio, Splügen, National Park (guide-price about 160 Swiss francs per person).
Romantik packed lunch on request: 15 Swiss francs.
You are eagerly awaited at the 300 year young
ROMANTIK HOTEL STERN
Please request further attractive "Stern Suggestions":
Stern suggestion 1   "Weekend in Chur"
Stern suggestion 3   "3 days' Change from Home"
Stern suggestion 4   "By Glacier Express to the Romantik Hotels (Chur - Zermatt)"

Stern suggestion 5   "Circular tour programme by the Raetic Railway"
Stern suggestion 6   "Pre-Christmas Programme"
Stern suggestion 7   "Easter Programme"
Stern suggestion 8   "A summer week in Chur"
Stern suggestion 9   "A winter's week in Chur"

DESTINATION CHEMINS DE RANDONNEE ET SPORTS D'HIVER AVEC LES SERVICES ROUTIERS DES POSTES

Sfr. 580,– par personne Walk and ride – ride and walk
(7 jours en demi-pension / supplément pour chambre individuelle sfr. 70,–)

Une «Buick 1933» vous attend à large gare de Coire et vous emmène gratuitement à l'hôtel. Apéritif de bienvenue, 7 dîners, 1 bouteille de vin spécial Romantik, un «Probierbrettli» (sélection de 5 vins de Grisons) et petit séminaire sur le vin, 7 nuitées en chambre double avec douche/toilette ou bain/toilettes, petit déjeuner copieux à prendre au buffet, visite de la ville, visite guidée de notre exposition permanente sur les calèches suisses de la fin du siècle dernier, entrée gratuite au musée romanche ... et bien sûr, encadrement Romantik.
Transport mixte par service routier des postes et voie ferrée: Lenzerheide-Rothorn, Arosa, St. Moritz, Flims-Laax-Crap Sogn Gion, Savognin, Bivio, Splügen, parc national (prix indicatif env. sfr 160,00 par personne).
Sur demande, repas froid au prix de sfr 15,00.
Nous attendons votre visite dans **l'HOTEL ROMANTIK STERN** qui a fêté ses 300 printemps.
Demandez les autres «Propositions Stern» passionnantes:
Proposition Stern 1   «Week-end à Coire»
Proposition Stern 3   «3 jours de dépaysement»
Proposition Stern 4   «Vers les hôtels Romantik de Coire et de Zermatt en empruntant le Glacier Express»
Proposition Stern 5   «Circuit en empruntant la Rätische Bahn»
Proposition Stern 6   «Programme de l'Avent»
Proposition Stern 7   «Programme pascal»
Proposition Stern 8   «Une semaine à Coire en été»
Proposition Stern 9   «Une semaine à Coire en hiver»

Das Ticino liegt an der Piazza Cioccaro im Herzen der schönen, autofreien Altstadt von Lugano, nur drei Minuten vom See und Hauptbahnhof entfernt. Die Anfahrt mit dem Auto ist nicht sehr einfach, wenn man es aber gefunden hat, kommt man in ein über 400 Jahre altes typisches Tessinerhaus.

Im traditionellen, sehr gepflegten Restaurant wird man von Frau Buchmann in ihrer herzlichen Art begrüßt, so daß man sich gleich wie zu Hause fühlt. Für die vorzügliche Küche ist Herr Buchmann persönlich verantwortlich. Auserlesene Saisonspezialitäten sowie Gerichte der französischen und italienischen Küche verwöhnen Ihren Gaumen.

Die Zimmer, die man über einen wunderschönen Innenhof erreicht, sind teilweise nicht sehr groß, aber individuell und mit jedem Komfort ausgestattet. Dieses historische Haus bietet eine sehr gute Leistung und wohltuende Gastlichkeit. Ideal für einen Kurzaufenthalt oder geruhsame Ferientage.

The Ticino lies in the heart of the very beautiful historical center of Lugano, only three minutes from the lake and the railway station. The approach by car is not quite simple, but when you have found it, you enter a typical, 400-year-old Tessin-house.

In the traditional and refined restaurant you will certainly be greeted by Mrs. Buchmann in her cordial manner, so that you feel immediately at home. The excellent cuisine, for which Mr. Buchmann is responsible, offers specialities from various regions to please all gourmets.

The rooms which are reached across a beautiful courtyard, are furnished with every comfort, as is to be expected in a city hotel. This idyllic hotel with very good service and pleasant hospitality, is an ideal place to stay to see Lugano and its beautiful surroundings.

Le Ticino est situé au très beau centre historique de Lugano, seulement trois minutes du lac et de la gare. Il n'est pas très facile d'y parvenir en voiture, mais quand vous l'avez trouvé, vous entrez dans une maison typiquement tessinoise.

Dans le restaurant soigné vous serez sûrement reçu de manière extrêmement cordiale par Mme Buchmann, si bien que vous vous sentirez tout de suite chez vous. Une cuisine excellente, dont M. Buchmann est responsable, vous offre des spécialités de plusieurs régions et signifie bien-être pour chaque gourmet. On accède aux chambres, equippées de tout le confort, par une cour intérieure magnifique. Cet hôtel idyllique, fort par ses services et son hospitalité bienfaisante, constitue un lieu de séjour idéal pour découvrir Lugano et le beau paysage environnant.

Il Ticino è una isola tranquilla nel cuore del centro storico di Lugano, 3 minuti dal lago e dalla stazione ferroviaria. Arrivarci con la propria macchina non è facile, ma giunti all'albergo vi troverete a cospetto di una tipica costruzione del XIV secolo, due passi dell'autosilo Via Motta.

Nell'elegante ristorante il cordialissimo benvenuto vi sarà dato dalla signora Buchmann e vi sentirete subito a proprio agio. L'eccellente cucina per cui il signor Buchmann è responsabile, offre una vasta scelta di primizie e di specialità delle cucine italiana e francese.

Attraverso un leggiadro cortile fiorito, si giunge alle camere, disponenti d'ogni comfort ed arredate con raffinata individualità.

Grazie all'ospitalità squisita ed ai servizi impeccabili lo storico albergo, ricco di opere d'arte, è un richiamo irresistibile per alcune giornate di distensione sulle rive superbe del Lago di Lugano.

Claire und Samuel Buchmann
Piazza Cioccaro 1
6901 Lugano
☎ (091) 22 77 72

15. 12. – 1. 2.

🛏	⛲	👤	👫	◎
45	alle	100/130 Sfr.	150/190 Sfr.	

10 km

Romantik Hotel „Ticino" · Lugano

Tessin – Sonnenstube der Schweiz

Hier scheint die Sonne wärmer, ist der Himmel blauer und der Atem von Lugano vermählt sich mit dem des Mittelmeeres. Hier ist alles vereint, was die Natur an Schönheiten zu bieten hat: ein idyllischer See, umringt von herrlichen Aussichtsbergen, von denen zwei Lugano einrahmen: der Monte Brè und der San Salvatore. Die Seebucht dazwischen spiegelt zu allen Jahreszeiten die Geschäftigkeit und den Lichterglanz der Stadt wider, aber auch deren beschauliche Atmosphäre, das Unbeschwerte und Heitere, das den wahren Charme von Lugano ausmacht. Es bietet sämtliche Sportarten. Erholung findet man bei ausgedehnten Spaziergängen auf den Wegen ver-

gangener Kultur. Historische Bauten mischen sich mit modernster Architektur. Interessante Museen und Gallerien, wie auch romantische Wein- und Fischerdörfchen laden zum Verweilen ein.

Tessin – where the sun is at home

Here the sun is brighter, the sky is bluer and a gentle breeze from the Mediterrenean seems to fill the air. Lugano has rich and rare qualities and charms all its own: Lake Lugano, spread out between the peaks of San Salvatore and Monte Brè, shimmers with light and colour. Through the whole arc of the seasons, the city and its surroundings offer an atmosphere ideal for enjoyment and relaxation. All kinds of sports are being practised and Lugano's programme is rich in cultural and artistic events. Historic monuments meet with ultra-modern architecture. Interesting museums and art galleries, but also romantic and typical villages invite to a most pleasant stay.

Unsere Geschenkidee:
Gutschein für eine Übernachtung im romantischen Doppelzimmer mit Bad oder Dusche, inkl. Frühstücks-Buffet, Willkommensdrink und auserlesenes Gourmet-Diner bei Kerzenlicht.
Für 2 Pers. 275 Sfr.

Our special offer:
Overnight stay in a romantic double room with private facilities, incl. breakfast-buffet, welcomedrink and an exquisite candle-light dinner.

For 2 pers. 275 Sfr.

Was kommt nach dem Essen?
EUROCARD!

Ob Sie den Ratsherrentopf in Zürich, den Toast in Hawaii, den Bœuf im Bourguignon oder die Spaghetti in Napoli geniessen: Mit EUROCARD essen Sie immer und überall «à la carte» und in jeder Währung.

EUROCARD ist das bargeldlose Zahlungsmittel Ihrer Schweizer Bank. Weltweit akzeptiert von 4 Millionen Hotels, Restaurants, Geschäften und Dienstleistungsunternehmen aller Branchen. EUROCARD ist die «Visitenkarte» der gerngesehenen Gäste und Kunden. Denn EUROCARD, das sind 3 Karten in einer: EUROCARD für Europa, ACCESS für Grossbritannien und MASTERCARD für Übersee!

Recht guten Appetit wünscht Ihnen:

EUROCARD.

Exklusiv von EUROCARD: Gratiskarte für Ehepartner!

Die einzig Richtige für Sie.
Von Ihrer Schweizer Bank.

Informieren Sie sich bei Ihrer Bank oder direkt bei EUROCARD (Switzerland) SA, 8021 Zürich, **Telefon 01/275 25 47.**

Romantik Hotel „Stern und Post" · Amsteg

Dieses Gasthaus ist seit 1604 in Familienbesitz und diente lange Zeit als Poststation am Gotthardpass für die Eidgenössische Post. Das Haus ist mit wunderschönen alten Möbeln, Gemälden und anderen Hausgegenständen ausgestattet. Die Familie Tresch bietet ihren Gästen gute nationale Gerichte und ausgezeichnete Weine, besonders aus Frankreich. Das Hotel „Stern und Post" ist ein beliebtes Touristenhotel im Sommer wie im Winter. Es ist ein beliebter Halt für Reisende aus und nach Italien.

This inn has been under family ownership since 1604 and served as a post station at the Gotthard Pass for the Confederate post for a long period. The house contains beautiful old furniture, paintings and household utensils. The Tresch Family offer their guests good national dishes and excellent wines, especially French vintages. The "Stern und Post" inn is a favourite tourist hotel in summer and winter. It is a popular stop for travellers to and from Italy.

P. A. Tresch
6474 Amsteg
☎ 0 44/6 44 40
Telex 8 66 385

Cette hôtellerie, qui fut longtemps un relais de poste du service postal fédéral suisse au Gotthard, se trouve en possession familiale depuis 1604. De beaux meubles, tableaux et outils anciens décorent cette maison. La famille Tresch offre à ses hôtes de succulentes spécialités du pays et d'excellents vins, venant pour la plupart de France. La maison «Stern und Post» est fréquentée par les vacanciers été comme hiver. Elle est également un pied-à-terre favori pour les voyageurs se rendant ou revenant d'Italie.

Mittwoch im Winter
Wednesday in winter
mercredi en hiver

70   20   22

70 Sfr   130 Sfr   120

Italien
Italy – Italie – Italia

Romantik Hotel „Turm" · Völs am Schlern

Die Ursprünge des Hauses gehen schon auf das 13. Jahrhundert zurück, was nicht heißen soll, daß auch der Komfort aus dieser Zeit stammt. Im Gegenteil. Die Familie Pramstrahler hat in sehr mühevoller Arbeit und mit viel Liebe und Geschmack einen Komfort in das Haus gebracht, der wohl als beispielhaft gelten kann. Hallen- und Frei-Schwimmbad, Sauna, alle Zimmer mit Bad, Telefon und Radio, gemütliche Aufenthalts-räume etc. gehören zur Ausstattung des Hotels. Die originelle Speisekarte umfaßt ausgesuchte Süd-Tiroler und italienische Spezialitäten. Lassen Sie sich durch die einfache Gaststube nicht stören, in der sich die Einheimischen und Gäste zum „Viertel Roten" tref-fen, das gehört ebenso zum Charakter des Hauses, wie die Gemäldesammlung von Herrn Pramstrahler, seinem ganz besonderen Hobby. Im Sommer wie auch im Winter durch die Seiseralm ein hervorragendes Urlaubsgebiet, das über 900 m hoch liegt und eine herrliche Fernsicht bietet. Ideal auch für einen Zwi-schenaufenthalt in den Süden geeignet.

Questo ambiente ha le sue origini nel XIII secolo, ció non vuol dire peró, che il suo comfort sia rimasto di tale epoca, – tutt'altro, – la famiglia Pramstrahler ha saputo dare un esemplare e confortevole arredamento curato amorevolmente anche nei suoi dettagli. Oltre alla piscina esterna, situata nel parco, quella coperta con la sauna, l'albergo dispone di camere tutte complete di bagno/Wc, radio e telefono. Accoglienti ambienti per il soggiorno etc. completano il programma. Il menù ori-ginale comprende ricercate specialità sudtirolesi ed italiane. Non si lasci distrarre della semplice «Stube» pubblica, dove la gente del posto si gode il suo quar-tino di «rosso», – anche questo fa parte del carattere tipico di questa casa, cosí come lo fa la collezione di quadri del Signor Pramstrahler, il suo hobby preferito. D'estate come anche nella stagione invernale la vicina Alpe di Siusi Vi offre tutto il suo favoloso programma turistico. Fié é situata su un meraviglioso altipiano a 900 metri di altitudine, situato nel cuore dell'Alto Adige ai piedi delle Dolomiti.

The origin of the house dates back to the 13th century, but this does not mean that the comfort dates back to this period. On the contrary, the Pramstrahler family, by their careful loving labours and good taste have made the house so comfortable that it can be said to be exem-plary. Indoor and outdoor swimming pool, sauna, every room with bath, telephone and radio, cosy lounges etc. are features of the hotel. The unusual menu includes selected Southern Tyrol and Italian specialities. Don't be put off by the simple bar, where the local inhabitants and the guests meet for a "carafe of red" – that is part of the character of the house, just like the art collection which is Herr Pramstrahler's own special hobby. In summer as well as in winter, an outstanding holiday region near the Seiseralm, which is over 900 m high and offers a magnificent panorama. Ideal too for a stopover in the South.

Les origines de cette demeure remontent au 13ème siècle, ce qui ne veut pas dire que le confort daterait aussi de cette époque! Bien au contraire. La famille Pramstrahler n'a pas épargné ses peincs pour offrir à cette maison, grâce à beaucoup de travail et d'amour, un confort qu'on peut considérer comme exemplaire. L'Hôtel possède piscine couverte et en plein air, sauna, salle de bains dans toutes les chambres, téléphone et radio, des salles de séjour agréables etc. Le menu ori-ginal propose une sélection de spécialités italiennes et du Sud-Tyrol. Ne vous laissez pas influencer par la simplicité de la salle dans laquelle gens du pays et hôtes se rencontrent autour d'un «quart de rouge»; cela aussi fait partie du caractère de la maison, de même que la collection de tableaux, violon d'Ingres de M. Pramstrahler. Eté comme hiver, vous y trouvez dans la Seiseralm, une région de vacances excellente située à plus de 900 m d'altitude et qui offre une magnifique vue panoramique. Se prête parfaitement aussi à un sèjour de repos sur la route du Sud.

Fam. Pramstrahler
I-39050 Völs a. Schlern · ☎ (0)471/7 20 14

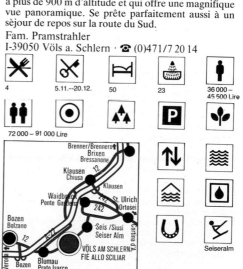

Marling (365 m) liegt am Süd-Westhang über dem Weltkurort Meran (3 km), der Perle Südtirols.

Der »Oberwirt« ist ein erstklassiges Haus im alpenländischen Stil, mit 200jähriger Tradition und persönlicher Note.

Seit jeher im Besitz der Familie Waldner, wurde der altbekannte Landgasthof im Laufe der Jahre zu einem ★★★★ Hotel aufgebaut, das jeden Komfort bietet, und trotzdem seine Ursprünglichkeit bewahrt hat.

Feinschmecker-Restaurant, Tiroler-Weinstuben, Kaffeegarten, Hallenbad, Sauna, Solarium, Freibad mit Liegewiese, private Tennisanlage (2 Hallen- und 5 Freiplätze, Tennisschule) usw. zählen zu den Einrichtungen des Hauses.

Es erwartet Sie eine gemütliche Atmosphäre, verbunden mit einer herzlichen Gastfreundschaft; bei uns können Sie alles das machen, wovon Sie zu Hause träumen.

Marlengo (365 m. s.l.m.) è situata su una collina a 3 km. da Merano, la perla dell'Alto Adige.

L'Hotel Oberwirt, da 200 anni di proprietà della famiglia Waldner, dopo continui ammodernamenti, è divenuto oggi albergo di ★★★★ stelle.

Pur offrendo ogni moderno confort, ha mantenuto integra la sua originalità di ambiente tipico tirolese. Oltre ad un rinomato ristorante, l'albergo dispone di autentiche »Stube« tirolesi, giardino, piscina coperta e scoperta, sauna, solarium e 7 campi da tennis (2 coperti e 5 all'aperto di cui 3 in terra) con propria scuola. La famiglia Waldner Vi aspetta in un'atmosfera intima, garantendovi una cordiale ospitalità, per una vacanza di sogno.

L'Hotel Oberwirt à Marling, pres de Merano, au sud du Tyrol, offre le confort d'un Hotel de première classe, auié au charme et à l'accueil d'un etablissement familial pour qui l'hotelerie est une tradition vieille de 200 ans.

La Restaurant de grande classe, le jardin, deux piscines (dont l'une couverte), un sauna et les courts de tennis (avec un entraineur classé) offrent autant de centres d'intèrèt et de repos.

L'accueil de la famille Waldner d'une amabilité et d'une grande dilligence, contribue à rendre le séjour encore plus agréable.

The Hotel Oberwirt in Marling, near Merano, South Tyrol, a first class family hotel with two hundred years tradition.

Gourmet Restaurant, Garden, Indoor and Outside swimming pools, Sauna, Tennis (International tennis coach available).

The Family Waldner give you their personal attention. The friendly atmosphere helps to make a perfect holiday and you will always want to return to the Hotel Oberwirt.

Josef Waldner
39020 Marling/Meran Südtirol
☎ BRD + CH 00 39 47 3/4 71 11
   A 04 04 73/4 71 11
   04 73/4 71 11

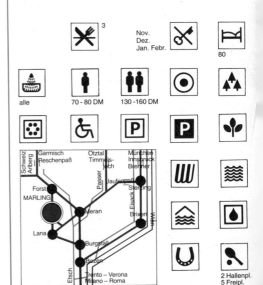

Romantik Hotel „Oberwirt" · Marling/Meran

2

...sonnig, romantisch, erholsam!

Romantik-Ferien in Südtirol

Valicato il Brennero, se non si vuol viaggiare sull' autostrada non ci può sfuggire «lo Stafler» a Mules, presso Vipiteno.

Un comodo ed ospitale albergo così come appare da prospetto, così come si desidera e si cerca nel Sudtirolo: un' albergo veramente amabile. Non c'è confusione, la cucina é buona, il servizio é gentile e c'è una copia di proprietari, che attivamente colabora.

Generalmente si conosce lo «Stafler» soló per qualche fermata pomeridiana o serale e non si sa qualche confortevole Hotel da qualche tempo si sia sviluppato da una «osteria».

Ampie stanze, piscina coperta e vaste sale rendono veramente piacevole e grato il soggiorno.

Il Romantik Hotel «Stafler» è anche una ideale stazione intermedia nei viaggi verso il sud, ma offre anche splendide possibilità per la vacanze (ferie) nella Valle d'Isarco in tutte le stagioni.

Wer den Brenner passiert hat und nicht über die Autobahn fahren will, kann ihn nicht übersehen: „Den Stafler" in Mauls bei Sterzing.

Ein behäbiger Gasthof wie aus dem Bilderbuch, so wie man sich einen Gasthof in Südtirol immer wünschen wird: herzhaft, kein Schnickschnack, gute Küche und freundliche Bedienung und ein Wirtsehepaar, das kräftig mit anpackt.

Die meisten kennen den „Stafler" jedoch nur von einer Mittags- oder Abendrast und wissen daher gar nicht, welch komfortables Hotel vor einigen Jahren aus dem „Gasthof" geworden ist: sehr großzügige Zimmer, ein Hallenbad und großzügige Aufenthaltsräume machen den Aufenthalt zu einem wirklichen Vergnügen.

Das Romantik Hotel „Stafler" ist somit eine ideale Zwischenstation auf dem Weg in den Süden, bietet jedoch gleichzeitig wunderbare Möglichkeiten für einen Urlaub im schönen Eissacktal, im Frühling, Sommer, Herbst und im Winter.

If you have crossed the Brenner Pass and don't want to drive on the Autobahn, you cannot miss the "Stafler" in Mauls near Sterzing.

A free and easy inn, as though out of a picture-book, just as one would wish for in the South Tyrol; generous, no frippery, good cooking and friendly service and a landlord and his wife who take part in everything.

Most people only know the "Stafler" from a midday or evening stop and so do not realise what a comfortable hotel has been made out of the "Gasthof" in recent years. Ample rooms, an indoor swimming pool and plenty of reception rooms make your stay a real pleasure.

The Romantik hotel "Stafler" thus makes an ideal break on the way to the south, but also offers wonderful opportunities for a holiday in the lovely Eissack Valley in the spring, summer, autumn and in winter.

Si vous passez par le Brenner sans prendre l'autoroute, vous ne pouvez pas ne pas voir le Stafler à Mauls, près de Sterzing. Une auberge d'un pittoresque local, digne des

livres d'images ou des prospectus les plus attirants sur le Tyrol du Sud: simple de goût, pas de fioritures, mais de la bonne cuisine, un personnel avenant et cordial et un couple d'aubergistes qui «met partout la main à la pâte» au service de leurs hôtes. Beaucoup s'y arrêtent seulement pour prendre un repas de midi ou du soir et ne savent hélas pas à quel point le Stafler a été rendu confortable ces dernières années, avec ses chambres très spacieuses, sa piscine couverte et ses salles de séjour de grand style qui font l'agrément d'un séjour.

L'Hôtel Romantik Stafler, halte idéale sur la route du Sud, offre aussi en toutes saisons des possibilités de passer de merveilleuses vacances dans la vallée Eissacktal.

Hans Stafler
Brennerstr. 10
39040 Mauls/Freienfeld
☎ 04 72/6 71 36

3   10.11.- 22.12.   57   27   5

40 000 Lire   65 000 Lire   40

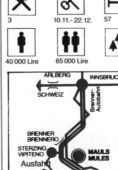

in allen Zimmern TV

Romantik Hotel „Metropole" · Venedig

L'Hotel Metropole e' situato sulla Riva degli Schiavoni, proprio di fronte all' isola di San Giorgio a tre minuti a piedi da piazza San Marco.
Le sue romantiche 64 stanze con toni giocati sul rosa e sull' azzurro sono complete di tutti i piu' moderni comforts. In 15 minuti di taxi acqueo vi ci arriverete dall' aereoporto e non sarete delusi da questo lusso piu' intimo e meno formale del solito.
Il personale sempre molto disponibile vi aiutera' in tutto quello che vi potra' essere utile in una vacanza a Venezia. Non perdetevi infine una cena o un aperitivo nel nostro Ristorante Zodiaco, dove potrete cenare intimanente al lume di candela.

Über Venedig und Romantik zu schreiben ist nicht erforderlich, das ist schon unzählig oft geschehen. Doch ein Romantik Hotel in Venedig, das ist neu.
Direkt am Canale Grande und in unmittelbarer Nähe zum Markusplatz und dem Dogenpalast liegt das Romantik Hotel »Metropole«.
Ein typisch venezianisches Haus mit viel Marmor und sehr elegant eingerichtet, dürfte das »Metropole« sicherlich zu den besten Hotels Venedigs zählen. Eine großzügige Empfangshalle, ein elegantes Restaurant und ein gemütliches Bar-Restaurant mit guter Küche findet der Gast im Erdgeschoß. Die Zimmer sind fast ausschließlich mit antiken Möbeln ausgestattet und als Kontrast gibt es drei supermoderne Zimmer. Fast alle haben einen sehr schönen Blick auf den Canale Grande.

You can find the hotel Metropole on the Riva degli Schiavoni, right opposite the island of San Giorgio and a mere three minutes' walk from St. Mark's.
It contains 64 romantic rooms decorated in hues of pink and light blue, and offering every modern comfort.
The hotel is only 15 minutes away from the airport by water taxi, and you will not be disappointed by this luxury, which is more intimate and less formal than usual.
Our staff is always at your service and ready to help you with your holiday in Venice. Last of all, do not miss dinner or a cocktail in our Ristorante Zodiaco, where you can eat in intimate candlelight.

Venise la Romantique fut chantée tant de fois qu'il nous paraît superflu d'en donner une description supplémentaire. Par contre, un hôtel Romantik à Venise, c'est une nouveauté. Il s'agit de l'Hôtel Romantik Metropole, situé directement au bord du Canale Grande, tout proche de la Place St-Marc et du Palais des Doges. Cette maison typiquement vénicienne avec beaucoup de marbre et un ameublement très élégant, compte certes parmi les meilleurs hôtels de Venise. L'hôte y trouve au rez-de-chaussée un hall d'accueil imposant, un restaurant élégant ainsi qu' un bar-restaurant avec bonne gastronomie. Les chambres sont presque toutes meublées en ancien sauf trois supermodernes en contraste avec les autres. Presque toutes les chambres ont vue – une vue magnifique – sur la Canale Grande.

Mr. Beggiato
4149 Riva degli Schiavoni
30122 Venedig
☎ 041 / 70 50 44
Telex 4 10 340

3 only snacks	125	64	1. 11. 84 – 15. 3. 85: 50 DM 16. 3. 85 – 31. 10. 85: 283 DM	267 DM	450 DM

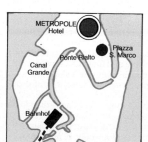

20 – 70

La «Villa Scacciapensieri» era originariamente una villa patrizia, costruita nel 18mo secolo. Situata sulla vetta di una collina ed immersa nei suoi giardini e parchi, essa gode di una stupenda veduta circolare sia su Siena medioevale, che sulle ubertose colline del Chianti.

La Villa dispone non solo di un campo de Tennis e di una Piscina all'aperto, ma anche di bellissimi terrazzi, di un ristorante all'aperto e di una elegante Sala da Pranzo all'interno, con cucina e servizio realmente di primissima qualità.

Le camere e gli appartamenti di alto conforto e di stile squisito, completano l'offerta di una vacanza ristoratrice e quanto mai di godimento.

Siena, che per i conoscitori è la più bella città d'Italia, non solo merita un viaggio apposta, ma per molti artisti è divenuta adirittura domicilio. La località sorge a ca. 400 mt. di altitudine, ed offre di giorno una gradevole e calda temperatura asciutta, e di notte una benefica freschezza.

Nessuna meraviglia se anche il Cancelliere della Republica Federale Helmut Schmidt ed il Presidente italiano Sandro Pertini – per nominare solo due ospiti illustri – si siano sentiti a loro agio a «Villa Scacciapensieri»!

Die „Villa Scacciapensieri" war ursprünglich eine im 18. Jahrhundert gebaute Patriziervilla mit herrlichem Ausblick auf die wunderschöne mittelalterliche Stadt Siena. In einem parkähnlichen Garten auf einem Hügel gelegen, bietet es nicht nur ein Freischwimmbad und einen Tennisplatz, sondern auch sehr schöne Terrassen und Gartenrestaurants, wo man die Mahlzeiten im Freien einnehmen kann.

Das elegante innere Restaurant bietet eine sehr gute Küche und erstklassigen Service, während die sehr komfortablen und stilvoll eingerichteten Zimmer und Appartements das Angebot für einen erholsamen und genußreichen Urlaub abrunden.

Siena, Kenner sagen, es wäre die schönste Stadt Italiens, ist nicht nur eine Reise wert, sondern ist für viele Künstler ein Domizil geworden. Siena liegt etwa 400 Meter hoch und bietet daher tagsüber eine angenehme, trockene Wärme und nachts eine erholsame Frische. Kein Wunder, daß sich Bundeskanzler Helmut Schmidt und der italienische Staatspräsident Pertini, um nur diese beiden berühmten Gäste zu nennen, in der Villa Scacciapensieri sehr wohl gefühlt haben.

The "Villa Scacciapensieri" was originally an 18th century patrician villa with a wonderful view over the beautiful mediaeval town of Siena. Situated in parklands on a hill, it has not only an open air swimming pool and a tennis court, but also lovely terraces and garden restaurants where one can enjoy meals in the open air.

The elegant inside restaurant, just as the outside one, offers an excellent cuisine and first-class service, whilst the very comfortable and tastefully furnished rooms and suites provide all that is required for a restful and enjoyable holiday.

Siena, the most beautiful town in Italy according to the connoisseurs, is not only worth a visit, but has become the home of many artists. Siena lies approximately 400 metres high and can therefore offer a pleasant, dry, warm climate by day and a healthy freshness at night.

No wonder that Federal Chancellor Helmut Schmidt and the Italian President Pertini – to name but two of the famous guests – have enjoyed their stay in the "Villa Scacciapensieri".

La Villa Scacciapensieri était à l'origine une villa patricienne construite au 18ème siècle avec une magnifique vue sur la fameuse ville médiévale de Sienne. Située sur une colline, au cœur d'un jardin ou plutôt d'un parc, elle possède piscine en plein air et court de tennis ainsi que de très belles terrasses et des restaurants de jardin où l'on peut prendre les repas en plein air.

A l'interieur, un restaurant élégant au service de toute première classe sert les mets préparés par une excellente cuisine, Si l'on ajoute que les chambres et les appartements au mobilier de style sont très confortables, vous voyez que l'on peut passer à la Villa Scacciapensieri des vacances reposantes et plus que plaisantes.

Sienne, la plus belle ville d'Italie au dire des connaisseurs, attire de nombreux artistes qui y élisent leur domicile.

Sienne, à 400 m d'altitude, possède un climat agréable et sec la journée, frais et reposant la nuit. Rien de surprenant que le Chancelier Helmut Schmidt et le Président Italien Pertini – pour ne citer que ces deux hôtes illustres – se soient sentis très bien à la Villa Scacciapensieri.

Familie Nardi
Via di Scacciapensieri Nr. 24 · Siena
☎ 05 77 / 4 14 41 · Telex 5 73 390

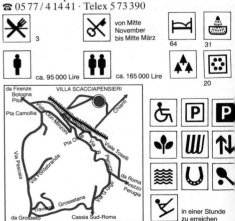

Großbritannien
Great Britain – Grande Bretagne

England ist wohl das geschichtsträchtigste Land Europas und hat das Glück gehabt, nie große Zerstörungen durch Kriege erlebt zu haben. Daher findet man in England noch Zeugen der Vergangenheit, von denen man einfach überwältigt ist und das nicht nur ihres Alters wegen. Wir möchten Ihnen einige dieser grandiosen Schätze näherbringen und freuen uns insbesondere, daß wir Romantik Hotels in England haben, die eine sehr schöne Rundreise ermöglichen.

Am **1. Tag** reisen Sie entweder mit dem eigenen Auto, per Schiff oder mit dem Flugzeug nach London und wohnen dann drei Nächte im **»Richmond Gate«** in **Richmond,** einem Vorort im Südwesten Londons, nicht weit vom Flughafen Heathrow entfernt. Von dort kann man mit der U-Bahn sehr günstig nach London fahren, um diese hochinteressante Weltstadt zu erleben.
Am **4. Tag** fahren Sie über Windsor, dem Sommersitz der Königin, zunächst nach Stonehedge, dem rätselvollen Steinmonument aus vorchristlichen Zeiten. Von dort aus ist es nicht mehr weit nach **Chedington** bei Beaminster, wo Sie die nächsten zwei Tage im Romantik Hotel **»Chedington Court«,** einem einmalig schönen Herrensitz, leben werden. Ausflüge an die See, Golfspielen oder Reiten, die Sehenswürdigkeiten ansehen oder ganz einfach relaxen im herrlichen Park.
Am **6. Tag** fahren Sie in die Nähe von Exeter ins **»Woodhays«** in Whimple, um von dort am **7. Tag** die Südküste von Devon kennenzulernen.
Der **8. Tag** bringt Sie dann nach **Milton Damerel** bei Holsworthy ins **»Woodford Bridge«,** von wo Sie das berühmte Dartmoor und Cornwall am **9. Tag** erleben können.
Am **10. Tag** fahren Sie zunächst nach Cheddar, den berühmten Käseort südlich von Bristol, bevor Sie dann über Bath, der sehr schönen Kurstadt, nach **Tetbury** in den Cotswolds gelangen. Hier im **»Close«** werden Sie auch den **11. Tag** bleiben, damit Sie die herrlichen Cotswolds kennenlernen können.
Am **12. Tag** fahren Sie dann über Stratford upon Avon, durch Shakespeare weltberühmt geworden, nach Woodstock, wo Sie das Blenheim Castle, den Geburtsort Churchills, besuchen sollten. Über Oxford gelangen Sie in den kleinen Ort **Horton-cum-Studley** ins Romantik Hotel **»Studley Priory«.** Den **13. Tag** verbleiben Sie im **»Studley Priory«** zum Golfen oder wozu Sie gerade Lust haben, damit Sie am **14. Tag** zurück zum Flughafen oder zu Ihrer Fähre fahren können.
Preis pro Person im Doppelzimmer mit Bad oder Dusche und WC sowie »Full English Breakfast«. 13 Übernachtungen £ 440 (ca. 1715 DM). Einzelzimmer £ 546 (ca. 2125 DM).

Romantik Reise Schottland

Die Landschaft Schottlands ist schlicht und einfach grandios. Man weiß nicht, ob man von der Westküste stärker begeistert sein soll, vom Hochland oder von der Ostküste: die Landschaft ist einmalig. Da ist es wohl kein Wunder, daß auch die britische Königsfamilie ihren Sommersitz in Schottland hat. Wer mit dem eigenen Auto fährt, wird in der Regel in Harwich oder Hull ankommen, unsere Reise beginnt in Harwich.
Am **1. Tag** fahren Sie von Harwich zunächst nach New-

market, dem Pferdesportzentrum Englands. Ganz in der Nähe ist **Six Miles Bottom** mit dem Romantik Hotel **»Swynford Paddocks«.**
Am **2. Tag** fahren Sie über Lincoln nach **Whitwell** on the Hill bei York ins **»Whitwell Hall«.**
Am **3. Tag** überschreiten Sie die schottische Grenze bei Gretna Green, dem berühmten Heiratsparadies und fahren entlang der schönen Südküste nach **Newton Stewart** ins Romantik Hotel **»Kirroughtree«.** Am **4. Tag** entdecken Sie die Schönheiten der Südwestecke Schottlands oder spielen kostenlos Golf. Am **5. Tag** fahren Sie dann über Glasgow mit einem kleinen Abstecher am Loch Lomond entlang nach **Callender** ins Romantik Hotel **»Romans Camp«.** Von hier aus sollten Sie am **6. Tag** die Westküste Schottlands besuchen. Am **7. Tag** empfehlen wir Ihnen durch die Highlands nach Braemar zu fahren und von dort, an Schloß Balmoral, dem Sommersitz der Königsfamilie, vorbei durch das schöne Dee-Tal nach Aberdeen. Hier stellen Sie am Flughafen Ihren Wagen ab und fliegen nach den **Shetland-Inseln.** Dort wartet dann bereits ein Mietwagen auf Sie, mit dem Sie ins Romantik Hotel **»Busta House«** fahren.
Den **8.** und **9. Tag** bleiben Sie auf den Shetland-Inseln, damit Sie die einmalige Vogel- und Tierwelt kennenlernen und sich von der baumlosen Inselwelt faszinieren lassen können.
Am **10. Tag** bringt Sie das Flugzeug wieder zurück nach Aberdeen und von dort mit dem Auto nach **Uphall** ins Romantik Hotel **»Houston House«.**
Am **11. Tag** können Sie von Uphall aus die herrliche Hauptstadt Edinburg besuchen. Am **12. Tag** werden Sie dann das schöne Schottland wieder verlassen und durch North Yorkshire wieder nach **Whitwell-on-the-Hill** ins Romantik Hotel **»Whitwell Hall«** kommen. Am **13. Tag** führt Sie die Reiseroute in die alte Universitätsstadt Cambridge und von dort ins Romantik Hotel **»Swynford Paddocks«** bei **Newmarket.** Von hier aus ist es dann nicht mehr weit, um am **14. Tag** zur Fähre nach Harwich zu gelangen.
Preis pro Person im Doppelzimmer mit Bad oder Dusche und WC sowie »Full English Breakfast«. 13 Übernachtungen £ 375 (ca. 1460 DM). Einzelzimmer £ 490 (ca. 1906 DM).

Romantik Hotel
"Woodford Bridge Hotel" · Milton Damerel

The Woodford Bridge Hotel – just as you would imagine your own thatched country cottage with log fires and cosy lounges. It is situated in its own grounds on the banks of the River Torridge in a secluded wooded valley between the port town of Bideford and the old market town of Holsworthy, making an ideal centre for seeing the wild beauty of Dartmoor and Exmoor and the panoramic coastline of North Devon and Cornwall. The hotel also offers both salmon and trout fishing on its own water on the Torridge.

Roger and Diana Vincent look after all your personal needs and comforts, ensuring each guest of a comfortable warm bedroom with flowers and a welcoming glass of sherry. Their delightful rosette awarded restaurant overlooks the woodlands and serves freshly cooked food, using only local produce – famous Devon meat and dairy produce, fresh vegetables and fresh salmon and trout from the River Torridge, and also local caught lobster. Just a short walk from the hotel is its Leisure Complex with two squash courts, skittle alley, indoor heated swimming pool and gardens, sauna and solarium, which means even in really bad weather you can relax and enjoy your holiday and take home a wonderful tan.

Das „Woodford Bridge Hotel" ist genau so wie Sie sich Ihr eigenes strohgedecktes Landhaus mit offenem Kamin und gemütlichen Zimmern vorstellen. Es liegt auf eigenem Boden am Ufer des Torridge-Flusses in einem abgeschlossenen bewaldeten Tal zwischen der Hafenstadt Bideford und der alten Marktstadt Holsworthy, was ein idealer Ausgangspunkt für die wilde Schönheit von Dartmoor und Exmoor und der panoramahaften Küste von North Devon und Cornwall ist. Das Hotel bietet auch Lachs- und Forellen-Fischen in den eigenen Gewässern am Torridge.

Dem Romantik Hotel angeschlossen ist ein Freizeitzentrum mit 2 Squashplätzen, Kegelbahn, beheiztes Hallenbad, Liegewiesen, Sauna und Solarium, was bedeutet, daß Sie sich auch bei schlechtem Wetter hier ausruhen und Ihre Ferien genießen können Außerdem gehören zum Hotel mehrere moderne Ferienhäuser.

Le «Woodford Bridge Hotel», n'est-ce-pas ainsi que vous imaginez votre propre cottage à toit de chaume avec un feu de bois dans la cheminée et de gentilles chambres? Reposant sur son propre sol sur les rives du Torridge au creux d'une vallée boisée entre la ville portuaire de Bideford et la vieille ville de marché de Holsworthy, il constitue un point de départ idéal pour découvrir la beauté sauvage du Dartmoor et de l' Exmoor ou la côte panoramique du Devon nord et des Cornouailles. L'hôtel sert aussi saumons et truites de ses propres viviers naturels sur le Torridge.

Peu loin de l'hôtel se trouve son centre de loisirs avec deux terrains de squash, bowling, piscine couverte chauffée, pelouses de détente, sauna, solarium; autrement dit, ici, même par mauvais temps, vous pouvez vous reposer et profiter pleinement de vos vacances.

Mr. Vincent
Holsworthy, Devon
Milton Damerel, EX 22 7LL
☎ 040/926-481

44   13 + 9 cottages   £ 27–30   £ 52–58

50/80

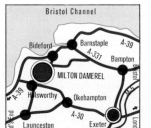

7 miles

Romantik Hotel
„Woodhayes" · Whimple

A delightful small Georgian Country House set in three acres of lovely lawns and wooded grounds in a peaceful locality near the pretty village of Whimple.
Two charming drawing rooms lead off an elegant entrance hall, both adorned with oil paintings, prints and antiques. The bedrooms are beautifully decorated having matching fabrics, freestanding period furniture and thoughtful extras like fresh flowers, mineral water, magazines and sewing kits. Bathrooms are lavishly equipped.
An elegant dining room offers a four course menu using fresh local products with flair and imagination.

So stellt man sich ein kleines Landhotel in England vor: ein schöner Garten mit »englischem« Rasen und schönen Blumen. Ein weißgetünchtes Häuschen mit zwei sehr gemütlichen »Lounges« und einem eleganten Restaurant. Sehr komfortable Zimmer mit netten Aufmerksamkeiten und ein Wirt, John Allen, ein Schotte, den man zu seinen Freunden zählen möchte. Das ist das »Woodhayes« in Whimple bei Exeter in Devon.
Vergessen sollte man dabei nicht die kulinarische Seite, die diesem geschmackvollen Haus entspricht und die über dem Durchschnitt liegende Weinauswahl.
»Woodhayes« ist ganz einfach ein Haus zum Sichwohlfühlen geworden, seit John Allen es 1981 übernommen hat.
Von Whimple kann man herrliche Ausflüge nach Cornwall, ins Ex- oder Dartmoor oder an die Süd- oder Atlantikküste machen. Devon selbst gehört mit zu den schönsten Landschaften Englands und seine Gärten und Schlösser sind einfach sehenswert.

Un petit hôtel de campagne tel qu'on l'imagine en Angleterre: un beau jardin à gazon «anglais» avec une pléthore de fleurs; une petite maison peinte en blanc avec deux très agréables «lounges» et un restaurant élégant; des chambres confortables avec d'aimables petites attentions et un hôtelier écossais, John Allen, qu'on aimerait compter parmi ses amis. Cela correspond tout à fait à la description du «Woodhayes» de Whimple, près d'Exeter, dans le Devon.
Sans oublier bien sûr l'aspect culinaire et le choix de vins sélectionnés nettement supérieurs à la moyenne, dans cet établissement de bon goût. Depuis que John Allen l'a repris en 1981, le «Woodhayes» est tout simplement devenu un hôtel-restaurant où on se sent bien.
Depuis Whimple, on peut faire de magnifiques

excursions dans les Cornouailles, dans l'Exmoor et le Dartmoor, sur la côte méridionale et sur la côte atlantique. Le Devon lui-même compte parmi les plus beaux paysages de la Grande-Bretagne, ses châteaux et ses jardins sont des curiosités qui valent vraiment la peine d'être vues.

F. J. G. Allan
Whimple near Exeter, Devon EX5 2TD
☎ 0404 / 82 22 37

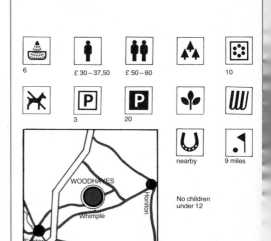

6   £ 30 – 37,50   £ 50 – 60   10

3   20   nearby   9 miles

No children under 12

Romantik Hotel „Chedington Court" · Chedington

Chedington Court, situated on the Dorset hills in Thomas Hardy country, has magnificent views over Dorset, Devon and Somerset. It is a beautiful Jacobean style house standing in 4 hectars of garden containing old trees, interesting shrubs and a water garden. There are sweeping lawns, elegant terraces, flights of sturdy steps and sheltered walks.

All bedrooms have colour television and telephone and one has an old four-poster bed. All are centrally heated and comfortably furnished. The cuisine and the wine list are among the best in England.

The coast and many places of interest are easily reached from Chedington and it is an excellent centre for a country holiday. There are many historic houses and gardens, antique shops and salerooms and country craftsmen to visit.

Trains can be met at Crewkerne. Cars can be hired. Helicopters can land in the garden.

The prices for two or more nights are approximately 25 % cheaper.

Von Chedington Court, das auf den Dorset Hügeln im Thomas Hardy Land liegt, hat man einen herrlichen Blick über Dorset, Devon und Somerset. Es ist ein wunderschönes Herrenhaus im Stil der Zeit König Jakobs I und liegt inmitten eines 4 Hektar großen Gartens mit alten Bäumen, interessanten Sträuchern und einem Wassergarten. Weite Rasenflächen, elegante Terrassen, massive Treppenfluchten und geschützte Wege laden zur Erholung und zum Spazierengehen ein.

Alle Zimmer haben Farbfernseher und Telefon und in einem steht noch ein altes Himmelbett. Alle Zimmer sind sehr behaglich und komfortabel eingerichtet. Auf eine exzellente Küche und eine erlesene und gut sortierte Weinkarte wird großen Wert gelegt.

Die Kanalküste und viele interessante Plätze können von Chedington leicht erreicht werden, und es ist ein ausgezeichnetes Gebiet für einen Landurlaub. Man kann viele historische Häuser und Gärten besichtigen, Antiquitätenläden und Geschäfte besuchen, sowie den Kunsthandwerkern bei der Arbeit zuschauen.

Gäste, die mit dem Zug ankommen, können in Crewkerne abgeholt werden. Auch Leihwagen stehen zur Verfügung. Hubschrauber können im Garten von Chedington Court landen.

Die Preise für 2 oder mehrere Übernachtungen liegen um ca. 25 % niedriger.

Le «Chedington Court», situé sur les collines du Dorset dans le pays de Thomas Hardy, jouit d'une vue splendide sur le Dorset, le Devon et le Somerset. C'est une maison magnifique de style Jacob 1er, entourée d'un parc de 4 hectares riche en vieux arbres, en arbustes intéressants et avec un jardin aquatique. Cette demeure possède de vastes gazons, d'élégantes terrasses, des escaliers majestueux et des chemins de promenade abrités.

Toutes les chambres ont la télévision en couleur, le téléphone et dans l'une se trouve même un lit à baldaquin. Toutes les chambres ont le chauffage central et sont meublées confortablement. La cuisine et la carte des vins comptent parmi les meilleures d'Angleterre.

Le Chedington, d'où on peut se rendre facilement à la côte et à de nombreux endroits intéressants, constitue donc un lieu idéal pour passer des vacances à la campagne. Vous trouvez dans les environs de nombreuses maisons et jardins historiques, des magasins d'antiquités, des artisans d'art. On peut se rendre par le train à Crewkerne ou louer une voiture. Les hélicoptères peuvent atterrir dans le jardin du Chedington.

Hilary and Philip Chapman
Chedington, Near Beaminster Dorset DT 8 3 HY
☎ (09 35 89) 2 65

16 · 8 · £ 35.20 – 39.60 · £ 48.40 – 51.20

12 km

The sixteenth-century Close at Tetbury was originally the home of a prosperous wool merchant. Now a luxury hotel, it still extends the warm hospitality of a private house.

Here you may relax in style, sipping an aperitif on the hotel terrace, playing croquet in the walled garden, or exploring the numerous antique shops in the country village of Tetbury.

For the more energetic, Oxford, Bath, Cheltenham Spa and Stratford-on-Avon are all a leisurely drive away through attractive honey-stone villages and the rolling Cotswold hills.

On arrival, you will find fresh fruit and sherry placed in your tastefully decorated room. Your stay will also be made more enjoyable by thoughtful personal touches like the provision of individual bath robes, toiletries and hair dryer, as well as the more conventional radio, television and heated trouser press.

J. M. Lauzier
8 Long Street
Tetbury – Gloucestershire GL8 8AQ
☎ 06 66 / 5 22 72
Telex 43 232 REF CLH

In einer der schönsten Gegenden Englands, den »Cotswolds«, liegt die kleine historische Stadt Tetbury, deren Häuser fast alle aus dem »Limestone« der Cotswolds gebaut worden sind. So auch das »Close«, das mitten im Ort liegt. Hinter der eher schlichten Fassade dieses über 400 Jahre alten Hauses verbirgt sich ein kleines elegantes Hotel mit einem ausgezeichneten Restaurant. Die Mischung aus englischer und französischer Küche, Jean Lauzier ist gebürtiger Franzose, und der elegante Service, verbunden mit dem schönen Blick auf den Garten, machen den Besuch dieses Restaurants zu einem Genuß. Während die meisten englischen Landhotels nur einen »Barlunch« servieren, kann man im »Close« auch mittags nach der Karte essen.

Die Zimmer sind komfortabel und mit vielen Extras ausgestattet, die den Aufenthalt angenehm gestalten.

Tetbury ist nahezu ideal gelegen, um die Cotswolds und das berühmte Bath mit seinen römischen und mittelalterlichen Bauwerken zu besuchen. Die Landschaft der Cotswolds ist einmalig schön und die kleinen Orte mit ihren Cottages und alten Kirchen sind sehenswert zu jeder Jahreszeit.

C'est dans une des plus belles régions d'Angleterre, les «Cotswolds», que se trouve la petite ville historique de Tetbury, avec ses maisons construites pour la plupart avec des pierres du «Limes», comme c'est le cas également pour le «Close», situé au centre de la localité. Derrière la façade assez sobre de cette maison âgée de plus de 4 siècles se cache un élégant petit hôtel avec un restaurant excellent. Ses hôtes ravis apprécient l'union entre cuisine anglaise et cuisine française – Jean Lauzier est Français d'origine –, le service distingué, le tout avec une belle vue sur le jardin. Alors qu'en général les hôtels de campagne anglais ne servent qu'un «barlunch», le «Close» offre à midi aussi des repas à la carte.

Le confort des chambres et leur aménagement avec beaucoup de détails sortis de l'ordinaire agrémentent le séjour. Tetbury constitue un lieu de résidence idéal pour découvrir les Cotswolds, le célèbre Bath avec ses édifices romains et médiévaux. Avec ses petites bourgades, leurs cottages et leurs vieilles églises, le paysage des Cotswolds est d'une beauté extraordinaire quelquesoit la période de l'année.

18	11	£ 30 – 38,50	£ 46 – 69	

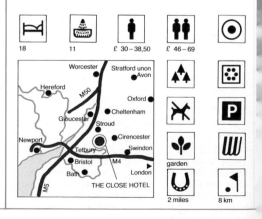

garden

2 miles   8 km

Romantik Hotel „Studley Priory" · Horton-Cum-Studley

Studley Priory is an Elizabethan mansion near to the famous university city of Oxford, in a 13 acre park in the village of Horton-cum-Studley. It was originally a Benedictine convent built in the 12th century and during the reign of Henry VIII it was acquired by the Croke family remaining in their possession for 335 years. This lovely house was taken over by the Parke family in 1961 and converted into a hotel. It has 19 rooms, some with four-poster beds, and of course with baths and WC's. It has a beautiful restaurant with french "nouvelle cuisine" and, as with most of England's good hotels, very comfortable public rooms.
London is 55 miles, Heathrow Airport 45, Windsor 35 and Stratford-upon-Avon 45 miles. Studley Priory is, therefore, ideal for a holiday with excursions to these wellknown places, not forgetting Blenheim Palace. It could be said – a Romantik hotel in the heart of England.

Das „Studley Priory" ist ein typisches altes Herrenhaus in der Nähe der berühmten Universitätsstadt Oxford in einem 13 Acre großen Park in dem kleinen Ort Horton-cum-Studley. Es war ursprünglich ein Benediktiner Nonnenkloster aus dem 12. Jahrhundert und kam dann in der Zeit Heinrichs VIII in den Besitz der Familie Croke, in dessen Besitz es 335 Jahre blieb. 1961 erwarb die Parke-Familie das schöne Haus und richtete ein Hotel darin ein. Es hat 19 Zimmer, teilweise mit Himmelbetten und natürlich mit Bad und WC ausgestattet. Es hat ein sehr schönes Restaurant mit einer erstklassigen Küche und – wie in allen guten Hotels in England – sehr angenehme Aufenthaltsräume.
London ist 55 Meilen, Heathrow Airport 45, Windsor 35 und Stratford upon Avon 45 Meilen entfernt und somit liegt das „Studley Priory" ideal für einen Urlaub mit Ausflügen zu diesen bekannten Orten, wobei das Blenheim Palace nicht vergessen werden sollte. Ein Romantik Hotel im Herzen England's sozusagen.

Le «Studley Priory» est un vieux manoir typique, situé dans un parc de 13 arpents aux environs de la célèbre ville universitaire d'Oxford dans la petite localité de Horton-cum-Studley. Cloître bénédictin du XIIème siècle à l'origine, il devint à l'époque d'Henry VIII propriété de la famille Croke et le resta durant 335 ans. En 1961, la famille Parke en fit l'acquisition et l'aménagea en hôtel.
Le «Studley Priory» compte 19 chambres, meublées en partie d'un lit à baldaquin et possédant bien sûr WC et salle de bain. Il possède un très beau restau-

rant qui sert une cuisine de première qualité specialement de la nouvelle cuisine et – comme tous les bons hôtels d'Angleterre – des salles de séjour vraiment très agréables.
A 55 miles de Londres, à 45 miles de l'aéroport d'Heathrow, à 35 miles de Windsor et à 45 miles de Stratford via Avon, le «Studley Priory» se trouve donc à un emplacement idéal pour passer des vacances et faire des excursions dans ces localités célèbres, sans oublier non plus le Blenheim Palace. Un Hôtel Romantik pour ainsi dire au cœur de l'Angleterre.

J. R. Parke
Horton-Cum-Studley Oxford
☎ 0 86/735.203 + 254 · Telex 2 3 152

grass court

Romantik Hotel
„Swynford Paddocks" · Newmarket

Swynford Paddocks was once the home of the poet Byron's half-sister and lover, Augusta Leigh, and was given to her husband by the Prince of Wales. Today it is an elegant country-house hotel, set in 10 hectares, surrounded by a racing stud. The hotel lies 15 km from the beautiful university city of Cambridge and 10 km from Newmarket, the centre of British horse-racing and breeding, where over 1200 horses are trained. Harwich and Felixstowe are less than 1½ hours drive, making Swynford Paddocks a convenient stop for motorists arriving from the Continent. The restaurant is well regarded and serves only freshly prepared dishes, which feature local game when in season. Its carefully chosen wine-list includes champagne and other wines imported privately by the owner. The style, comfort and peaceful setting of Swynford Paddocks exemplify all that is best in the traditional English country-house hotel.

Swynford Paddocks war früher·einmal das Heim von Augusta Leigh, Halbschwester und Geliebte des Poeten Byron und es wurde ihrem Mann vom Prinzen von Wales gegeben. Heute ist es ein elegantes Landhaushotel, das inmitten des 10 Hektar großen Renngestüts liegt. Das Hotel liegt 15 km von der wunderschönen Universitätsstadt Cambridge und 10 km von Newmarket entfernt, dem Zentrum britischer Pferderennen und Pferdezucht, wo über 1200 Pferde trainiert werden. Harwich und Felixstowe sind nur 1½ Autostunden entfernt, was Swynford Paddocks zu einem günstigen Haltepunkt für Autofahrer, die vom Kontinent kommen, macht. Das Restaurant ist sehr gut und es werden nur frisch zubereitete Gerichte serviert, wie z. B. Wildgerichte in der Saison. Seine sorgfältig ausgewählte Weinliste beinhaltet Champagner und andere Weine, die nur vom Besitzer selbst importiert werden. Der Stil, der Komfort und die ruhige Lage von Swynford Paddocks machen es zu einem typischen traditionellen englischen Landhaus-Hotel.

Le Swynford Paddocks fut jadis le foyer d'Augusta Leigh, demi-sœur et maîtresse de poète Byron et c'est le Prince de Galles qui en fit don à son mari. C'est aujourd'hui un élégant hôtel-maison de campagne situé au cœur du haras de chevaux de course d'une superficie de 10 hectares. L'Hôtel se trouve à 15 km de la magnifique ville universitaire de Cambridge et à 10 km de Newmarket, centre des courses hyppiques britanniques et de l'élevage de chevaux, où plus de 1.200 chevaux sont à l'entrainement. Harwich et Felixstowe ne sont qu'à

1 heure ½ de voiture; Swynford Paddocks constitue donc un point d'arrêt favorable pour les automobilistes qui viennent du continent. Le restaurant est très bon et on n'y sert que des mets fraichement préparés, comme par exemple du gibier pendant la saison. Sa carte des vins sélectionnée avec soin comprend champagne et autres vins importés par le propriétaire lui-même. Le style, le confort et le site tranquille font du Swynford Paddocks un hôtel-maison des campagne traditionnel typiquement anglais.

Ian Bryant
Six Mile Bottom
Newmarket, Suffolk CB80UQ
☎06 38 70-2 34
Telex: 8 17 114 CAM-COM G (for Swynford Hotel)

20   12   £ 36 – 42   £ 49 – 68

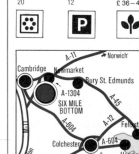

Prices include 10% service taxes and English breakfast

238

Romantik Hotel „Whitwell Hall" · York

Whitwell Hall is an impressive mansion in the Tudor Gothic style, approached by a drive through fine trees, some older than the house built in 1833. On arrival in front of the Hall you get a magnificent view towards York and the famous Minster. The entrance Hall has a wonderful atmosphere and you realise you have come to somewhere different. The red carpeted stone cantilevered staircase leads up to the balcony which overlooks the Hall below, with a superb cast iron balustrade.

The Bedrooms lead off the balcony and have interesting Gothic headboards and antique chests and wardrobes. All have either bath or shower; some have both.

Some of the bedrooms enjoy a view towards York and the others look over the garden backed by woodland of 18 acres, which give the Hall and nearby Coach House a wonderful peaceful setting – ideal for small Conferences and important Meetings.

You feel you are staying in a lovely home owned by Peter and Sallie Milner, who live in the Hall and look after you with a young well-trained staff. The food is excellent – local meat, game and fresh fish with vegetables from the garden and superb puddings and sweets.

York Minster is under 12 miles to the South West. Castle Howard with its Brideshead Revisited connection is 3 miles to the North. Within half an hours drive there is excellent shooting, hunting, fishing, golf at Ganton and other courses nearer. Stately homes, with fine gardens, old Abbeys, National Trust properties and much lovely countryside, away from noise and industrial development.

Commander Peter Milner und seine Frau haben sich einen alten Traum realisiert und sich ein schönes Tudor-Gotik-Herrenhaus gekauft, um es zu einem kleinen reizvollen Hotel umzugestalten. Man fühlt sich in diesem 1833 erbauten Country House wie bei einer Adelsfamilie zu Gast, denn es wird von den Milners sehr persönlich geführt.

Die eindrucksvolle Eingangshalle mit der schönen Treppe, die komfortablen Lounges und die wohnlichen Zimmer mit Ausblick auf den wunderschönen Park, lassen das Whitwell Hall zu einem Ort für einen Kurz- oder Erholungsurlaub oder für eine kleine Konferenz werden.

Die Küche bietet frische Produkte, wobei insbesondere regionale Spezialitäten wie Wild und Fisch im Vordergrund stehen, und natürlich den berühmten englischen »Sweet trolly«.

In einer halbstündigen Autofahrt erreicht man ergiebige Fisch- und Jagdgründe sowie den Golfplatz in Ganton oder andere Plätze in der Nähe. Prächtige Anwesen, alte Abteien, vom National Trust verwaltete Besitztümer und viel liebliche Landschaft abseits von Lärm und Industrie erwarten Sie.

Whitwell Hall est une villa impressionnante de style gothique de l'époque des Tudors. Une allée bordée d'arbres magnifiques dont certains ont été plantés avant 1833, date de la construction de la maison, mène à la villa. De devant la villa, le visiteur a une vue imprenable sur York et sa célèbre cathédrale. Une atmosphère particulière règne dans le hall d'entrée.

Certaines chambres ont vue sur York, les autres sur le jardin, délimité par 18 arpents de forêt. Whitwell Hall et ses dépendances jouissent ainsi d'un très grand calme – l'idéal pour les petites conférences et les rencontres importantes.

Vous vous sentez chez vous dans la propriété de Peter et Sallie Milner. Le couple y habite également et prend soin de ses hôtes aidé dans cette tâche par son personnel jeune de bonne éducation. La cuisine est délicate: la carte propose viande, gibier ou poisson frais, légumes du jardin et de succulents desserts et pâtisseries.

La cathédrale de York est à environ 20 km au sud-ouest. 30 minutes de voiture suffisent pour se rendre dans des zones de pêche et de chasse riches en poissons et en gibier, au terrain de golf de Ganton ou aux autres terrains de la région. De magnifiques propriétés, de vieilles abbayes, des patrimoines gérés par le National Trust et de nombreux paysages attirants, loins du bruit et des usines, vous attendent.

Commander + Mrs. Peter Milner
Whitwell on the Hill, York Y06 7JJ
☎ 065/381.551

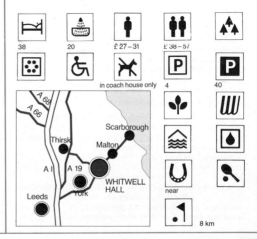

Romantik Hotel
„Kirroughtree" · Newton Stewart

Built in 1719 and full of traditional character, this fine old Mansion House has been completely refurbished and is now regarded as one of Britain's most luxurious Country House Hotels.

All bedrooms are exquisitely furnished in every detail, with coloured bathroom suites, colour TV, telephone, etc., including 4 honeymoon/wedding anniversary suites which are an absolute dream. There is also a selection of books, flowers, a welcoming glass of sherry in each bedroom to further enhance the very friendly and relaxing atmosphere.

It is the cuisine, however, that gets pride of place. The head chef, Ken MacPhee, was head chef at Inverlochy Castle for 6 years until he joined Kirroughtree. He was recently elected Master Chef of Great Britain by the Master Chefs Institute and you will experience memorable dinner evenings. The fine cuisine is served in two restaurants, one for non-smokers and complimented by an outstanding wine list.

There are 8 acres of landscaped gardens with beautiful views and one of the mildest climates in Britain because of the Gulf Stream. Free Golf at two courses is included in the price. The hotel is open from March – End Nov. Children of 10 years and over are welcome, or by prior arrangement.

Im Südwesten Schottlands, das klimatisch vom Golfstrom beeinflußt wird, liegt, auf einer Anhöhe auf einem 8 Acre großen Parkgelände mit einer herrlichen Aussicht ins Tal, das »Kirroughtree Hotel«.

Es wurde 1719 als Herrenhaus gebaut und vor wenigen Jahren von den jetzigen Besitzern, der holländischen Familie Velt, zu einem sehr komfortablen Hotel ausgebaut.

Sehr großzügige und luxuriöse Zimmer mit vielen Annehmlichkeiten wie Bücher, Blumen und Sherry erwarten den Gast im »Kirroughtree Hotel«.

Ein ganz besonderer Genuß sind jedoch die Küchenleistungen des Küchenchefs Ken MacPhee, der vorher im berühmten Iverlochy Castle gearbeitet hat. Die Küche des »Kirroughtree« dürfte sicherlich heute zu den besten Schottlands zählen.

Die beiden eleganten Restaurants, eines für Raucher und eines für Nichtraucher, sind der passende Rahmen für diese Genüsse, die von sehr gut geschulten Servicemitarbeitern serviert werden. Die große Weinauswahl darf dabei nicht vergessen werden.

Die Südwestecke Schottlands ist landschaftlich und kulturell äußerst reizvoll. Wer Golf spielen will, kann dies kostenlos in den beiden in der Nähe des Hotels liegenden Golfplätzen.

Dans l'Ecosse du Sud-Ouest au climat merveilleusement adouci par le Golfstrom, sur une colline et au cœur d'un parc de 8 acres ayant une vue magnifique sur la vallée, vous découvrez le Kirroughtree Hotel.

Ce manoir construit en 1719 a été transformé il y a quelques années en un hôtel très confortable par son propriétaire actuel, la famille hollandaise Velt.

Au Kirroughtree Hotel, l'hôte découvre dans les chambres en soi déjà spacieuses et luxueuses, toutes sortes d'agréments qui embellissent tant un séjour: des livres, des fleurs, du sherry. Les réalisations gastronomiques de Ken

MacPhee, chef de cuisine qui travaillait auparavant au célèbre Iverlochy Castle, méritent une mention particulière. Sa cuisine compte en effet certainement parmi les meilleures actuellement en Ecosse. Deux restaurants élégants, un pour fumeurs, un pour non-fumeurs, où un personnel parfaitement rodé au métier assure le service, forment le cadre digne de ces joies gastronomiques, sans oublier le grand choix de bons vins.

Le pan Sud-Ouest de l'Ecosse est une région ravissante tant par son paysage qu'au point de vue culturel. Les amateurs de golf peuvent en outre jouer gratuitement sur les deux terrains de golf proches de l'hôtel.

H. Velt
Newton Stewart,
Galloways, DG8 6AN S. W. Scottland
☎ 06 71 / 21 41

Dez./Jan./Febr. 22   £ 24 – 28   £ 48 – 56

40

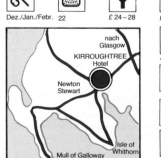

nach Glasgow

KIRROUGHTREE Hotel

Newton Stewart

Isle of Whithorn

Mull of Galloway

25 miles + 7 miles

Romantik Hotel „Houstoun House" · Uphall

The Ancient Barony of Houstoun was acquired by Sir John Shairp, advocate to Mary, Queen of Scots in 1569. The Shairp family lived for four centuries, in the fortified tower he built, until Keith Knight, architect turned chef, and his wife Penny restored it as a hotel and restaurant. In the three panelled rooms of the restaurant, pretty waitresses serve the interesting freshly cooked dishes for which Houstoun is famed. To complement these, there is a 30,000 bottle wine cellar, perhaps the best in Britain! Malt whiskies from a hundred distilleries are available in the vaulted bar with its welcoming log fire.

Most rooms are traditional with antique furnishings (ten have four-poster beds) but a few are in the modern wing. All rooms have bathrooms or showers, even in the Tower and the mediaeval "Woman House". The immaculate 18th century garden with yew hedges five metres high and the encircling golf course, insulate Houstoun from the world outside.

Only 9 km. from Edinburgh Airport and 18 km. from Scotlands ancient capital, Houstoun appeals to tourists and businessmen, gourmets and winelovers, golfers and gardeners alike.

1569 wurde dieses Herrenhaus von dem Berater der Queen Mary, Königin von Schottland, Sir John Shairp errichtet. Mehrere Jahrhunderte lebte die Shairp-Familie hier, bevor Keith Knight, ein Architekt, dieses Herrenhaus kaufte und zusammen mit seiner Frau Penny zu einem schönen Hotel umbaute. Dabei wurde der Eingangsbereich mit dem angebauten Zimmertrakt sehr modern gestaltet, was einen interessanten Kontrast zum alten Herrenhaus bildet.

In den drei getäfelten Restaurants wird eine sehr gute Küche aus frischen Produkten geboten, die auch viele Gäste aus dem nahen Edinburgh anlockt. Überwältigend ist die Weinauswahl: Über 30 000 Flaschen Wein lagern im Keller, vielleicht einmalig in Großbritannien. Und, wie es sich für ein gutes Hotel in Schottland geziehmt: Über 100 Malt-Whiskies sind in der gemütlichen Bar mit offenem Kamin verfügbar.

Die meisten Zimmer sind traditionell mit sehr vielen Antiquitäten ausgestattet und zehn haben »Four poster beds«. Einige moderne Zimmer sind im Anbau vorhanden, die meist von Geschäftsreisenden genutzt werden. Wie üblich haben diese Herrenhäuser einen sehr schönen Garten, wobei das »Houstoun House« über fünf Meter hohe Hecken verfügt, die man selbst in Schottland nicht überall findet. Unmittelbar anschließend befindet sich ein Golfplatz, so daß das »Houstoun House« ideal für Golfer ist. Nur 9 km vom Edinburgher Flughafen und 18 km von der City entfernt spricht es sowohl den Feinschmecker und Weinliebhaber aus Edinburgh an, als auch den Geschäftsmann und den Besucher der schönen Hauptstadt Schottlands.

L'avocat de Marie Stuart, Sir John Shairp, fit l'acquisition en 1569 de l'ancienne baronnie de Houstoun. Durant quatre siècles, la famille Shairp habita la tour fortifiée qu'elle avait fait construire. En 1969, l'architecte et chef de cuisine Keith Knight et sa femme Penny l'ont restaurée et transformée en hotel-restaurant.

Dans les trois salles lambrissées du restaurant, on vous sert une cuisine diversifiée et préparée fraîchement qui fait la renommée de Houstoun. Pour accompagner cette cuisine, une cave parmi les meilleures sinon la meilleure de Grande-Bretagne et qui recèle 30.000 bonnes bouteilles. Le bar aux voûtes antiques vous offre, dans une atmosphère accueillante, un choix d'une bonne centaine de whiskies. La plupart de nos chambres sont en style traditionnel avec meubles anciens (dix lits à baldaquin) mais nous avons aussi des chambres modernes. Toutes avec salle de bains/douche. Ce manoir séculaire possède des jardins magnifiques et une rangée d'ifs de 5 m de haut le protège du monde extérieur. Un terrain de golf se trouve du reste à proximité immédiate de la propriété. Situé à 9 km de l'aéroport d'Edinbourgh et à 18 km du centre de la belle capitale écossaise, le «Houstoun House» constitue un site idéal pour les touristes, pour les hommes d'affaires, pour les gourmets et connaisseurs en bons vins, pour les amateurs de golf et pour les jardiniers dans l'âme.

Keith and Penny Knight
Uphall, EH 52 6JS
☎ 05 06 / 85 38 31 Telex 7 27 148

30   £ 36 – 47   £ 48 – 64

The "Roman Camp Hotel" lies in 20 acres of beautiful gardens and grounds beside the river Teith, only five minutes walk from the centre of Callander.

The building dates from 1625, a former hunting lodge of the Dukes of Perth, and is believed to be built on the site of an advanced post of Roman Legionaries.

Easy to find: enter the Hotel drive directly from the A 84 between two pink cottages at the East End of Callander. The surrounding countryside of "The Trossachs" is an area of outstanding natural beauty, and ideal for touring, hill-walking or pony-trekking.

Callander has its own 18-hole golf course (1/4 mile from the hotel) and many famous courses lie within easy reach. Only an hour by car from the cities of Edinburgh and Glasgow and 25 minutes from Stirling, Callander lies at the "gateway to the Highlands".

Our dining-room menu regularly features Scottish Beef, Salmon, and Venison prepared with Swiss expertise as Sämi Denzler leads the kitchen brigade. Our wine list featuring wines from many countries ensures a choice to complement the food.

Wie der Name schon sagt, befand sich dort, wo heute das Hotel steht, zu römischen Zeiten ein Camp. Das heutige Haus wurde im 17. Jahrhundert als Jagdsitz des Herzogs von Perth errichtet. Am Ufer des Flusses Teith in einem herrlichen parkartigen Garten gelegen ist das »Romans Camp« ein reizendes Hotel mit den in Schottland und England üblichen Lounges, in denen man genüßlich seinen Aperitif oder »After-Dinner-coffee« trinken und relaxen kann.

Als die Denzlers das Haus 1982 übernommen haben, war es ziemlich verwahrlost, so daß sie viel Liebe und finanzielle Mittel aufbringen mußten, es wieder zu einem Ort der Entspannung und des Genießens zu gestalten. Der Dining-Room, den ein schottischer Künstler umgestaltet hat, scheint manchem Gast etwas zu unterkühlt zu sein, doch die Küche von Sami Denzler, er ist Schweizer, der in Schottland seine zweite Heimat gefunden hat, macht dies wieder wett. Die reizvollen Zimmer sind klein aber sehr wohnlich und mit viel Liebe zum Detail ausgestattet. Von Callander, das selbst ein ideales Feriengebiet zum Wandern, Angeln oder Golfen ist, kann man herrliche Ausflüge an die Westküste oder ins Hochland machen und ein Besuch im nahen Glasgow sollte man unter keinen Umständen versäumen.

Comme son nom l'indique, l'hôtel se dresse à l'emplacement d'un ancien camp romain. Le bâtiment actuel, érigé au XVIIème siècle, servait de pavillon de chasse au Duc de Perth. Situé sur les rives de la Teith, dans un magnifique jardin qu'on pourrait qualifier de parc, le «Romans Camp» est un ravissant hôtel avec les «lounges» typiques en Ecosse et en Angleterre, où l'on peut prendre son apéritif en toute quiétude ou déguster son «after-dinner-coffee» en se relaxant.

Lorsque les Denzlers reprirent l'établissement en 1982, il était en assez mauvais état et ils durent y investir beaucoup d'amour et de moyens financiers pour en faire un lieu de détente et de dégustation. Pour certains, le dining-room, transformé par un artiste écossais, peut éventuellement paraître un peu froid mais la cuisine de Sämi Denzler

– Suisse d'origine, il a trouvé ici sa seconde patrie – est telle qu'on oublie de bon cœur cette certaine froideur. Les chambres sont charmantes, relativement petites mais accueillantes et aménagées avec amour jusque dans les moindres détails.

Depuis Callander, en soi déjà lieu de vacances idéal pour faire des randonnées, pour aller à la pêche ou jouer au golf, on peut aussi faire de magnifiques excursions sur la côte Ouest ou dans le Highland. Et il ne faut absolument pas omettre de visiter la ville proche de Glasgow.

Sämi and Pat Denzler
(Off A 84 – Main Street)
Callander, Perthshire FK17 8 B6
☎ 08 77 / 3 00 03

Jan. + Dez.	22	11	£ 30 – 45	£ 48 – 60

		12	Please check before booking	24

nearby

1/4 mile

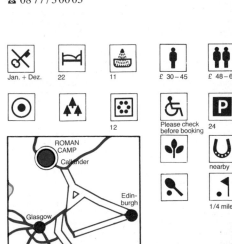

ROMAN CAMP
Callander
Glasgow
Edinburgh

Romantik Hotel „Busta House" · Shetland

Busta House (Busta ist norwegisch und bedeutet Heimstatt) war Sitz der Familie Gifford von etwa 1580 bis 1943. Thomas Gifford, dessen Portrait heute im »Long Room« hängt, war einer der größten Grundbesitzer auf Shetland zu seiner Zeit und hat das Haus 1714 wesentlich erweitert. Sein Familienwappen hängt heute über dem Haupteingang.

Busta House, mit einem herrlichen Blick über den eigenen Hafen und der Busta-Bucht, ist ein unter Denkmalschutz stehendes Gebäude und angeblich das älteste, ständig bewohnte Haus auf Shetland.

Ihre Majestät, Königin Elisabeth II, und andere Mitglieder der Königlichen Familie haben Busta während ihres Aufenthalts in Shetland besucht. Das Gebäude ist geschmackvoll renoviert worden, um Gästen eine angenehm entspannende Country House Atmosphäre bieten zu können. Es stehen dem Gast drei Lounges zur Verfügung und alle Zimmer haben Bad oder Dusche, Telefon und Farbfernseher. Mrs. Cope, die der Küche vorsteht, legt großen Wert auf die Verwendung frischer lokaler Produkte, insbesondere natürlich Fisch.

Mietwagen können arrangiert werden, um in Shetland oder von Schottland ankommende Gäste abzuholen. Shetland ist ein Paradies für Ornithologen, Archäologen und Forellen-Anglern, oder den Menschen, die Ruhe und Abgeschiedenheit von der modernen hektischen Welt suchen.

Busta House (Busta is Norwegian for homestad and is pronounced "Boosta") was the home of the Gifford family from approx. 1580 to 1943. Thomas Gifford, whose portrait now hangs in the Long Room, was one of the largest landowners on Shetland in his day and was responsible for major additions to the property in 1714. His coat of arms appears above the old main entrance door.

Busta House which overlooks its own harbour and Busta Voe is a government listed historical building and is reputedly the oldest continuously inhabited house in Shetland.

Her Majesty, Queen Elizabeth II and other members of the Royal Family have visited Busta while in Shetland. The buildings has been tastefully modernised to enable guests to enjoy a relaxed country house atmosphere. There are three lounges and all bedrooms are ensuite with telephone, colour T.V. etc. In the dining room Mrs. Cope places the emphasis on using fresh local produce, particularly seafood.

Car hire can be arranged to meet guests on arrival in Shetland and holidays including travel from Scotland can be organised. Shetland has plenty to offer for the ornithologist, archaeologist, trout fisherman, or those who seek peace away from the modern pressures of life.

La famille Gifford a possédé Busta House de 1580 environ à 1943 (Busta est un mot norvégien signifiant «maison d'origine»). Thoams Gifford dont le portrait trône aujourd'hui dans la «Long Room» était de son temps le plus grand propriétaire foncier des Shetland et a considérablement agrandi la maison en 1714. Les armoiries de la famille surmontent aujourd'hui encore l'entrée principale. Busta House offre une vue splendide sur sont port et la baie de Busta. Cette maison est un monument protégé et certainement la plus vieille maison constamment habitée des Shetland.

Sa Majesté la Reine Elisabeth II et d'autres membres de la famille royale ont visité Busta lors de leur séjour aux Shetland. Ça bâtiment a été rénové avec goût afin de pouvoir proposer aux hôtes l'atmosphère agréablement relaxante d'une maison de campagne. Les hôtes ont 3 salons, et l'ensemble des chambres a bain ou douche, téléphone et télévision couleur. Mme Cope est responsable de la cuisine et attache une grande importance à l'utilisation de produits locaux frais, particulièrement du poisson.

Il est possible de louer des voitures pour aller chercher des hôtes sur les Shetland ou en provenance d'Ecosse. Les Shetland sont un pays de rêve pour les ornithologues, les archéologues, les pêcheurs de truites ou les hommes à la recherche du repos et d'une coupure avec le monde moderne frénétique.

Edwin + Rachel Cope
Busta, Shetland ZE 2 9QN
☎ Brae (0 80−6 22) 5 06

⚔	🛏	🎩	👤	👥
15.12.−15.1.	40	21	£ 20−48	£ 30−56

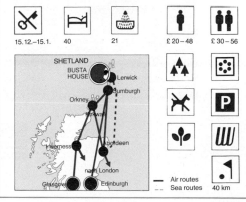

- Air routes
-- Sea routes   40 km

USA

Romantik Reise Amerika

Mit dem Mietwagen das historische Amerika entdecken und die Gastfreundschaft der amerikanischen »Romantik Hotels« erleben und genießen.

Diese Reise ist nur für Menschen, die nicht in 20 Tagen ganz Amerika kennenlernen möchten. Sie wird jedoch Menschen begeistern, die auf den Spuren der Pilgrims reisen möchten, Land und Leute kennenlernen wollen und etwas von dem »Geist Amerikas« erfassen möchten.

Nichts also für Leute, die nach dem Motto reisen »Heute ist Grand Canyon dran und morgen die Niagara-Fälle«. Eher schon für Menschen, die wissen wollen, wie das mit der »Tea-Party« war oder wo der Maler Rockwell gelebt hat.

Wir haben vor mehreren Jahren mit einigen Gästen eine solche Reise durchgeführt. Alle waren übereinstimmend der Meinung, daß dies die schönste Reise gewesen war, die sie je erlebt hatten.

Dieses Erlebnis können Sie nachvollziehen:

1. Tag: Sie fliegen von Ihrem Heimatflughafen nach New York, wo Sie spätnachmittags ankommen. Das »**Algonquin**« mitten im Herzen **Manhattans,** ist Ihre 1. Station.

2. und 3. Tag: Ein Flug mit dem Helikopter über Manhattan oder eine Fahrt mit der Circle Line rund um New York, Empire State Building und abends einen Cocktail im »Windows of the World« im World Trade Center: New York bietet so viel, daß man es nicht beschreiben kann. Doch ein Musikal sollte dabei sein, sonst war man nicht in New York.

4. Tag: Mit dem Mietwagen fahren Sie aus New York, was gar nicht so schwierig ist, auf dem Taconic State Parkway gen Norden. In **Stockbridge, Mass.,** machen Sie Station im »**Red Lion Inn**«. Hier in Stockbridge lebte und malte Norman Rockwell, der den Amerikaner wie kein zweiter gemalt hat. Ganz in der Nähe lebte auch Chester French, der das Lincoln Memorial und den »Minute-Man« geschaffen hat. Hierfür ist der **5. Tag** vorgesehen.

Am **6. Tag** fahren Sie nach Sturbridge bei Worcester, Mass., wo man die Geschichte wieder lebendig gemacht hat und heute so arbeitet und gekleidet ist, wie vor 100 Jahren.

Auf dem Wege nach Boston kommen Sie am »Longfellows Wayside Inn« vorbei und bei Bedford steht der »Minute-Man« dort, wo der Unabhängigkeitskrieg begonnen hat. Boston gehört mit zu den schönsten historischen Städten Amerikas und hier finden Sie auch die nachgebaute »Mayflower«. Nordöstlich von Boston liegt **Rockport**. Bekannt durch den Hummer, als »Dry City« und den »**Yankee Clipper**«, Ihr Domizil für zwei Tage.

Der **8. Tag** führt Sie entlang der zauberhaften Küste Maines nach **Blue Hill** ins »**Altenhofen House**«. In diesem entzückenden Romantik Hotel bleiben Sie zwei Tage. Ruhen sich aus und genießen die Landschaft oder besuchen den Acadia National Park.

Am **10. Tag** geht es erstmals westwärts nach **East Waterford** ins »**Waterford Inn**«. Als wenn Sie bei Freunden zu Gast sind, so werden Sie sich bei Barbara und Rosali fühlen. Wie überall bleiben Sie auch hier nur zwei Nächte, obwohl Sie es bedauern werden, hier nicht länger verweilen zu können.

Der **12. Tag** führt Sie durch die White Mountains. Sie können Bretton Woods besuchen, wo 1944 das Weltwährungssystem beschlossen wurde und vielleicht entdecken Sie auch einen Elch auf Ihrer Reise nach **Intervale** ins »**New England Inn**«.

Den **13. Tag** können Sie sich hier dem Sport widmen, bevor Sie dann am **14. Tag** durch die traumhaft schöne Seenlandschaft nach **Quechee** ins »**Quechee Inn**« fahren. Golf spielen oder ausruhen oder Ausflüge machen oder Shopping gehen, wie es Ihnen beliebt am **15. Tag.**

Am **16. Tag** haben Sie eine längere Reise vor sich. Über Amsterdam und Rome (Sie lesen richtig) nach Syracuse und von dort an den »Finger Lakes« vorbei in Richtung Buffalo. Kurz vor Buffalo liegt der kleine Ort **Clarence** mit dem »**Asa Ransom House**«: ein Kleinod unter den amerikanischen Romantik Hotels.

Der **17. Tag** ist natürlich den Niagara-Fällen vorbehalten, doch sollten Sie nicht versäumen, sich auch Niagara-on-the-Lake anzusehen, in dem im Sommer »Shaw Festivals« stattfinden.

Am **18. Tag** geht Ihre Reise durch den Allegany State Park nach Warren zum Kinzua Damm und weiter nach Wellsboro, wo der Grand Canyon of Pennsylvania beginnt. Über Scranton mit dem Bergwerksmuseum kommen Sie dann nach **Canadensis** ins »**Overlook Inn**«. Hier bleiben Sie auch den **19. Tag,** um noch einmal Ihre ganzen Eindrücke von dieser Reise Revue passieren zu lassen.

Am **20. Tag** fahren Sie dann zurück nach New York. Wenn Sie noch einmal in New York übernachten wollen, können wir das arrangieren, erforderlich ist es jedoch nicht, da die Maschinen fast alle abends zurück nach Europa fliegen. Sie können jedoch auch eine Reise nach Ihrer Wahl anschließen, wobei wir Ihnen gerne behilflich sein werden. Den Preis für diese Reise erhalten Sie auf Anfrage.

In the center of midtown manhattan on a quiet block of private clubs, the "Algonquin" is a rare New York treasure: a very friendly, caringly-run hotel with highly personal service, a long-time staff and a superb cuisine in two excellent restaurants and the popular supper club.

Andy Anspach, the innkeeper, said "We are terribly conservative by inclination. We've tried not to change too many things around here since the early 1920's, when it was famous as a meeting place for the Algonquin Round Table wits. People seem to enjoy our accommodations which include oversized bathtubs and meticulous room service. They describe the "Algonquin" as "The New York hotel with all the endearing qualities of a fine Inn".

Im Zentrum New Yorks in der 44. Straße zwischen der 5. und 6. Avenue ganz in der Nähe des Broadways liegt das »Algonquin«, wohl eines der typischsten amerikanischen Hotels alten Stils.

Es ist und war stets Mittelpunkt der New Yorker Theaterwelt und ist nach wie vor ein Treffpunkt vor und nach den Broadway-Shows. Daher ist die Halle vor Beginn der Theateraufführungen stets gefüllt und vermittelt eine einzigartige Atmosphäre, und nach dem Theater trifft man sich im »Algonquin« zum »Late Supper Buffet« ab halb zehn.

Es ist wohl auch eines der wenigen Hotels in Manhattan, das seinen Personenaufzug mit Liftboy noch nicht durch automatische Aufzüge ersetzt hat. Hier nennt man sein Stockwerk und drückt keinen Knopf, um auf sein Zimmer zu gelangen. Wenn man nicht wüßte, daß das Haus über 200 Zimmer verfügt, würde man es nicht für möglich halten, denn das ganze Haus macht eher den Eindruck, als ob nur 60 oder 70 Zimmer vorhanden wären. Es gibt keine Riesensäle oder Banketträume. Die beiden Restaurants können jeder höchstens 50 bis 60 Personen aufnehmen und die kleine Bar maximal 25. Es empfiehlt sich daher, seinen Dinner-Table zu reservieren, um das wohl einzige New Yorker Hotel mit amerikanischer Küche genießen zu können. Das »Algonquin Hotel« ist sicherlich unter Insidern »das« Hotel in New York und Andrew Anspach, der Besitzer dieses traditionsreichen Hauses, liebt es, sich abends unter seine Gäste zu mischen und mit ihnen zu plaudern.

C'est au centre de New York, dans la 44è rue entre la 5è et la 6è Avenue, tout près de Broadway, que se trouve l'«Algonquin», un des hôtels américains certainement les plus typiques du style ancien. Il a toujours été et est resté point de rencontre du monde du théâtre à New York, un rendez-vous avant et après les revues de Broadway. Il règne toujours dans le hall, bondé avant le début des représentations théâtrales, une atmosphère palpitante et unique. Après la représentation, on se retrouve à l'«Algonquin» pour le «late supper buffet» à partir de 21.30 heures.

Il est sans doute l'un des rares hôtels de Manhattan qui n'aient pas encore remplacé son ancien ascenseur par des ascenceurs automatiques. Ici, l'hôte n'appuie pas sur un bouton pour se rendre dans sa chambre, il annonce au liftboy l'étage dans lequel il souhaite se rendre. Si on ne le sait pas, on a du mal à imaginer que l'établissement dispose de plus de 200 chambres car le bâtiment donnerait en soi plutôt l'impression de compter 60 à 70 chambres. Pas

de salles mammouth ou salles de banquet gigantesques. Chacun des deux restaurants peut accueillir au maximum 50 à 60 personnes et le petit bar 25 au plus. Aussi est-il recommandé de réserver une «dinner-table» si on veut avoir le plaisir de goûter à la cuisine américaine dans cet hôtel new-yorkais unique en son genre. Pour les insiders, l'«Algonquin» c'est l'Hôtel de New York par excellence et le soir, Andrew Anspach, le propriétaire de cet établissement aime prendre place avec ses hôtes pour bavarder avec eux.

Andrew A. Anspach
59 West 44th Street
New York, N. Y. 10036
☎ 212 / 8 40 – 68 00
Telex 66 532

300   200   92–112 $ 93–112 $

30

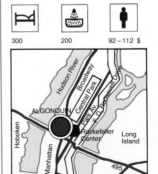

Romantik Hotel „The Overlook Inn" · Canadensis

The "Overlook Inn", nestled amid trees and meadows on 15 acres in the heart of the Pocono Mountains, is an inn for all seasons, "an outpost of personalized civility in a razzle-dazzle world".
The 20 guestrooms, all with private bath, are tastefully appointed with antiques, lounging chairs, reading lamps, books and comfortable beds.
The inn, including the library and livingroom with fireplace, retain with integrity the charm of the past and has the convenience of the present.
Gourmet-dining with an entree menu including Pocono brook trout, veal overlook, filet de boeuf and brace of quail. All breads and pastries are made at the inn, and fresh vegetables are used year around.
The "Overlook Inn" is an inn where they consider it a pleasure to pamper you and each visitor becomes a very special guest.

Als einen »Außenposten in einer turbulenten Welt« bezeichnen Bob und Lolly Tupper ihr »Overlook Inn« in den Pocono-Mountains, ca. 80 Meilen von New York entfernt. Wie viele Innkeepers in den USA sind auch die Tuppers keine »gelernten« Innkeeper, sondern haben den Beruf als »second career« begonnen. Sie kauften diesen herrlichen Landsitz und haben ihn nach und nach zu einem gemütlichen Inn umgewandelt.
Die Zimmer im typischen Country-Inn-Stil ausgestattet, eine Library und ein Livingroom mit offenem Kamin geben die »gute alte Zeit« Amerikas wieder.
Die Küche, die die Produkte der Region, wie Forellen und Rebhühner, sowie hausgebackenes Brot und Gebäck anbietet, hat sich einen sehr guten Ruf erworben.
Etwas abseits gelegen und mit einem eigenen Grundstück von 15 Acres ist das »Overlook Inn« ein idealer Ort der Entspannung und Erholung. Dies haben inzwischen auch viele Manager erkannt, die gerne ihre Tagung nach hier verlegen. Ganz besonders wird das Inn für Hochzeiten ausgesucht, denn die Räume und die Küche sind schon ein schöner Rahmen für eine herrliche Hochzeitsfeier.

L'«Overlook Inn», situé dans les Pocono-Mountains à quelques 80 lieues de New York, est un «poste avancé dans un monde turbulent», comme Bob et Lolly Tupper aiment à le qualifier. Comme beaucoup d'hôteliers-restaurateurs aux Etats-Unis, les Tupper n'ont pas exercé de tout temps cette profession. Ils ont choisi ce métier comme «second career». Ils achetèrent cette magnifique propriété à la campagne et la transformèrent petit à petit en une auberge très agréable. Les chambres, aménagées dans le style typique des country Inns, la bibliothèque et la salle de séjour avec cheminée pour feu de bois reflètent fidèlement le «bon vieux temps» de l'Amérique.
La cuisine, où l'on prépare les produits de la région, en particulier truites et perdrix, et qui possède aussi à son répertoire pain et pâtisserie maison, s'est fait une très bonne réputation.
Situé un peu à l'écart, l'Overlook Inn, avec sa propriété de 15 acres, constitue un lieu idéal de repos et de détente. Beaucoup de managers l'ont déjà découvert et apprécient de pouvoir tenir leurs réunions ou conférences dans ce cadre. Il est en outre particulièrement recherché pour les fêtes de mariage car les salles et la cuisine offrent déjà à elles seules un beau cadre pour des noces magnifiques.

Bob and Lolly Tupper
Dutch Hill Road
Canadensis, PA. 18325
☎ 7 17 / 5 95 – 75 19

36   20 $ 66 $ 108 – 114

20

P

nearby

THE OVERLOOK INN
Dutch Hill Road
447 · 390
Mountainhome
Cresco
Canadensis
390
940 · Mt. Pocono · Paradise Valley
E. Stroudsburg · Analomink · 209
Stroudsburg
Exit 52
33 · Delaware Water Gap · 611 · 80

In 1946 Fred and Lydia Wemyss bought a lovely ocean front mansion in the beautiful "artist colony", Rockport, Massachusetts. They named their home "The Yankee Clipper Inn" and opened it to guests. Now their daughter and son-in-law, Bob and Barbara Ellis, manage the Inn and their grandson is often seen greeting the guests.

The Inn now consists of three converted private estate buildings in a residential area and is ideal for those who prefer a non-commercial atmosphere. All 28 rooms have private baths. Most have antique furnishings and are named after American Clipper ships. A heated, outdoor salt water pool (open in season) is set in beautifully landscaped gardens and grounds. Tennis, golf, boat rides, whale-watch trips, woodland trails for hiking and, when there is snow, cross-country skiing are nearby. The ocean front dining room (open for dinner from mid-May to late October) specializes in New England home cooking. Since 1865 Rockport has been a "dry" town. Therefore the Inn cannot sell or serve alcoholic beverages. But you may bring your own wine. In the winter the Yankee Clipper keeps one building open serving continental breakfast only. Located one hour from Logan International Airport in Boston, Rockport is convenient to many historic locations in New England.

1946 erwarben Fred und Lydia Wemyss eine hübsche, am Meer gelegene Villa in der herrlichen »Künstlerkolonie« Rockport, Massachusetts. Sie nannten das Haus »The Yankee Clipper Inn« und eröffneten es als Gästehaus. Mittlerweile haben Tochter und Schwiegersohn Barbara und Bob Ellis die Leitung übernommen, und oftmals begrüßt der Enkelsohn die Gäste.

Heute besteht das in einem Wohngebiet gelegene Hotel aus 3 umgebauten Häusern in Privatbesitz und ist geradezu ideal für solche Gäste, die eine lockere, ungezwungene Atmosphäre bevorzugen. In den wunderschön gestalteten Gärten und Anlagen liegt ein beheiztes Meerwasserschwimmbad (während der Saison geöffnet). Sportmöglichkeiten wie Tennis und Golf befinden sich in der Nähe, ferner werden Bootsfahrten, Walbeobachtungstouren, Waldwanderungen und, bei Schnee, Skilanglaufloipen angeboten. Im Speisesaal mit Blick auf die Küste (Bewirtung von Mitte Mai bis 2. Oktoberhälfte) werden typisch neu-englische Gerichte serviert. Seit 1865 ist Rockport »trocken«, daher können alkoholische Getränke weder verkauft noch angeboten werden. Sie können jedoch Ihre eigene Flasche Wein mitbringen. Im Winter ist ein Gebäude des »Yankee Clipper Inn« geöffnet, dort wird ein kontinentales Frühstück serviert. Das Hotel liegt eine Autostunde vom Logan International Airport, Boston, entfernt und bietet sich so als Ausgangspunkt zum Besuch vieler historischer Stätten in Neu-England an.

C'est en 1946 que Fred et Lydia Wemyss ont acheté une jolie villa au bord de la mer dans la magnifique «Colonie des artistes» à Rockport, Massachusetts. Ils baptisèrent cette maison «The Yankee Clipper Inn» et ouvrirent un hôtel. Entre temps, ce sont Barbara et Bob Ellis, la fille et le beau-fils, qui en ont pris la direction, et il n'est pas rare que le petit-fils viennent dire bonjour aux hôtes.

Aujourd'hui, l'hôtel se trouve dans un quartier résidentiel et se compose de 3 bâtiments privés. L'idéal pour les hôtes préférant une atmosphère détendue et simple. Une pis-

cine chauffée d'eau de mer (ouverte durant la saison touristique) se trouve au milieu des jardins et pelouses magnifiquement agencés. Il est possible de pratiquer le tennis et le golf dans le environs, de faire des promenades en bateau, d'observer des baleines, de se promener en forêt et, quand il y a de la neige, de faire du ski de fond. Depuis 1865, Rockport est une ville «sèche» et aucuné boisson alcoolisée n'est donc vendue ou proposée. Il vous est toutefois possible d'amener votre propre bouteille de vin. En hiver, un bâtiment du «Yankee Clipper Inn» est ouvert. On y sert un petit déjeuner continental. L'hôtel se trouve à 1 heure de voiture de l'aérodrome Logan International Airport de Boston et est le point de départ idéal pour visiter les nombreux lieux historiques de la Nouvelle-Angleterre.

Bob and Barbara Ellis
On route 127
Rockport, Massachusetts 01966
☎ (6 17) 5 46 – 34 07

✂ Dec. 24. + 25.	54	28	$ 36 – 62	$ 55 – 67
⊙	🌲	10 – 20	🐕	P
			🌿	⩘
			≈ nearby	⊔ nearby
			🏓 nearby	🚩 2 miles

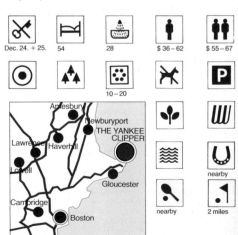

Romantik Hotel
„Black Point Inn" · Prouts Neck, Maine

Majestically situated on its oceanfront vista, the "Black Point Inn" has been acclaimed for its unpretentious elegance, as well as its personal services, exceptional cuisine, and fastidious attention to details. Built in 1925, and accommodating 140 guests, the inn has been kept in perfect physical condition. All guest rooms – whether in the main building or in the colonial-styled guest houses immediately adjacent – have private bath with tub and shower ... wall to wall carpeting ... ample closet space, and telephone service. Tasteful furnishings are of the very best. Public rooms are spacious and restful, and include sun rooms. A large porch offers a panoramic view of the ocean, as well as many of the guest rooms. Black Point Inn is one of the few remaining American plan resorts, and truly – it must be seen to be appreciated.

Das Black Point Inn, wovon man einen majestätischen Ausblick auf das Meer hat, ist wegen seiner zurückhaltenden Eleganz, seiner sehr persönlichen Bedienung, seiner außergewöhnlichen Küche (Hummerspezialitäten) und der besonderen Aufmerksamkeit für Kleinigkeiten sehr beliebt. Das Haus wurde 1925 erbaut, kann bis zu 140 Gäste beherbergen und ist in einem sehr gepflegten Zustand. Alle Zimmer – ob im Haupthaus oder in anliegenden Gästehäusern im Kolonialstil – haben Bad oder Dusche, Teppichboden, einen geräumigen Wandschrank, Telefon und sind geschmackvoll eingerichtet. Die Gästezimmer sind geräumig und ruhig und haben teilweise verglaste Sonnenterrassen. Eine große Vorhalle bietet einen weiten Blick über den Ozean, den man auch von den meisten Zimmern genießen kann.
Das Black Point Inn ist eines der noch wenig übrig gebliebenen wirklich exklusiven Urlaubshotels mit hoteleigenem Golfplatz, Schwimmbad und allen denkbaren Wassersportmöglichkeiten.

On ne peut tarir d'éloges sur le Black Point Inn, depuis lequel on jouit d'un majestueux panorama sur l'océan, avec son élégance sans prétention, son service personnel, sa cuisine exceptionnelle et les mille petites attentions qu'on y a pour vous. La maison, construite en 1925 est encore en parfait état. A la disposition des 140 hôtes, toutes les chambres – que ce soit dans le bâtiment principal ou dans la maison annexe de style colonial – possèdent salle de bain avec baignoire et douche, moquette, une grande armoire murale, le téléphone et des meubles de bon goût. Les salles sont spacieuses, reposantes et comprennent aussi des pièces ensoleillées. De la vaste

véranda ainsi que depuis bien des chambres, vous profitez de la vue panoramique sur l'océan. Le Black Point Inn reste l'un des lieux de vacances américains privilégiés et, sincèrement, qui l'a vu l'apprécie.

Normand H. Dugas
Prouts Neck, Maine 04074 (Portland)
☎ 207/883-4311

 Mid Oct. – Mid May

140   00   Full Pension 90 – 120 $ Full Pension 140 - 200 $

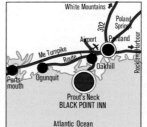

Romantik Hotel
„Altenhofen House" · Blue Hill, Maine

Altenhofen House is a large mansion built in 1815 on a spit of land surrounded by the tidewaters of the Atlantic Ocean and Blue Hill Bay. The handsome Georgian estate sits amid rolling pasturelands dotted with grazing horses. Verandas look out to the sea or out across the swimming pool to distant Maine hills. Miles of carriage paths offer unspoiled cross-country skiing and horse-drawn sleigh rides in winter and hiking or horseback riding in warmer months.

The mansion has been beautifully restored by the Altenhofens. The rooms are furnished with nineteenth-century antiques, and several are highlighted by working fireplaces, including two in guest rooms and two in the library. Peter and Brigitte are from Germany, speak many languages, and traveled all over the world before settling in this piece of Downeast heaven. In addition to the European hospitality found here, guests are offered a single-entrée, five-course dinner. Each evening is devoted to the cuisine of one or another European country.

Altenhofen House ist eine große, im Jahre 1815 erbaute Villa und liegt auf der Landzunge, die die Blue Hill Bay vom Atlantik trennt. Das ansehnliche Anwesen im georgianischen Stil liegt inmitten sanft gewellter Weiden, auf denen hier und da Pferde grasen. Von den Veranden blickt man entweder hinaus auf den Ozean oder über das Schwimmbecken hinweg auf die in der Ferne liegenden Berge von Maine. Kilometerlange Wege bieten im Winter Möglichkeit zu ungestörten Skiwanderungen oder Pferdeschlittenfahrten und zu Wanderungen oder Ausritten in den wärmeren Monaten.

Die Villa wurde von der Familie Altenhofen herrlich renoviert. Ausgestattet sind die Räume mit Möbeln aus dem 19. Jahrhundert, in einigen findet man Kamine, die an kalten Tagen für Gemütlichkeit sorgen, je zwei in den Gästezimmern und in der Bibliothek. Brigitte und Peter Altenhofen kommen aus Deutschland, sprechen mehrere Fremdsprachen und sind viel in der Welt herumgereist, bevor sie sich an diesem bezaubernden Fleckchen im Osten der USA niederließen. Neben der typisch europäischen Gastfreundschaft erwarten den Gast hier jeden Abend besondere Diners, die unter dem Motto eines anderen europäischen Landes stehen.

Altenhofen House est une grande villa, construite en 1815 sur la langue de terre séparant la Blue Hill Bay de l'océan atlantique. Cette remarquable propriété de style géorgien est entourée de prés légèrement ondulés ou ici et là paissent des chevaux. Des vérendas, la vue s'étend sur l'océan ou sur la piscine et au loin, les montagnes du Maine. Des chemins de plusieurs kilomètres permettent l'hiver de faire en toute quiétude des promenades à ski ou en traineau à chevaux, de se promener à pied ou faire des sorties équestres dans les mois plus chauds.

La famille Altenhofen a rénové la villa de belle manière. Les pièces sont équipées de meubles du XIXème siècle et on y trouve des cheminées qui réchauffent l'ambiance quand il fait froid. Les chambres et la bibliothèque en comptent deux. Brigitte et Peter Altenhofen sont originaires d'Allemagne, parlent plusieurs langues et ont beaucoup voyagé a travers le monde avant de s'installer dans ce magnifique endroit des Etats-Unis. Outre l'hospitalité caractéristique des pays européens, l'hôte trouve ici des dîners se composant de 5 plats et d'une entrée. Chaque soir, le menu met un pays européen à l'honneur.

Peter + Brigitte Altenhofen
Peters Point
Blue Hill, Maine O 4614
☎ (207) 3 74−21 16

Nov. – March   12   6 $ 70–100

On premises

near by

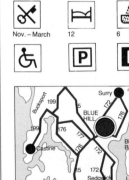

Romantik Hotel „The Waterford Inne"
East Waterford, Maine

When we from the Romantik Hotels visited this inn we rode up a road to nowhere and found something special. The Waterford Inne is a handsome farmhouse situated on 10 acres of fields and woods on a country lane. Windows overlook rolling terrain, a farm pond, and the old red barn; no other houses intrude on the seclusion. It's a cozy place that has been restored by Rosalie and Barbara Vanderzanden. These lady innkeepers have combined their talents in hospitality, the domestic arts, antiques, and cuisine. The result is a *true* country inn – *sui generis* – special unto itself – not located in a town but in the peaceful, wooded Maine countryside approximately 45 km from the nearest airport or large city of Portland. Seasonal sports and activities, historic sites and antiquing are available nearby. But after travelling, this is a place to relax, to take a stroll down the lane, to listen to the quiet and the birds, to be pampered in an elegantly appointed home, to enjoy country chic cuisine with the congeniality of other guests, to unwind, to re-create one's spirit. A small inn is the Waterford Inne – come learn to appreciate living in this small corner of the world.

Als wir von der »Romantik Hotel«-Kette dieses Haus aufsuchten, fuhren wir auf einer Straße nach Nirgendwo und fanden etwas ganz Besonderes. »Waterford Inne« ist eine hübsche Farm mit zehn Morgen Feldern und Wald und liegt an einer Landstraße. Aus den Fenstern blickt man über hügeliges Gelände, einen Brunnen und hinüber zur alten rotgestrichenen Scheune; keine weiteren Häuser stören die Abgeschiedenheit. Ein gemütliches Plätzchen, das von Rosalie und Barbara Vanderzanden renoviert wurde.
In diesen beiden Besitzerinnen vereinigen sich Gastfreundschaft, kunstgewerbliches Talent, Liebe zu Antiquitäten und Kochkunst. Das macht einen *echten* Landgasthof aus – etwas Einzigartiges, das seinesgleichen sucht. Gelegen ist er nicht etwa in der Stadt, sondern eingebettet in die friedliche Waldlandschaft des Staates Maine, etwa 45 km vom nächsten Flughafen oder der Hafenstadt Portland entfernt. In der näheren Umgebung gibt es Sportmöglichkeiten, historische Stätten und Antiquitätenläden. War man jedoch längere Zeit unterwegs, ist dies der geeignete Ort, um sich zu entspannen, spazierenzugehen, der Ruhe und den Vögeln zu lauschen und sich in dem elegant eingerichteten Haus verwöhnen zu lassen, die landestypische Küche in angenehmer Gesellschaft der anderen Gäste zu genießen, einmal abzuschalten und den Geist neu zu beleben.
»Waterford Inne« ist ein kleiner Gasthof – kommen Sie und lernen Sie das Leben in diesem stillen Winkel unserer Erde schätzen!

En recherchant cet hôtel de la chaîne «Romantik Hotel», nous avons emprunté une route menant nul part et avons trouvé une demeure tout à fait exceptionnelle. «Waterford Inne» est une jolie ferme comptant 10 arpents de champ et de forêt. Cet hôtel se trouve au bord d'une route départementale. Des fenêtres, la vue s'étend sur un paysage vallonné, une fontaine et sur la vieille grange peinte en rouge. Aucune autre maison ne trouble cette solitude. Un petit endroit agréable, rénové par Rosalie et Barbara Vanderzanden. Hospitalité, art de la décoration, amour des objets d'antiquité et art culinaire se retrouvent dans les deux propriétaires. Ces qualités en font une authentique auberge de campagne à la recherche de son égal. Cet hôtel ne se trouve pas en pleine ville mais blotti dans le calme du paysage boisé de l'Etat du Maine, à env. 45 km de l'aérodrome le plus proche et du port de Portland. Les environs permettent de s'adonner au sport, de visiter des lieux historiques et des magasins d'antiquités. Si vous avez été longtemps en voyage, cet hôtel est le lieu adéquat pour se reposer, se promener, jouir du silence et écouter les oiseaux, se faire choyer dans une maison agencée avec élégance, goûter la cuisine typiquement locale en compagnie des autres hôtes, s'isoler du monde et se refaire une santé morale. «Waterford Inne» est une petite auberge. Venez donc découvrir la vie dans cet îlot de quiétude.

Barbara + Rosalie Vanderzanden
Chadbourne Road
East Waterford, Maine 04233
☎ (207) 5 83 – 40 37

March + April   14   5

4          $ 70 $ 80   small

P

nearby

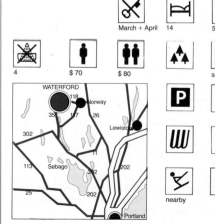

The New England Inn was recommended to us, but so many recommendations come to nothing. Quite different with the New England Inn. It is hard to describe the enthusiasm with which Linda and Joe Johnston run this lovely hotel, which, as is often the case in New England, consists of several houses. Here one really feels like a guest among friends and there are ample sporting facilities, whether it is tennis in summer (professional tennis tournaments take place), golf or swimming and in winter downhill or cross-country skiing because Intervale lies in New England's winter sports region. The New England Inn was founded back in 1809 and so is one of the oldest hotels in America and can be truly regarded as a Romantik hotel, which is well worth a journey.

Wir hatten das „New England Inn" empfohlen bekommen, doch so manche Empfehlung erweist sich dann als nicht so besonders. Ganz anders das „New England Inn": Mit welcher Begeisterung Linda und Joe Johnston dieses sehr schöne Haus führen, das wie in Neu England häufig der Fall ist, aus mehreren Häusern besteht, ist kaum zu beschreiben. Hier fühlt man sich wirklich wie bei Freunden zu Gast und an sportlichen Möglichkeiten fehlt nichts, ob im Sommer Tennis (es werden Profi-Tennis-Turniere durchgeführt), Golf oder Schwimmen und im Winter Abfahrt- oder Langlaufski, denn Intervale liegt im Wintersportgebiet Neu Englands. Das „New England Inn" ist bereits 1809 gegründet worden und gehört somit zu den ältesten Hotels in Amerika und ist wirklich als ein Romantik Hotel anzusehen, das eine Reise wert ist.

On nous avait recommandé le New England Inn mais en général une recommandation ne vaut que ce qu'elle vaut et nous voulions en avoir le cœur net. Quelle n'a pas été notre surprise lorsque nous avons vu avec quel enthousiasme Linda et Joe Johnston gèrent leur très bel établissement composé, comme c'est souvent le cas en Nouvelle-Angleterre, de plusieurs maisons. Chez eux, on a vraiment l'impression d'être chez des amis. Et les possibilités de faire du sport ne manquent pas: l'été tennis (des tournois professionnels y sont même organisés), golf et natation et l'hiver ski alpin ou ski de fond car Intervale se trouve dans la région de sport d'hiver de la Nouvelle-Angleterre.
Le New England Inn existe déjà depuis 1809 et compte donc parmi les plus anciens hôtels d'Amérique. Il est digne des Hôtels Romantik et heureux celui qui y fait un voyage.

Joe and Linda Johnston
Rt. 16A, Resort Loop
Intervale, N. H. 03845
☎ (603) 356-5541

not including dinner + breakfast
Meal plans are available

55-75 $ 75-110 $ 50-100

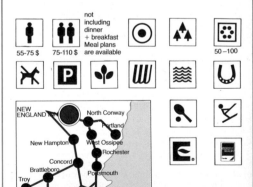

Romantik Hotel
„The Quechee Inn" · Quechee

Vielleicht werden auch Sie der warmen Gastfreundschaft von Barbara Yaroschuk erliegen, mit
der sie ihre Gäste betreut. Die ehemalige Marshland Farm, direkt an einem zauberhaften See ge
legen, der in die berühmte »Quechee-Gorge«
mündet, ist nicht nur ein gemütliches Inn, sondern
auch Ausgangspunkt herrlicher Ausflüge in die
nähere und weitere Umgebung. Der Golfplatz in
unmittelbarer Nähe zählt zu den schönsten New
Englands.

The Quechee Inn at Marshland Farm is a beautifully restored 18th century farmstead overlooking
the Ottauquechee River. Built in 1793, it was the
home of Vermont's first lieutenant governor.
The Yaroschuk family, your innkeepers, have
devoted their energies to making The Quechee Inn
the finest in Vermont. The result is twenty-two
beautifully appointed guest rooms, all with private
baths and color cable television overlooking acres
of rolling countryside and the Ottauquechee River
and only a short walk from the spectacular Quechee
Gorge.
We are proud of our reputation for fine dining. We
want your dining experience to be a gracious New
England experience. Our chef prepares each item
to order, using only the finest and freshest ingredients. We also offer a pleasing array of wines to
enhance your meal.
We have canoe and bicycle rentals, fly fishing and
cross-country skiing at the Inn. Guests have privi-
leges at the nearby private Quechee Club for golf,
tennis, swimming, boating, squash and alpine skiing.
We believe that your leisure time is precious. While
you are our guest we hope time will "stand still" for
you and that the pleasure of your visit will linger
long after you have returned home.

Vous succomberez certainement aussi à l'hospitalité chaleureuse que montre Barbara Yaroschuk
envers ses invités. Un ravissant lac, se jetant dans la
célèbre «Quechee Gorge» borde l'ancienne
«Marshland Farm» qui constitue non seulement
une auberge agréable mais aussi un point de départ
idéal pour entreprendre de magnifiques excursions
dans les environs ou la région.
Vous trouverez à proximité immédiate le Quechee
Club et un des plus jolis terrains de golf de la Nouvelle Angleterre, une piscine et 10 courts de tennis.

Michael + Barbara Yaroschuk
P.O.Box R 747
Quechee, Vermont VT 05059
☎ 802 / 295 – 31 33

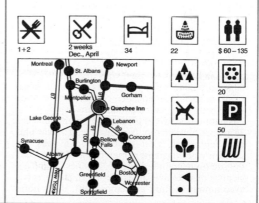

Asa Ransom founded the town of Clarence in 1799 and built the first grist mill in 1803, just behind the Inn. Each guest room is uniquely different with antique and period reproductions. Beds vary from a canopy, cannonball, or iron brass. Each room has a private bath and is air conditioned. Enjoy our cozy library with fireplace, chess board, checkers, puzzles or many fine books. Our menu reflects a real New York farmland feeling with such items as Country Inn veal, fricassee chicken with biscuits, smoked corned beef with apple raisin sauce, fresh baked fish, steak and kidney pie, and many more. Soup is served from the kettle, and our own-made breads and muffins from a calico chicken basket. Fresh vegetables complement each dinner.

Wer Bob and Judy Lenz und ihr „Asa Ransom House" kennengelernt hat, wird nicht nur wissen, was echte Gastfreundschaft und Gastlichkeit sein kann, sondern auch nie mehr etwas Negatives über „amerikanische Küche" sagen: hier fühlt man sich einfach rundherum wohl.

Das wissen auch die Stammgäste von Bob and Judy und sie reservieren daher schon tagelang vorher, um einen der 75 Plätze zu bekommen, zumal der Betrieb nur 5 Tage abends und mittags nur Sonntags und Mittwochs geöffnet hat.

Erstklassige Frischprodukte nach alten Rezepten mit Kräutern aus eigenem Garten zubereitet, liebevoll wie in alten Zeiten serviert unter der Obhut der beiden Gastgeber, geben dem Gast das Gefühl, bei Freunden zu Gast zu sein.

4 zauberhafte komfortable Zimmer, eine kleine Geschenkboutique und eine uralte Aperitifbar vervollkommnen dieses Kleinod nicht weit von Buffalo. Wer sich also die Niagara-Fälle ansehen möchte oder sogar einen Abstecher in die reizvolle Kleinstadt Niagara-on-the-Lake auf der kanadischen Seite machen möchte, in der jeden Sommer ein „Shaw-Festival" stattfindet, ist im „Asa Ransom House" sehr gut aufgehoben.

A l'«Asa Ransom House», vous découvrez la véritable hospitalité et ne pourrez plus rien dire de négatif sur la cuisine américaine, car chez Bob et Judy Lenz, vous vous sentez parfaitement bien.

Les habitués le savent bien qui réservent l'une des 75 places plusieurs jours à l'avance, d'autant plus que l'entreprise n'est ouverte que 5 soirs par semaine et le dimanche et mercredi à midi. Produits frais de toute première qualité, cuisinés selon d'anciennes recettes avec fines herbes du jardin, servis avec amour comme au temps jadis, deux hôtes

attentifs, tout cela vous donne l'impression d'être reçus par des amis. 4 chambres charmantes et confortables, une petite boutique-cadeaux et un bar ancestral conplètent ce joyau pas loin de Buffalo. Si vous souhaitez visiter les chutes du Niagara, voire faire un petit détour à Niagara-on-the-Lake où se déroule chaque été un «Shaw-Festival», vous serez en de très bonnes mains à l'«Asa Ransom House».

Bob and Judy Lenz
10 529 Main Street
Clarence, New York 14031
☎ (716) 7 59-23 15

  Erste 3 Wochen im Januar / first 3 weeks in January   5 + 6   4   4

 $ 50 $ 70   15

 Restaurant   P   ✿

When John Schumacher came to Germany in 1978 to see the Romantik hotels he was immediately so impressed that he determined to become the first Romantik hotel in America. Now whoever believed that in the USA there were only uniform hotel chains of hamburger snack bars will certainly be surprised when they see the »Country Inns«; here you find first-class cuisine and an overwhelming hospitality which are absolutely delightful. So it is in ,,Schumacher's Inn'' in New Prague. This place has an ancient tradition for the imigrants from Czechoslovakia and so John organized the hotel on the lines of Czech and German cuisine, when he took over the business ten years ago. Twelve enchanting rooms, each named after a month, some with wonderful four-poster beds and a bottle of wine to greet you in each room, a »Bavarian bar« and lovely little restaurants have made this Romantik hotel into a favorite place for honeymoon couples. Guests come 60 km from Minneapolis, on account of the good cooking and John himself is in the kitchen. You live well with the Schumachers and whoever would like to get to know this should join our tour of the Country Inns in America.

Als John Schumacher 1978 nach Deutschland kam, um sich Romantik Hotels anzusehen, war er anschließend so begeistert, daß er unbedingt das erste Romantik Hotel in Amerika haben wollte. Nun, wer geglaubt hatte, in den USA gäbe es nur uniformierte Hotelketten oder Hamburger Snackbars, der wird allerdings sehr überrascht sein, wenn er sich einmal in den ,,Country Inns'' umgesehen hat; hier findet man erstklassige Küche und eine überwältigende Gastfreundlichkeit, daß man ganz begeistert ist. So auch im ,,Schumachers Inn'' in New Prague. Dieser Ort hat eine alte Tradition durch die Auswanderer aus der Tschechoslowakei und so hat John sein Haus auch ganz auf tschechische und deutsche Küche ausgerichtet, als er vor zehn Jahren den Betrieb übernommen hat. 12 zauberhafte Zimmer, alle nach Monatsnamen benannt, mit teilweise herrlichen Himmelbetten und überall eine Flasche Wein zur Begrüßung. Eine ,,Bavarian Bar'' und kleine nette Restaurant-Räume haben das Romantik Hotel zu einem beliebten Ort für Hochzeitspaare werden lassen. Wegen der guten Küche kommen die Gäste aus dem 60 km entfernten Minneapolis angereist, denn John steht selbst in der Küche. Man fühlt sich wohl bei den Schumachers und wer es kennenlernen möchte, sollte sich unserer Reise durch die Country Inns in Amerika anschließen.

Lorsque John Schumacher se rendit en 1978 en Allemagne pour voir de plus de plus près les Hotels Romantik, il fut si enthousiasmé qu'il voulu alors à tout prix être le premier Hotel Romantik en Amérique. Celui qui croirait qu'il n'existe aux Etats-Unis que des chaines d'hôtels uniformes ou des snack-considéré de près les »country Inns«, de constater, avec enthousiasme, qu'on trouve ici une cuisine de première classe et une hospitalité extraordinaire. Il en est de même au «Schumachers Inn» à

New Prague. Cette localité a une vieille tradition venant des émigrés de Tschecoslovaquie et c'est ainsi que John a adapté toute sa maison à la cuisine tschèque et allemande lorsqu'il a repris l'entreprise il y a dix ans, 12 chambres prestigieuses portant chacune la nom d'un mois de l'année, avec en partie de merveilleux lits à baldaquin, et partout une bouteille de vin rouge en signe d'accueil, un «bavarian bar» et de gentilles petites salles de restaurant, ont fait de cet hôtel un lieu de prédilection des jeunes mariés en voyage de noces. Des hôtes viennent jusque de Minneapolis, situé à 60 km, pour déguster sa bonne cuisine, car John lui-même s'occupe de la cuisine. On se sent bien chez les Schumachers et à celui qui souhaite faire sa connaissance, nous conseillons de se joindre à notre voyage à travers les Country Inns en Amérique.

John A. Schumacher
212 West Main St. New Prague, Minnesota 56071
☎ (612) 758-21 33

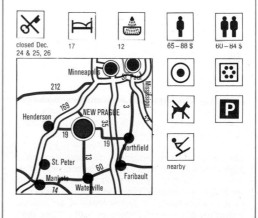

| closed Dec. 24 & 25, 26 | 17 | 12 | 65 – 88 $ | 60 – 84 $ |

nearby

Romantik Hotel „Barnabey's" · Los Angeles

Mitten in Los Angeles, genauer in Manhattan Beach, nicht weit vom Loogan International Airport, befindet sich ein Hotel, das ganz mit europäischen Antiquitäten eingerichtet ist, das »Barnabey's«. Es strahlt einen sehr gemütlichen Charme aus und man fühlt sich von Beginn an wohl in diesem sehr komfortablen Hotel, das über Außen- und Innenschwimmbad und Jacuzzi verfügt, »Early morning Tea« auf dem Zimmer serviert – ganz wie in England – und alle Annehmlichkeiten und Serviceeinrichtungen eines erstklassigen amerikanischen Hotels bietet.

Pete Post und seine Frau sind begeisterte Anhänger alter englischer Möbel und Bilder und das merkt man im ganzen Hotel. Selbst ein englisches Taxi steht zur Verfügung, um die Gäste kostenlos vom Flughafen abzuholen.

Ein herrlicher Terrassen-Garten, in dem man das warme Klima Kaliforniens genießen kann, gemütliche Restaurants und sehr gute gastronomische Leistungen machen das »Barnabey's« zu einem angenehmen und beliebten Hotel.

Completely furnished in turn-of-the-century antiques, this charming victorian hideaway is a delight to seasoned travellers who find this atmosphere unique to an area known mainly for highrise business hotels. Complimentary transportation is provided in Barnabey's London taxi which picks up guests at the airport. This 128 room full-service hotel features fine dining, room service, nightly entertainment, an indoor/outdoor pool and jacuzzi complimentary parking, valet service, and a central location to beaches, Los Angeles International Airport, shopping, and all major Southern California attractions.

Each guest room is richly appointed in period pieces, European art und elegant fabrics. Some of the standard room features include: carved wood headboards, remote control televisions in armoires, air conditioning, bathroom phones, colored linens and turn-down service. Morning newspaper and hot coffee is served to each guest, compliments of Barnabey's. For recreation, Barnabey's guests enjoy the adjacent health club or nearby tennis and golfing facilities. Barnabey's is truly a modern hotel with the warmth, intimacy and elegance of an Old English Country Inn.

Au centre de Los Angeles, plus précisément à Manhatten Beach, non loin de l'aérodrome Loogan International Airport, se trouve un hôtel entièrement équipé d'objets européens antiques: c'est le «Barnabey's». Il resplendit d'un charme séducteur et d'emblée, l'hôte se sent à l'aise dans cet hôtel très confortable, proposant piscines couverte et découverte, et jacuzzi, servant dans la chambre un «Early morning Tea» à l'image des hôtels anglais, et offrant tous les services et facilités d'un hôtel américain de première catégorie.

Pete Post et son épouse sont des adeptes inconditionnels des vieux meubles et tableaux anglais et tout l'hôtel le montre. Il y a même un taxi anglais en service pour aller chercher gratuitement les hôtes à l'aéroport. Le magnifique jardin en terrasse permettant de profiter du climat chaud de Californie et de succulents plats font du «Barnabey's» un hôtel agréable et charmant.

Mr. Henry C. (Pete) Post und Bruce Alexander
3501 Sepulveda Blvd. at Rosecrans
Manhattan Beach, CA 90266 USA
☎ (213) 545–8466 Los Angeles
   (800) 732–1540 California
   (800) 421–0341 USA
Telex 664867

205 128 $ 108–395 $ 120–395

1/2 mile Adjacent to hotel

Country Inns

and Back Roads

Norman Simpson, wohl einer der besten Kenner von Country Inns in der Welt, wenn nicht der beste, hat vor über 15 Jahren mit einem kleinen Buch über „Country Inns and Back Roads" angefangen, um die netten und sehr persönlich geführten kleinen „Country Inns" in Amerika als Geheimtip seinen Lesern zugänglich zu machen. Heute hat er mehrere Bücher, u. a. auch von europäischen „Country Inns" herausgebracht, in denen er auch sehr viele Romantik Hotels aufführt. Wir kennen inzwischen einige dieser sehr schönen Häuser in Amerika und waren überrascht, welche Gastfreundschaft und welch hoher Standard in diesen Häusern anzutreffen ist.

Einige dieser „Country Inns" sind inzwischen Romantik Hotels geworden, woran Sie erkennen mögen, wie gut diese Häuser sind.

Das Buch „Country Inns and Back Roads" können Sie ebenfalls bei der Romantik Zentrale, Postfach 1144, D-8757 Karlstein/Main, zum Preis von 30,– DM beziehen.

Norman Simpson, one of the leading experts on country inns, if not the best in the world, wrote a small book entitled "Country Inns and Back Roads" over 15 years ago in order to give his readers inside information on the charming, personally managed little "Country Inns" in America. He has now brought out several more books, including one on European "Country Inns", in which he also mentions very many Romantik Hotels. In the meantime we have got to know some of these very good houses in America and were surprised at the high standards and the hospitality we encountered.

Some of the "Country Inns" have become Romantik Hotels, from which you can judge how good such houses are.

You can also purchase the book "Country Inns and Back Roads" from the Romantik Zentrale, Postfach 1144, D-8757 Karlstein/Main, at a price of DM 30,–.

Norman Simpson, l'un des meilleurs – sinon le meilleur – connaisseur des Country Inns dans le monde, a commencé voici plus de 15 ans par un petit livre sur les «Country Inns and Back Roads», pour faire connaître à ses lecteurs les petites «country inns» en Amérique, leur donner de bonnes adresses en matière de gentilles petites auberges dirigées de manière personnelle. Depuis, il a publié plusieurs livres, entre autre aussi sur les «country inns» européennes et dans lesquels il cite aussi un grand nombre d'Hôtels Romantik.

Nous connaissons depuis quelques-unes de ces très belles maisons en Amérique et avons été surpris d'y rencontrer une telle hospitalité et un niveau aussi élevé.

Quelques-uns de ces «country inns» sont devenues Hôtels Romantik, ce qui traduit bien la qualité de ces maisons.

Le livre «Country Inns and Back Roads» est en vente pour 30,– DM au Bureau Central Romantik.

Die feine Art,
Bestes bestens zu servieren.

Warsteiner Brauerei, D-4788 Warstein im Sauerland. Telefon (02902) 881.

Internationales Spitzenbier der Premium-Klasse.

Romantik Sekretariate

Deutschland
Romantik Hotels & Restaurants
Freigerichtstr. 5, Postfach 1144
8757 Karlstein/Main
Tel. 06188/5020, Tx. 4184214
Btx # 22895711

Österreich
Romantik Hotel »Post«
Hauptplatz
9500 Villach/Kärnten
Tel. 04242/26101, Tx. 45723

Schweiz
Romantik Hotel »Stern«
Reichsgasse 11, 7000 Chur
Tel. 081/223555, Tx. 74198

Skandinavien
Romantik Hotel
»Söderköpings Brunn«
Box 44, 61400 Söderköping
Tel. 0121/10900, Tx. 4262

Niederlande
Romantische Restaurants
Postbus 5050
5201 GB 's-Hertogenbosch
Tel. 073/135050

Großbritannien
Romantik Hotels Reservations
John Walker
35 Harrington Gardens
London SW7 4JU
Tel. 013730681, Tx. 291446

USA
Romantik Hotel
»Quechee Inn«
POB 457
Quechee, Vermont 05059
Tel. (802) 295-3133

Romantik Reservierungsbüros

Deutschland
Romantik Reisen GmbH
Postfach 1144
8757 Karlstein/Main
Tel. 06188/5020 + 6891
Tx. 4184214, Btx # 22895711

England
Romantik Hotels Reservations
John Walker
35 Harrington Gardens
London SW7 4JU
Tel. 013730681, Tx. 291446

DER
Hans Woerndl
15 Orchard Street
London W1H OAY
Tel. 01-4864593, Tx. 21709

USA
Romantik Hotels Reservations
Ingrid Meyer
12334 Northup Way, Suite C
Bellevue, WA 98005
Nationwide exc. WA.:
1-800-826-0015
(No information on this number)
WA.: 1-206-885-5805
Tx. 9104433075

Kanada
Canadian Travel Abroad Ltd.
Himo Mansour
80 Richmond Street West
Suite 1202
Toronto, Ontario M5H 2A4
Tel. (416) 364-2738
Tx. 06-22422 Cable Cantrav
Toronto

Mexiko
Romantik Hotels Reservations
Destinos Mundiales S.A. de C.V.
Av. Hidalgo 1216, Sec. Hidalgo
44280 Guadalajara, Jalisco
Tel. (36) 253508, Tx. 0684262

Australien
John Marsh
Travel Pty. Ltd.
146-148 Walker Street
Dandenong 3175 Melbourne
Tel. 7915122, Tx. AA 39468

Belgien
Vlaamse Toeristenbond
Sint-Jakobsmarkt 45-47
2000 Antwerpen
Tel. 03-2343434, Tx. 31679

Dänemark
FDM Reisebüro
Blegdamsvej 124
2100 Kopenhagen O
Tel. 01-382112, Tx. 19062

Norwegen
KNA
Parkveien 68
Oslo 1
Tel. (02) 562690

NAF
Storgatan 2
Oslo 1
Tel. 337080, Tx. 18880

Schweden
Romantik Hotel
»Söderköpings Brunn«
Box 44, 61400 Söderköping
Tel. 0121/10900, Tx. 4262

Schweiz
TCS
Rue Pierre-Fatio 9
1211 Genf 3
Tel. 022/366000, Tx. 22488

Österreich
ÖAMTC Reisebüro
Schubertring 1-3
1010 Wien
Tel. (0222) 7299-0
Tx. 133964

Romantik Hotel Agenturen:

EEST Reisen
8900 Augsburg, Grottenau 6
Tel. 0821/512504

RB H. Brinck & Co.
5300 Bonn 1, Rochusstr. 174
Tel. 0228/624040

Reisebüro Jonen
4000 Düsseldorf
K.-Adenauer-Platz 11
Tel. 0211/160654

Essener Reisebüro
4300 Essen, Hollestr. 1
Tel. 0201/20401

Haus der Reise GmbH
2390 Flensburg
Suedermark 10-11
Tel. 0461/17071

Schwarzwald RB
7800 Freibrug, Rotteckring 14
Tel. 0761/31039

Reisebüro Lührs KG
2000 Hamburg 70, Litzowstr. 13
Tel. 040/68298151

RB Rauther GmbH
2050 Hamburg 80
Alte Holstenstr. 42
Tel. 040/7211057

Reisebüro Hauck
7500 Karlsruhe
Bahnhofstr. 11-13
Tel. 0721/22192

Reisebüro Dr. Junges
5400 Koblenz, Altlöhrtor 6
Tel. 0261/12111

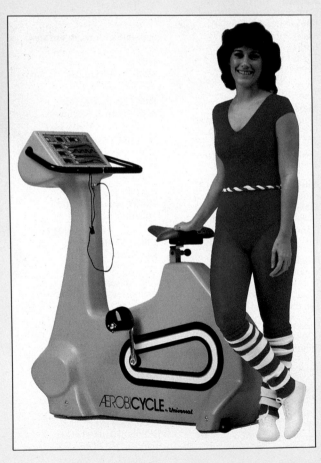

Reisebüro Hartmann
5000 Köln 1, Ebertplatz 1
Tel. 02 21/72 80 21

Reisebüro Esser
4150 Krefeld, Rheinstr. 106
Tel. 0 21 51/8 11 12

Reisebüro Hebbel
5090 Leverkusen
Berg. Landstr. 149–151
Tel. 02 14/5 60 17

Reisebüro Laatz
8620 Lichtenfels, Badgasse 12
Tel. 0 95 71/50 55

Reisebüro Poppe & Co.
6500 Mainz, Eppichmauergasse 8
Tel. 0 61 31/20 12 44

RB Mönchengladbach GmbH
4050 Mönchengladbach
Am Hauptbahnhof
Tel. 0 21 61/27 42 11

RB Horst Denkhaus
4330 Mülheim, Wallstr. 9–13
Tel. 02 08/47 10 68

Neusser Reisebüro
4040 Neuss, Krefelder Str. 47
Tel. 0 21 01/27 33 33

Krüger Reisen
4200 Oberhausen 11
Steinbrinkstraße 195
Tel. 02 08/66 50 44

RB Schmidt GmbH
5630 Remscheid, Alleestr. 29
Tel. 0 21 91/20 60

RB Bartholomae GmbH
6200 Wiesbaden, Wilhelmstr. 8
Tel. 0 61 21/1 34–0

Reisebüro Schambach
6520 Worms, Am Marktplatz
Tel. 0 62 41/62 22

Reisebüro Baedeker
5600 Wuppertal, Neumarktstr. 36
Tel. 02 02/49 50

Frederikshavn, Havnegade 7,
(08) 42 21 00, 9–17
Haderslev, Torvet 9, (04) 52 54 08,
9–17
Herning, Bredgade 15 B,
(07) 12 57 25, 9–17
Hillerød, Industrivænget 3,
(02) 26 69 11, 8.30–16.30
Hjørring, Barfoedsvej 2,
(08) 92 42 88, 8.30–17
Holbæk, Østre Havnevej 8,
(03) 43 47 08, 9–16.30
Holstebro, Frøjkvej 4, (07) 42 30 44,
9–17
Horsens, Åboulevarden 2,
(05) 62 66 88, 8.30–17.00
Kolding, Helligkorsgade 17,
(05) 52 74 01, 8–17
Krusa, FDMs grænsekontor,
(04) 67 15 18, 8.30–16.30
København:
Hovedkontoret, Blegdamsvej
124, 2100 København O,
(01) 38 21 12, 9–17,
ma. (kun for pers. hevn.), 17–19,
Amager, Bella Center, (01) 52 02 11,
8.30–16.30
Lyngby, Firskovvej 32, (02) 88 18 00,
9–17
Rødovre, Rødovre Centrum 206,
(01) 70 09 88, 9–17, lordag (kun pers.
henv.) 9–12
Lemvig, Toldbodgade, (07) 82 03 72,
9–12 og 13–16.30
Læsø, Vesterø Havn, (08) 49 93 64;
9–17, lørdag (kun pers. henv.)
9–12.30
Nakskov, Vejlegade 12, (03) 92 23 88,
ma.–fr. 10–12 og 14–17, lø. 10–12
Nykøbing F, Vestenborg Allé 28,
(03) 85 19 77, 9–17
Nykøbing M, Havnegade 9,
(07) 72 11 66, 8–12 og 13–16.30
Næstved, Nygårdsvej 1–5,
(03) 72 34 44, 8.30–16.30
Odense C, Vindegade 26–28,
(09) 13 00 00, 9–17, lørdag (kun
pers. henv.) 9–12
Randers, Grenåvej 33, (06) 42 66 88,
8.30–16.30
Roskilde, Darupvang 19,
(02) 35 85 88, 8–16.30
Rønne, St. Torvegade 98,
(03) 95 30 66, ma. 10–17, ti–fr.
10–14
Silkeborg, Stagehøjvej 4,
(06) 82 56 44, 8–16.30
Skive, Nørregade 16, (07) 52 50 23,
9.30–12 og 14–17
Slagelse, Bornholmsvej 7,
(03) 52 44 88, 9–16.30
Svendborg, Centrumpladsen,
Gåsestræde 14 C, (09) 21 53 80, 9–17
Sønderborg, Jyllandsgade 17 A,
(04) 42 63 44, 8–16.30
Torshavn, Vipuvegur 1, (042) 1 26 91
Tønder, Østergade 2 A, (04) 72 12 20,
9–12 og 13–17, lø. 9–12

Vejle, Vester Engvej 52, (05) 82 51 33,
9–17
Viborg, Sct. Mathias Marked 300,
(06) 62 41 60, ma.–on. 9.30–17.30,
to. 9.30–19, fr. 9.30–20, lø. 9.30–14
Vordingborg, Glambæksvej 3,
(03) 77 02 17, ma.–fr. 10–16
Åbenrå, H. P. Hanssensgade 5,
(04) 62 26 85, 10–16, lø. lukket
Aalborg, Vesterbro 65, (08) 12 11 44,
9–17
Århus C, Store Torv 6, (06) 13 13 44,
9–17

Vlaamse Toeristenbond
Zentralsitz
Antwerpen, Sint Jakobsmarkt 45–47,
Tel. (03) 2 34 34 34, Telex 31 679
Aalst, Kerkstraat 12,
Tel. (053) 70.17.27
Bree, Nieuwstadstraat 16,
Tel. (011) 46.47.21
Brugge, Wollestraat 28,
Tel. (050) 33.64.43
Brussel, Em. Jacqmainlaan 126,
Tel. (02) 219.32.44
Deinze, Tolpoortstraat 11,
Tel. (091) 86.65.00
Genk, Europalaan 109, Bus 11,
Tel. (011) 35.63.10
Gent, Kalandeberg 7,
Tel. (091) 23.60.21
Hasselt, Demerstraat 60–62,
Tel. (011) 22.35.70
Herentals, Fraikinstraat 47,
Tel. (014) 21.12.31
Ieper, Grote Markt 16,
Tel. (057) 20.62.35
Kortrijk, Stationsstraat 1,
Tel. (056) 22.35.15
Leuven, Bondgenotenlaan 102,
Tel. (016) 22.67.20
Lier, Lisperstraat 18,
Tel. (03) 480.63.62
Mechelen, O.L.-Vrouwstraat 34,
Tel. (015) 41.20.09
Oostende, Kerkstraat 14,
Tel. (059) 70.83.61
Roeselare, St.-Michielsstraat 7,
Tel. (051) 20.23.63
St.-Niklaas, Kokkelbeekstraat 7,
Tel. (03) 776.38.95
St.-Truiden, Stationsstraat 10,
Tel. (011) 68.02.40
Turnhout, Herentalsestraat 3,
Tel. (014) 41.28.40
Vilvoorde, Schaarbeeklei 14,
Tel. (02) 251.17.15

Bestellung:

___ Reiseführer
»Romantik Hotels und Restaurants« je DM 7,50

___ Romantik-Reisekarte . . . . je DM 7,50

___ Romantik Bordeaux-Gläser, 2 Stück . DM 20,—

___ Romantik-Sammelteller . . . . DM 48,—

___ »Country Inns and Backroads«
von Norman Simpson . . . . je DM 30,—

___ Menü-Gutscheine . . . . zu je DM 25,—

___ Menü-Gutscheine . . . . zu je DM 50,—

___ Romantik-Geschenk-Gutscheine zu je DM 100,—

___ Romantik Dîner . . . . DM 175,—

___ Romantik-Schlemmer-Wochenende . DM 300,—

___ Romantik-Hochzeits-Scheck . . . . . . DM 500,—

___ Romantik-Verwöhn-Gutschein . . . . . DM 650,—

___ Romantik-Tagungsmappe . . . . kostenlos

Bitte einsenden an:

Romantik Hotels und Restaurants
Postfach 11 44
D–8757 Karlstein/Main

oder an unsere Agentur:

Stempel

✂

Bestellung:

___ Reiseführer
»Romantik Hotels und Restaurants« je DM 7,50

___ Romantik-Reisekarte . . . . je DM 7,50

___ Romantik Bordeaux-Gläser, 2 Stück . . DM 20,—

___ Romantik-Sammelteller . . . . DM 48,—

___ »Country Inns and Backroads«
von Norman Simpson . . . . je DM 30,—

___ Menü-Gutscheine . . . . zu je DM 25,—

___ Menü-Gutscheine . . . . zu je DM 50,—

___ Romantik-Geschenk-Gutscheine zu je DM 100,—

___ Romantik Dîner . . . . DM 175,—

___ Romantik-Schlemmer-Wochenende . DM 300,—

___ Romantik-Hochzeits-Scheck . . . . . . DM 500,—

___ Romantik-Verwöhn-Gutschein . . . . . DM 650,—

___ Romantik-Tagungsmappe . . . . kostenlos

Bitte einsenden an:

Romantik Hotels und Restaurants
Postfach 11 44
D–8757 Karlstein/Main

oder an unsere Agentur:

Stempel

Name: _____

Vorname: _____

Str./Nr. _____

PLZ / Ort: _____

Telefon: _____

Buchungsauftrag

_____ Doppelzimmer Bad/Du, WC   _____ Einzelzimmer Bad/Du, WC

_____ Dreibettzimmer Bad/Du, WC   _____ Kinderbett   Alter

Urlaub im Romantik Hotel _____

vom _____ bis _____

Romantik-Reise: _____

1. Nacht am _____

am _____ in _____

am _____ in _____

am _____ in _____

am _____ in _____

am _____ in _____

_____   _____
Ort/Datum   Unterschrift

Name: _____

Vorname: _____

Str./Nr. _____

PLZ / Ort: _____

Telefon: _____

Buchungsauftrag

_____ Doppelzimmer Bad/Du, WC   _____ Einzelzimmer Bad/Du, WC

_____ Dreibettzimmer Bad/Du, WC   _____ Kinderbett   Alter

Urlaub im Romantik Hotel _____

vom _____ bis _____

Romantik-Reise: _____

1. Nacht am _____

am _____ in _____

am _____ in _____

am _____ in _____

am _____ in _____

am _____ in _____

_____   _____
Ort/Datum   Unterschrift